LE DESTIN DES STEENFORT

DU MÊME AUTEUR

Romans

Largo Winch et le Groupe W, Mercure de France, 1977.
Largo Winch et la cyclope, Mercure de France, 1978.
Le Dernier des doges, Mercure de France, 1978.
La Forteresse de Makiling, Mercure de France, 1979.
Les Révoltés de Zamboanga, Mercure de France, 1979.
Business Blues, Mercure de France, 1980.
Le Télescope, Le Cri, 1993.
Les Steenfort, maîtres de l'orge, Robert Laffont/France 2, 1996.

Bande dessinée (scénarios)

Epoxy (avec Paul Cuvelier), Losfeld, 1968.
Corentin : Le prince des sables (avec Paul Cuvelier), Lombard, 1970.
Corentin : Le royaume des eaux noires (avec Paul Cuvelier), Lombard, 1974.
Histoire sans héros (avec Dany), Lombard, 1977.
Thorgal (avec Rosinski), Lombard, 24 titres depuis 1980.
III (avec William Vance), Dargaud, 13 titres depuis 1985.
Le Grand Pouvoir du Chninkel (avec Rosinski), Casterman, 1988.
S.O.S. Bonheur, t. 1, 2 et 3 (avec Griffo), Dupuis, 1989.
Largo Winch (avec Philippe Francq), Dupuis, 10 titres depuis 1989.
Les Maîtres de l'orge (avec Francis Vallès), Glénat, 7 titres depuis 1991.
Histoire sans héros II, vingt ans après (avec Dany), Lombard, 1996.
L'Affaire Francis Blake (avec Ted Benoît), Blake & Mortimer, 1996.

JEAN
VAN HAMME

Le destin
des Steenfort

ROMAN

Avertissement. Plusieurs événements évoqués dans ce récit, principalement dans sa première partie, ont été racontés dans un précédent roman du même auteur, *Les Steenfort, maîtres de l'orge,* paru en 1996 aux éditions Robert Laffont.

« Derrière toute fortune se cache un crime ignoré. »

Honoré de Balzac

Première partie

RÉGINE, 1934

1

— *C'est la luuutte finaaale...*

Dans le petit bois de la Renardière, à moins de deux kilomètres du village, on entendait encore au loin le refrain de l'Internationale braillé à tue-tête par les ouvriers en grève qui défilaient dans la rue principale de Bourg-d'Artois. Mais Baptiste Moulinot se souciait fort peu de la lutte finale, du syndicat, de la grève et du socialisme en général. Essoufflé, trébuchant sur les racines, écartant de son bras unique les basses branches qui lui barraient le chemin, il ne pensait qu'à une chose : les seins d'Augustine, qui courait en riant devant lui. À sa décharge, il fallait reconnaître qu'Augustine Lemaître, blonde et rieuse, la trentaine peu farouche, avait les plus beaux seins du pays.

— *L'Internaaationaaale sera le genre humain...*

Debout à la terrasse de *Chez Léon*, Florent Lemaître, le patron, regardait tristement défiler ses administrés en casquette et foulard rouge, brandissant les habituelles pancartes à la gloire de la SFIO et de la CGTU ou réclamant le pouvoir aux travailleurs et la semaine des quarante heures. En tête du cortège, comme de coutume, le petit Julot Desmet, le délégué syndical de la brasserie Steenfort, et son homologue de la brasserie Chevalier, le gros Marcel Brébois, chantaient encore plus fort et plus faux que les autres.

— Ho, Florent, elle est pas là, l'Augustine ?

— T'en fais pas, m'sieur l'maire, elle est sûrement allée chercher des œufs de Pâques dans les bois.

— Elle t'en ramènera p'têt bien un gros, ha ! ha ! ajouta un troisième luron en se tapotant le ventre d'un geste sans équivoque.

Faisant celui qui n'avait rien entendu, Florent essaya machinalement de deviner celui qui manquait à l'appel dans le groupe d'ouvriers qui passaient devant lui en ricanant. Celui qui, sans doute, avec Augustine... Mais c'était une tâche impossible. Tournant le dos à la manifestation, il rentra dans son café.

La grande salle était vide. Mais tout à l'heure, quand les hommes seraient fatigués de tourner en rond dans le village avec leurs pancartes que personne ne regardait, l'estaminet serait comble, bruissant de gros rires et d'interpellations, et Florent aurait fort à faire pour servir par dizaines les chopes de Steenfort ou de Spéciale Bourg qu'on lui réclamerait à grands cris. Les jours de grève, comme les dimanches, il doublait son chiffre d'affaires. Il n'y avait plus qu'à espérer que cette garce d'Augustine serait rentrée à temps de son escapade pour l'aider.

À cinquante-deux ans, Florent Lemaître avait pourtant tout pour être satisfait de son sort. Son père, qui portait le même prénom que lui, lui avait légué le café, le seul de Bourg-d'Artois, à la fin de la guerre. Sans trop savoir pourquoi, sans doute par paresse, Florent avait gardé l'enseigne *Chez Léon*, du nom du fondateur du troquet au milieu du siècle dernier.

Soucieux de respectabilité, il s'était lancé dans la politique à petite échelle et était régulièrement élu maire de la commune depuis 1919. En prime, il avait légalement changé son nom de De Meester, qui sonnait trop flamand à ses yeux, en Lemaître, sa traduction française. En dépit de leurs lourdes allusions à ses cornes, ses concitoyens l'aimaient bien. Il gérait sa municipalité à la satisfaction de tous et son café lui rapportait de quoi vivre sans soucis. Pourquoi diable avait-il eu l'idée saugrenue d'épouser sur le tard la fille du marguillier, cette gourgandine au tempérament ravageur qui faisait de lui la risée du village ? À cause de sa joie de vivre, sans doute. Ou de ses seins. Ou des deux. Allez savoir...

Il soupira.

Il faisait exceptionnellement chaud en ce mois d'avril 1934. Haletante, sa respiration courte soulevant son corsage mouillé de sueur, Augustine arrêta sa course au bord de la Clère, la petite rivière alimentant le village. Elle se retourna, rieuse, pour regarder Baptiste s'approcher d'elle en trébuchant.

— Eh bien, caporal ! On dirait que tu cours moins vite que devant les Fridolins.

— J'avais... j'avais vingt ans, à l'époque... hhh..., hhh... Et ne me parle pas de ces salauds qui m'ont pris mon bras... hhh...

— Je plaisantais, voyons. Embrasse-moi..., vite...

Le manchot ne se le fit pas dire deux fois. Sans même reprendre son souffle, il prit avidement les lèvres offertes de la jeune femme. Puis, du visage, sa bouche glissa le long du cou pour atteindre le sillon humide de la merveilleuse poitrine. Il y enfouit son visage en gémissant de plaisir. Enfin !

Se laissant glisser, Augustine l'attira vers l'herbe moussue qui s'étalait tel un tapis accueillant au bord de la rivière.

Dissimulée derrière un bosquet de fougères, Juliette en ouvrait de grands yeux, tandis que des frémissements inconnus lui parcouraient le corps. C'était la première fois qu'elle voyait un homme et une femme s'embrasser, sans parler du reste. Elle avait reconnu l'épouse du cafetier, bien sûr, et aussi Baptiste, le manchot qui avait fait la guerre avec son père et qui tenait la cantine de la brasserie. Et elle se doutait bien de la raison pour laquelle ces deux-là se cachaient dans le bois de la Renardière pendant que le reste du village jouait à faire la grève. Ils allaient peut-être faire la chose. Cette fameuse chose dont ses amies de l'internat parlaient souvent à mots couverts sans trop bien savoir de quoi il s'agissait exactement.

Couchée sur l'herbe, Mme Lemaître avait déboutonné son corsage, libérant ses seins splendides que le manchot embrassait goulûment avec des petits grognements d'animal. Juliette passa machinalement sa main sur sa maigre poitrine. À presque dix-sept ans, montée tout en graine, elle se trouvait laide et désespérait d'avoir un jour un vrai corps de femme. Un corps comme celui de ces actrices qu'on voyait dans les magazines. Comme celui de Mme Marquet, la professeur de chant. Ou comme celui de Mme Lemaître, justement. À l'internat, plusieurs de ses camarades se montraient fièrement leurs seins déjà gonflés dans la salle de douche. Juliette, elle, n'avait rien à montrer et en souffrait secrètement.

– Oh oui... Oh oui, Baptiste..., oui..., ouiiiiiiiii.

Juliette ne comprenait plus grand-chose à ce qui se passait. Le manchot avait baissé son pantalon et, les fesses à l'air, s'était allongé sur Mme Lemaître, s'agitant de bas en haut d'une manière parfaitement ridicule. Mme Lemaître, la jupe troussée jusqu'aux hanches, avait l'air de trouver cette gymnastique fort agréable puisqu'elle poussait sans s'arrêter des petits cris ravis.

Mais cela dura à peine plus de une minute. Dans un râle sourd, Baptiste arrêta de gigoter de l'arrière-train et se laissa retomber lourdement sur la femme du cafetier. Déçue, Juliette s'éloigna sans faire de bruit et récupéra sa bicyclette appuyée contre un arbre, au bord du sentier, à une vingtaine de mètres de là.

Par l'une des fenêtres de la salle de réunion jouxtant son bureau, Adrien Steenfort regardait les ouvriers et les ouvrières qui, leur tour de village terminé, commençaient à refluer par petits groupes vers la brasserie. Il ne fut pas surpris de voir sa mère venir à leur rencontre. Comme d'habitude dans ces circonstances, Margrit Steenfort arborait, par-dessus sa modeste robe de serge noire, le foulard rouge que lui avait donné le pionnier socialiste Gaspard Lantin quarante-quatre ans auparavant.

À l'autre bout de la grande pièce, Servais Laurembert, l'ancien contremaître devenu le directeur de fabrication de la brasserie, bavardait avec deux des banquiers membres du conseil de direction, Bachelard et Deroisy.

Soupirant intérieurement, Adrien sortit sa montre du gousset de son gilet. Duponcet était en retard.

– Accélérez, mon petit Léopold, nous sommes en retard.

– La route est étroite, monsieur Duponcet. Je ne voudrais pas risquer de...

– Risquer quoi ? De rencontrer une autre voiture ? Vous croyez vraiment que les paysans de ce trou possèdent des voitures ? Accélérez, vous dis-je.

Léopold Garcin accéléra.

À vingt-cinq ans, Garcin était ce qu'il est convenu d'appeler un joli garçon. Grand et mince, la moustache fine et l'œil alternant à volonté ironie ou regard de velours, le corps bien pris dans un élégant costume trois pièces, son allure contrastait avec celle de son passager, au demeurant propriétaire de la superbe Panhard-Levassor filant sur la petite route de campagne. Gérard Duponcet, principal banquier de la brasserie Steenfort, avait la cinquantaine lourde et bonhomme de ceux qui fréquentent trop les bonnes tables et confondent volontiers l'épicurisme avec l'amour immodéré du vieux bourgogne. Mais sous son crâne chauve, à demi dissimulés derrière des replis de graisse pâle, luisaient des petits yeux de prédateur qui semblaient éternellement à l'affût d'une nouvelle proie. De Dunkerque à Charleville, de Reims à Calais, aucun industriel n'ignorait que la maison Duponcet & Fils était la plus importante et la plus redoutable banque d'affaires du nord de la France.

– Attention !...

Débouchant du petit bois que longeait la Panhard, une gamine à bicyclette surgit sans crier gare devant le capot de la grosse voiture. Dans un geste-réflexe, Garcin tourna le volant mais ne put empêcher le pare-chocs de heurter la roue arrière du vélo, projetant l'imprudente dans le fossé du bas-côté. Coupant le moteur, le jeune homme se précipita.

À demi étourdie, Juliette vit un bel inconnu penché sur elle.

— Mademoiselle, je suis désolé. Comment vous sentez-vous ?

— Qu'est-ce que ?...

L'homme la soutenait d'une main sous la nuque, lui glissant l'autre sous les cuisses pour l'aider à se redresser. Comme piquée par une guêpe, Juliette le repoussa brusquement, roulant dans le fossé pour lui échapper.

— Ne... ne me touchez pas !... Qui êtes-vous ?... Que s'est-il passé ?...

— N'ayez pas peur, mademoiselle. C'est un accident, je vais vous aider.

Refusant la main qu'il lui tendait, Juliette se redressa, un peu chancelante. La tête lui tournait.

— Mon vélo ? Où est mon vélo ?

— Il est là, votre vélo. Mais la roue est probablement voilée. Où habitez-vous ? Nous allons vous reconduire en voiture et...

— Ça ira très bien, merci.

Sans plus se soucier de lui, Juliette redressa sa bicyclette. La roue arrière était effectivement voilée.

— Vous voyez ? Soyez raisonnable, mademoiselle. Vous avez fait une chute et vous feriez mieux de...

— Je vous ai dit que ça ira. C'est vous qui feriez mieux de conduire moins vite. Cela vous éviterait de provoquer d'autres accidents.

Et sans plus lui accorder la moindre attention, la jeune fille s'éloigna sur la route, les jambes encore un peu tremblantes, poussant maladroitement son vélo dont la roue couinait lamentablement. Garcin la suivit des yeux avant de regagner la Panhard à côté de laquelle Duponcet l'attendait patiemment, une lueur amusée dans ses petits yeux de requin.

— Bravo, mon petit Léopold, vous commencez bien. Non seulement vous abîmez ma voiture, mais vous flanquez votre nouvelle patronne dans le fossé.

— Ma nouvelle patronne !?... Je ne comprends pas...

— Cette gamine est Juliette Steenfort, la fille aînée d'Adrien Steenfort. C'est elle la véritable propriétaire de la brasserie.

— Comment cela?

— Remettez en route, je vais vous expliquer ça.

— Vous avez déjà entendu parler de Peter Texel, mon petit Léopold?

— Le gros brasseur canadien? Bien sûr. Mais quel rapport?

— Un rapport direct. Peter Texel, qui doit avoir aujourd'hui près de quatre-vingts ans, est le fils de Franz Texel, l'ancien associé de Charles Steenfort, le grand-père d'Adrien et le fondateur de la brasserie Steenfort. Vous me suivez?

— Jusqu'à présent, oui.

— Il se fait que Franz Texel, qui habitait Bourg-d'Artois, avait quitté la France sans laisser d'adresse. Et Charles Steenfort, qui s'était installé chez lui, a construit sa brasserie sur un terrain appartenant à Franz. Cela se passait vers 1890. Trente ans plus tard, Peter, après être devenu le plus gros brasseur du Canada, est revenu récupérer le bien de son père, entre autres le terrain et, comme le veut la loi, tout ce qui était dessus, c'est-à-dire la brasserie.

— Bigre. Sale coup pour les Steenfort.

— Je ne vous le fais pas dire. Mais Adrien ayant eu la bonne idée d'épouser Joanna, la fille unique de Texel, les choses se sont arrangées. Le vieux Peter a fait don de la brasserie à Juliette, la fille d'Adrien et de Joanna, avant de s'en retourner s'occuper de ses affaires à Vancouver. Donc, tout était bien qui finissait bien.

— M. Steenfort n'est donc que le gérant d'une brasserie appartenant à sa fille. Il n'a pas d'autres enfants?

— Si. Un fils, Charles, âgé de treize ans. Et une dernière-née, Marianne, qui doit avoir quatre ans. Dernière née qui a d'ailleurs coûté la vie à sa mère, emportée par une hémorragie interne lors de l'accouchement.

— Ah. Et M. Steenfort ne s'est pas remarié depuis ?

— Non. De vous à moi, mon petit Léopold, je crois que ce brave Steenfort ne s'intéresse plus beaucoup aux femmes depuis le décès de la sienne. Qu'est-ce que c'est que cet attroupement ?

— Les voilà !

La Panhard pénétrait lentement dans la cour de la brasserie où s'étaient rassemblés les hommes et les femmes du défilé. Soudain inquiet, Garcin coupa le moteur. À l'appel de Julot Desmet, les ouvriers grévistes s'approchèrent, la mine menaçante.

— Alors, les bourgeois, on vient narguer le peuple avec sa belle auto ?

Ne sachant trop quel comportement adopter, Garcin baissa sa vitre.

— Mais pas du tout, nous...

Il laissa mourir sa phrase. Duponcet, affichant une moue méprisante, ouvrit sa portière.

— Je suis Gérard Duponcet, le banquier de M. Steenfort. Nous venons assister à un conseil de direction. Laissez-nous passer !

Pas impressionné le moins du monde, le gros Marcel l'empoigna par les revers de son veston.

— C'est la grève, *môssieur* le banquier. Les brasseries de Bourg-d'Artois sont fermées. Reprenez votre belle automobile et retournez d'où vous venez.

— Écoutez, mon ami, je comprends très bien que vous ayez des revendications, mais nous avons une réunion importante et...

Brutalement plaqué contre le capot de sa voiture, Duponcet, le souffle coupé, n'eut pas le temps d'achever sa phrase. Tandis que Garcin restait prudemment assis au volant, les ouvriers en colère entreprirent de secouer la Panhard. Lentement au début, puis de plus en plus fort.

— À bas les bourgeois !

— Le pouvoir aux travailleurs !

– Vive le socialisme !

– Mort au capital !

– À-bas-les-bourgeois, le-pouvoir-aux-travailleurs ! À-bas-les-bourgeois, le-pouvoir-aux-travailleurs !

– ÇA SUFFIT !

Tous se tournèrent vers Servais Laurembert qui venait d'apparaître à la porte donnant sur les bureaux. Sous ses cheveux gris coupés court, le directeur de fabrication avait son visage des mauvais jours.

– Qu'est-ce qu'il vous prend !? Vous vous croyez encore au temps de la Commune ? Laissez passer ces messieurs immédiatement !

Les ouvriers, qui aimaient bien l'ancien contremaître, obtempérèrent en ronchonnant. Duponcet et Garcin, la mine basse, se hâtèrent vers le bâtiment.

– Ben quoi, m'sieur Servais, lança Desmet, on plaisantait, quoi !...

Servais lui lança un regard noir.

– Mouais, on en reparlera, de tes plaisanteries.

Et il pénétra à son tour dans les bureaux.

Riant sous cape, Julot Desmet se dirigea vers Margrit qui se tenait à l'écart. Toujours superbe à soixante-huit ans, la mère d'Adrien avait un port altier qui contrastait avec la modestie de sa robe noire et l'incongruité de son foulard rouge. Elle accueillit le délégué syndical d'un sourire ravi.

– Ça allait comme ça, Mme Margrit ?

– C'était parfait, Julot. J'espère que ce gros plein de soupe en a mouillé son pantalon. Merci à tous.

– Pas de quoi, Mme Margrit. Nous non plus, on les aime pas trop, les banquiers.

Saluant de la main les ouvriers et les ouvrières qui l'entouraient, Margrit entra dans la brasserie.

– Tiens, v'là l'Baptiste.

Desmet, le sourcil froncé, se tourna vers le manchot qui arrivait en courant.

– D'où tu sors, Baptiste ? Je t'ai pas vu dans le défilé.

– Je... j'avais quelque chose à faire, quelque chose d'urgent. J'suis pas syndiqué, moi.

17

— C'est bien ce que je te reproche. Allez, va ouvrir ta cantine, on a la dent, nous.

— C'est une honte ! Un scandale ! Ces misérables ont failli nous écharper.

— N'exagérons pas, monsieur Duponcet.

Hors de lui, le gros banquier se tourna vers le directeur de fabrication.

— J'aurais voulu vous y voir. Ce sont des brutes, monsieur Laurembert. Des brutes que vous êtes incapables de contrôler. Pourriez-vous m'expliquer pourquoi ils sont encore en grève ? C'est la deuxième fois cette année, et nous ne sommes qu'en avril.

— Il s'agit d'une grève d'un jour décrétée à l'échelon national par la CGTU, la Confédération générale des travailleurs unifiée. Vous ne lisez pas les journaux, monsieur Duponcet ?

— Ce que je lis dans les journaux, monsieur Laurembert, c'est que nous traversons une crise économique extrêmement grave. Ce que je lis, c'est qu'en trois ans, la production industrielle française a diminué de vingt-huit pour cent et que nos exportations ont chuté de plus de la moitié. Ce que je lis, c'est que les faillites se comptent chaque mois par centaines et que l'année dernière, l'État a dû débourser plus d'un milliard et demi pour secourir les trois cent mille chômeurs officiellement recensés dans notre malheureux pays. Voilà ce que je lis dans les journaux, monsieur Laurembert. Alors, que cherchent-ils, vos grévistes ? À ruiner ce qu'il reste de notre malheureuse économie ?

— Ce qu'ils cherchent, monsieur Duponcet, c'est à empêcher les usuriers dans votre genre de continuer à faire baisser leur pouvoir d'achat.

Le foulard en bataille, Margrit Steenfort venait de faire son entrée dans la salle de réunion.

La haine que se vouaient Margrit et Gérard Duponcet datait de quinze ans. De ce fameux jour de 1919 où le banquier, se servant d'une astuce juridique, avait permis aux avocats de Peter Texel de mettre la main sans coup férir sur la brasserie Steenfort. Ce jour-là, Margrit l'avait giflé en public. Quinze ans plus tard, la joue de Duponcet lui brûlait encore.

À plusieurs reprises, Margrit avait essayé de convaincre son fils de rompre toute relation d'affaires avec le banquier de Lille. Mais la brasserie était trop engagée vis-à-vis de la maison Duponcet. Et Adrien, qui filait à l'époque le parfait amour avec Joanna, n'avait pas assisté à la fameuse scène de la gifle.

Assis au bout de la table de réunion, il se tourna vers sa mère, le sourcil froncé.

— Maman, je t'en prie...

Elle le fusilla du regard.

— Quoi, « maman, je t'en prie » ? Eux, tes ouvriers, ne vivent que de leur salaire. Tandis que toi, et vous aussi, messieurs, à l'exception de Servais, vous vivez de votre naissance, de l'entreprise ou de la banque que vos pères vous ont laissée. Vous ne savez pas ce que c'est d'avoir faim.

— Parce que vous, vous le savez sans doute ? ricana Duponcet en s'épongeant le front.

— Parfaitement, monsieur Duponcet. Et j'ai payé cette expérience plus cher que vous ne l'imaginerez jamais.

Un ange passa, chargé de douloureux souvenirs. Adrien se racla la gorge.

— Si votre affrontement trimestriel est terminé, nous pourrions peut-être commencer notre réunion ?

Léopold Garcin, à qui nul n'avait prêté beaucoup d'attention jusqu'à présent, prit discrètement place près de Duponcet. Les deux autres banquiers, Bachelard et Deroisy, s'assirent de même, non sans avoir échangé un regard amusé. Ils connaissaient de longue date l'animosité qui existait entre leur confrère et celle que dans les cercles d'affaires on surnommait en souriant Margrit-la-Rouge.

À quarante-quatre ans, grand et mince, le cheveu dru coiffé en arrière, Adrien Steenfort avait belle allure en dépit de sa jambe raide, souvenir de la guerre, qui l'obligeait à marcher en s'aidant d'une canne. Industriel en vue, veuf encore jeune, il aurait certainement été accueilli à bras ouverts par les dames de la bonne société de la région ayant une fille à marier. À bras ouverts également par certaines de ses employées, voire ses ouvrières, que son charme et sa haute taille ne laissaient pas indifférentes. Mais depuis la disparition de son épouse quatre ans auparavant, Adrien ne s'intéressait plus qu'à la bière, à la brasserie et aux affaires.

Il vivait seul avec ses deux aînés, Juliette et Charles, dans l'ancienne ferme de Franz Texel dont il avait remplacé la vaste grange par une agréable demeure bourgeoise. Son personnel domestique se réduisait à une brave servante, Delphine, qui s'occupait du ménage et des repas. Une tâche pas trop lourde puisque les deux enfants passaient la semaine dans leur internat de Lille, ne revenant à Bourg-d'Artois que les dimanches et pendant les vacances scolaires.

La petite dernière, Marianne, âgée de quatre ans, vivait chez ses grands-parents, Noël et Margrit, dans l'ancienne maison Chevalier, à l'autre bout du village, juste à côté de la brasserie artisanale dont Noël avait hérité de sa mère adoptive, Élise Chevalier. On ne savait pas si, consciemment ou non, Adrien en voulait à la petite d'avoir, par sa naissance, causé la mort de sa mère. Il avait invoqué la difficulté pour un homme seul d'élever une enfant en bas âge, et chacun avait accepté cet argument comme une explication plausible.

— Messieurs, je suis désolé pour les incidents qui viennent de se produire et je vous demanderai de bien vouloir les oublier pour en arriver à l'objet de notre réunion. Et tout d'abord, permettez-moi de vous présenter M. Léopold Garcin, notre nouveau directeur commercial, que j'ai engagé sur la recommandation de notre ami Duponcet.

Garcin s'empressa de se lever et de saluer d'une brève inclinaison de la tête avant de se rasseoir. Bachelard, Deroisy et Servais lui répondirent par un mouvement du menton, tandis que Margrit faisait mine de regarder ailleurs.

– M. Garcin, poursuivit Adrien, est diplômé de l'École supérieure de commerce de Lille et a fait ses premières armes à la brasserie Fisher. Il connaît donc le métier et nous sera certainement fort utile pour développer nos ventes qui en ont bien besoin. Notamment pour lancer la nouvelle bière que Servais Laurembert, notre directeur de fabrication, est en train de mettre au point.

– Une nouvelle bière ? s'étonna Bachelard. La Steenfort ne vous suffit plus ?

– M. Duponcet vient d'évoquer la crise, monsieur Bachelard. Et cette crise est bien réelle. Nos ventes sont tombées à deux millions d'hectolitres l'année dernière et... Oui, qu'est-ce que c'est ?

Mme Durieux, la secrétaire entre deux âges d'Adrien, entra timidement dans la pièce, un bout de papier bleu à la main.

– Excusez-moi de vous déranger, monsieur Steenfort, mais ce télégramme vient d'arriver et...

– Merci, madame Durieux, la coupa Adrien en prenant le télégramme et en le mettant distraitement dans la poche de son veston. Je verrai ça plus tard.

La secrétaire s'éclipsa aussi discrètement qu'elle était venue et Adrien revint aux membres de son conseil.

– Donc, pour relancer nos ventes, je voudrais créer un nouveau produit. Une bière de luxe à six degrés et demi d'alcool destinée à une clientèle plus huppée que celle de notre bière courante et que nous vendrons en bouteilles capsulées de trente-trois centilitres.

– Intéressant, approuva Deroisy. Comment l'appellerez-vous ?

– Nous n'avons pas encore trouvé de nom. Bien entendu, comme vous vous en doutez, j'aurai encore besoin de votre appui financier pour démarrer la production et lancer le produit.

– Mmh... Vos emprunts chez nous sont déjà importants, Steenfort.

– C'est bien pour cela que vous faites partie de notre conseil, cher ami. Ne vous ai-je pas régulièrement payé vos intérêts ?

– Certes, mais le capital...

– ... vous sera remboursé dès que la situation économique du pays se sera redressée. Nous n'avons pas le choix, Deroisy. Ou nous allons de l'avant, ou nous périssons.

– Sans moi, messieurs! tonna Duponcet en frappant la table du plat de la main. Ne comptez plus sur moi pour avancer encore un sou à une entreprise tombée aux mains des bolcheviks.

– Des bolcheviks, vraiment, sourit Adrien. N'exagérez-vous pas un peu, Duponcet?

– Moi, j'exagère!? Depuis que les socialistes ont soi-disant gagné les législatives de 32, plus rien ne va dans ce pays. Tout part à vau-l'eau. Et j'en ai assez d'entendre ces prétendus défenseurs du peuple crier « À bas le capitalisme » alors que c'est précisément le capitalisme qui a fait d'eux ce qu'ils sont.

Cette dernière réplique étant manifestement destinée à Margrit, que Duponcet fixait agressivement de ses petits yeux embusqués comme des furets derrière leurs bourrelets de graisse. La mère d'Adrien lui adressa en retour son plus aimable sourire.

– Vous préféreriez sans doute qu'ils crient « Vive les spéculateurs qui nous affament »?

Le gros banquier se leva aussi vivement que sa masse le lui permettait, se tournant vers Adrien.

– Soyons clairs, Steenfort. Tant que vous vous laisserez diriger par les syndicats si chers au cœur de Mme votre mère, n'espérez plus aucun soutien de la banque Duponcet. Mes services vous adresseront sous peu un échéancier du remboursement de votre dette à mon égard. Inutile de me reconduire, je connais le chemin, pour autant que les excités qui polluent votre cour me laissent regagner ma voiture. Serviteur, messieurs.

Et il quitta la pièce sans serrer la main à quiconque. Personne, sinon Garcin, ne remarqua le bref regard de connivence que le banquier adressa au jeune directeur commercial avant de franchir la porte.

— Et l'exportation, monsieur Steenfort, vous y avez pensé ?

Le conseil de direction terminé, Adrien, accompagné de Servais, faisait visiter la brasserie à son nouvel employé. Dans la grande salle de brassage, déserte pour cause de grève, les cuves en cuivre étincelaient dans les rayons du soleil qui traversaient généreusement la verrière.

— Évidemment que j'y ai pensé. Mais exporter où, monsieur Garcin ? L'Angleterre ne jure que par le *stout*. Les Italiens de Mussolini ne boivent pas de bière. Le marché hollandais est entièrement dominé par les géants Amstel et Heineken. L'Allemagne, ruinée par les réparations de guerre, est exsangue. En Espagne, la guerre civile va éclater d'un jour à l'autre. Quant à la Belgique, elle protège sa production nationale par tout un train de mesures protectionnistes.

— Justement, pour la Belgique, il y aurait peut-être un moyen...

— Vraiment ? Et lequel ?

— Vous connaissez la brasserie Leroux ?

— Bien sûr. Une bonne petite brasserie semi-artisanale installée à la frontière belge qui produit ses cent mille hectos par an. Georges Leroux, un homme charmant par ailleurs, est un bon brasseur.

— Sans doute. Mais la particularité de la brasserie Leroux est d'être installée dans un village coupé en deux par la frontière et de posséder une unité de brassage de chaque côté de la ligne de démarcation ; une en France et l'autre en Belgique.

— Soit. Ensuite ?

— Si vous rachetiez Leroux et y produisiez de la Steenfort, vous pourriez librement écouler celle-ci en Belgique sans taxes douanières ni licences d'importation.

— Un instant, intervint Servais. L'idée est peut-être ingénieuse, mais je connais bien la brasserie Leroux. Contrairement à d'autres, elle se porte à merveille et Georges Leroux n'a aucune raison de vendre.

— Bah, sourit Garcin, qui ne demande rien n'a rien. M'autorisez-vous à essayer, monsieur Steenfort ?

— Si vous voulez. Cependant je suis d'accord avec Servais : l'idée est bonne, mais vous n'aboutirez à rien. Aussi, n'y perdez pas trop votre temps. Nous avons d'autres chats à fouetter, monsieur Garcin. Nous devons en priorité conforter notre position en France.

Les trois hommes avaient quitté la salle de brassage en empruntant un escalier métallique à claire-voie. Peu après, au fond d'un couloir, ils pénétraient dans une grande pièce bien éclairée par deux fenêtres, encombrée de divers pots et flacons sur une grande table, de quelques bassins à même le sol et de sacs de malt déposés dans les coins. Un jeune garçon en blouse blanche, en train de chauffer un liquide dans une cornue sur un bec Bunsen, se tourna vers les arrivants avec un large sourire.

— Notre laboratoire, annonça Adrien. Et voici notre directeur de recherche adjoint. Charles, je te présente M. Léopold Garcin, notre nouveau directeur commercial. Monsieur Garcin, mon fils Charles.

— Enchanté, monsieur Garcin, fit poliment le garçon après s'être frotté les mains sur sa blouse. J'espère que vous vous plairez chez nous.

— J'en suis persuadé, sourit Garcin. D'autant plus que je constate que la brasserie Steenfort encourage la promotion des jeunes talents. Quel âge avez-vous, Charles ?

— J'aurai quatorze ans l'été prochain.

— Et déjà saisi par le virus de la recherche brassicole, bravo ! Je suppose que vous travaillez à cette nouvelle bière dont votre père nous a parlé ?

— Uniquement les dimanches et pendant les vacances, intervint Adrien en passant un bras autour des épaules de son fils. Sinon, le syndicat m'obligerait à lui verser un salaire. Alors, où en sommes-nous, monsieur le directeur de recherche adjoint ?

Charles alla prendre sur la grande table un flacon à demi rempli d'un liquide ambré où flottaient des particules de levure.

— Elle n'est pas filtrée, bien sûr, précisa-t-il en donnant le flacon à son père.

Celui-ci le prit et, levant le bras, en examina le contenu à la lumière de la fenêtre.

– La couleur semble correcte. Quelle densité ?

– Quinze degrés Balling. En améliorant les performances de la levure, nous devrions pouvoir atteindre six degrés et demi d'alcool.

– Sans prolonger la durée d'ébullition, compléta Servais. Charles lui lança un regard courroucé.

– J'allais le dire, Servais.

L'ancien contremaître aux cheveux gris s'inclina profondément, mimant la plus extrême contrition.

– Pardonnez-moi, monsieur le directeur de recherche adjoint. Je ne le ferai plus, monsieur le directeur de recherche adjoint.

Ils échangèrent joyeusement un regard complice, tandis qu'Adrien prenait une ou deux gorgées à même le flacon.

– Pas mal, jugea-t-il. Mais il manque quelque chose, je ne sais pas quoi. La saveur de base est bonne, mais il faudrait plus de piquant, plus de personnalité. Qu'en pensez-vous, monsieur Garcin ?

Prenant le flacon que lui tendait son nouveau patron, Garcin goûta à son tour.

– D'accord avec vous, monsieur Steenfort. Peut-être qu'en ajoutant un peu de gingembre...

– Oui, peut-être. Bon, venez, Garcin, laissons les chercheurs chercher, nous avons à faire.

La grande cour était déserte. Ne restaient de la manifestation que quelques banderoles « En grève » tendues au-dessus du quai de chargement et en travers de l'entrée de la salle de brassage. Leur devoir accompli, les ouvriers étaient rentrés chez eux ou allés s'entasser *Chez Léon* afin de poursuivre leur combat autour de quelques chopes bien mousseuses.

– Le logement que Mme Durieux vous a trouvé vous convient-il, Garcin ?

– À merveille, monsieur, je vous remercie.

– Un logement provisoire, bien entendu. D'ici quelques jours, nous vous trouverons une petite maison plus confortable. Il vous faudrait aussi une automobile pour vos tournées.

— J'en aurai une d'ici deux jours, monsieur Steenfort. Avant de quitter Lille, j'ai acheté une Talbot. Le concessionnaire doit me la livrer ici.

— Excellent, Garcin, excellent. Dans ces conditions, je vais vous demander un petit service. Les vacances de Pâques se terminent le week-end prochain. Auriez-vous la gentillesse de conduire mes enfants à leur internat, à Lille, le lundi matin ? J'ai un empêchement.

— Ce sera avec plaisir, monsieur. J'en profiterai pour visiter quelques concessionnaires.

— Je vous remercie, Garcin. Je sens que nous allons faire du bon travail ensemble. Et à présent, si vous voulez bien m'excuser...

Debout sur le quai de chargement, Garcin regarda Adrien traverser la cour en faisant tinter le pavé du bout de sa canne. Il souriait. Les choses se présentaient bien. Très bien, même. La mère Steenfort lui poserait bien quelques problèmes, mais il ne doutait pas de réussir à remplir sa mission.

Sa vraie mission.

— Je ne crois pas que du gingembre soit une bonne idée, papa.

— Je ne le pense pas non plus, Charles.

Depuis l'année précédente, grâce aux démarches de Florent Lemaître soutenu par Adrien, Bourg-d'Artois était relié au réseau électrique. Et la maison des Steenfort, ainsi que la brasserie, avaient été parmi les premières à en profiter. Ce qui donnait au salon un éclairage beaucoup plus agréable (et sans odeur) que celui des lampes à pétrole ou des chandeliers.

Comme tous les soirs après le repas, en veste d'intérieur et tirant sur sa pipe, Adrien jouait aux échecs avec Charles, tandis que Juliette, assise sur le canapé, relisait pour la troisième fois *La Dame aux camélias*, qui faisait partie des lectures interdites par la directrice de l'internat. Mais la jeune fille tournait distraitement les pages qu'elle connaissait déjà. Elle avait encore devant les yeux la scène qu'elle avait surprise dans le bois de la Renardière.

— Pour cette nouvelle bière, enchaîna Adrien, il faudrait quelque chose de plus subtil. Une saveur exceptionnelle qui n'existerait que chez nous. Je compte sur toi pour la trouver, Charles.

— Sur moi et sur Servais, tu veux dire. Si tu avances ton fou, je vais prendre ton cavalier, papa.

— Si tu oses faire ça, garnement, tu perdras ta tour, tant pis pour toi. Oui, bien sûr, avec Servais. Tu t'entends bien avec lui, apparemment ?

— Oh, oui, il est formidable. Il m'apprend plein de choses. Tu sais qu'il connaît par cœur la composition de toutes les bières de France, de Belgique et d'Allemagne ?

— C'est vrai ? Ça doit faire plus de un millier de bières différentes, dis donc. Et hop, je t'avais prévenu, adieu ta tour !

— Deux mille cent cinquante-huit exactement. Tu es tombé dans le piège, papa : échec à la dame !

— Quoi !? Espèce de faux jeton ! Mais tu ne m'auras pas comme ça, attends que je réfléchisse. Deux mille cent cinquante-huit, disais-tu ? Eh bien, la nôtre sera la deux mille cent cinquante-neuvième, et la meilleure de toutes.

— Oh, zut ! Vous ne pourriez pas parler d'autre chose, à la fin ?

Surpris, le père et le fils se tournèrent vers Juliette qui s'était levée, son livre à la main.

— La bière, la brasserie, la brasserie, la bière... On n'entend parler que de ça, ici.

Souriant, Adrien se renversa contre le dossier de son siège, tirant une bouffée de sa pipe.

— C'est normal, ma chérie, nous sommes des brasseurs. À propos, qu'est-ce que tu as fait à ta bicyclette ? Je l'ai vue dans l'appentis, sa roue arrière est voilée.

— Rien, j'ai fait une chute, c'est tout.

— Rien de grave, j'espère ?

— Non, rien. Je vais me coucher, bonsoir.

Mais comme Juliette s'apprêtait à quitter le salon, Delphine y entra après avoir frappé, un carré de papier bleu à la main.

– J'ai trouvé ça dans votre veston en le nettoyant, m'sieur Adrien.

– Ah, le télégramme que j'ai reçu cet après-midi. Je l'avais complètement oublié. Merci, Delphine. Vous pouvez aller vous coucher, je n'aurai plus besoin de vous.

Les enfants regardèrent leur père décacheter le télégramme et le lire en fronçant les sourcils.

– Qu'est-ce que c'est, papa ? demanda Charles. Une mauvaise nouvelle ?

Adrien replia le télégramme et les regarda d'un air grave.

– Oui. Votre grand-père est mort, mes enfants.

Juliette et Charles, atterrés, s'exclamèrent en chœur.

– Papy Noël !?

– Non, Peter Texel, le Canadien, le père de votre maman.

– Oh, lui, fit Charles, soulagé. Pour ce qu'on le connaît... On ne l'a vu que deux fois.

Juliette se retourna agressivement vers son frère.

– Et alors ? C'est notre grand-père, tout de même. Et c'est lui qui m'a donné la brasserie.

– Justement, ricana Charles. Il aurait mieux fait de mourir avant, ce vieil idiot. Mais alors, poursuivit-il en s'adressant à son père, on va être riches ? Mamy Margrit nous a dit qu'il avait la plus grosse brasserie de toute l'Amérique.

– C'est vrai, Charles. Avec la disparition des brasseries aux États-Unis à cause de la Prohibition, Texel est devenue la plus importante brasserie de tout le continent américain. Et avec Marianne, vous êtes les seuls héritiers de votre grand-père.

– Tu entends ça, Juliette ? On va être riches !

– Peuh, laissa dédaigneusement tomber sa sœur. Moi, avec la brasserie Steenfort, je suis déjà riche. Je peux voir le télégramme, papa ?

– Tiens, fit Adrien en le lui donnant.

Redépliant le papier bleu, Juliette en lut le texte à haute voix.

— « *Regrette vous annoncer Peter Texel décédé 14 avril. Stop. Reprendrai prochainement contact avec vous. Stop. Régine Texel* ». C'est qui, Régine Texel, papa?

Adrien se leva et haussa les épaules avant de vider les cendres de sa pipe dans le cendrier.

— Je ne sais pas, moi. Une cousine, sans doute. Allez, hop! il est temps d'aller vous mettre au lit.

— Vous avez été à l'université, monsieur Garcin ?

La petite Talbot flambant neuve filait dans l'aube encore humide, tressautant sur les mauvais pavés de la nationale et ne croisant que quelques rares automobiles et deux ou trois camions. Assise sur le siège passager, en uniforme de pensionnaire, son cartable sur les genoux, Juliette regardait obstinément devant elle, ignorant les coups d'œil que Garcin lui lançait de temps en temps. C'était Charles, assis à l'arrière, également en uniforme, sa pèlerine sur les épaules, qui assurait seul la conversation.

— À l'École supérieure de commerce de Lille, c'est pareil.

— C'est difficile, cette école ?

— Plutôt, oui. Il faut être fort en mathématiques pour réussir. Vous êtes bon en mathématiques, Charles ?

— Je suis premier de ma classe en géométrie et en algèbre, lança fièrement le gamin. Et aussi en français, en histoire et en géographie. C'est normal, plus tard je veux être ingénieur comme papa. Pour lui succéder à la brasserie.

— Bravo ! Et vous, Juliette, en quoi êtes-vous première de la classe ?

Charles ne laissa pas à sa sœur le temps de répondre.

— En couture, évidemment, ricana-t-il. C'est ça qu'elles apprennent à l'école, les filles : la couture et le ménage. À quoi ça servirait qu'elles apprennent autre chose ?

Garcin vit les lèvres de Juliette se pincer.

— Vous êtes injuste, Charles. Les femmes peuvent aussi devenir de grands écrivains ou de grands savants. Comme Marie Curie, par exemple. Vous connaissez Marie Curie ?

— Évidemment. Mais elle, c'est une Polonaise, ce n'est pas la même chose.

— Ah, bon ! rit Garcin. Si vous le dites...

Mais il avait eu le temps de percevoir le bref, très bref regard de reconnaissance que lui avait adressé la jeune fille assise à côté de lui.

La voiture atteignait les faubourgs de Lille.

— Il est où, votre internat ?

— Au bout de la rue de Flandre, près de l'église Saint-Pierre et Paul. L'Institut du Sacré-Cœur.

Garcin sourit à Juliette pour la remercier du renseignement. Mais la jeune fille avait répondu sans tourner la tête. Puis il manœuvra habilement afin de se faufiler entre quelques charrettes se rendant au marché matinal, déborda un tramway chargeant ses passagers et, quelques minutes plus tard, arrêta la Talbot devant l'Institut vers lequel convergeait une théorie d'enfants identiquement revêtus de leur uniforme bleu et blanc. Sortant de la voiture, il retira du coffre les deux valises de ses passagers.

— Voici la vôtre, Charles. Bonne rentrée !

— Merci, monsieur. À bientôt.

Sa valise dans une main et son cartable de l'autre, Charles se précipita pour rejoindre ses camarades qui s'engouffraient dans l'entrée réservée aux garçons. Celle des filles était à une vingtaine de mètres de là. Comme Juliette prenait à son tour sa valise, Garcin la retint par le bras.

— Dites-moi, Juliette, avez-vous le droit de sortir le jeudi après-midi ?

Tressaillant, Juliette répondit instinctivement.

— Bien sûr, je suis en dernière année. Pourquoi ?

— Vous connaissez le parc de la Citadelle ?

— Évidemment. C'est le bois de Boulogne.

— Comme à Paris, je sais. Je vous attendrai jeudi devant le kiosque à musique. À quinze heures.

— Quoi ?

— À quinze heures. Jeudi après-midi. Devant le kiosque à musique.

— Pour quoi faire?

— Pour me faire pardonner l'accident de l'autre jour, quand je vous ai renversée avec la voiture de M. Duponcet.

Piquant un fard, Juliette se dégagea brusquement.

— Vous perdrez votre temps, monsieur Garcin. Qu'est-ce que j'irais faire au parc avec vous? Merci de nous avoir conduits jusqu'ici.

Et elle s'éloigna d'un pas trop vif, comme si elle se retenait pour ne pas courir. S'appuyant contre le capot de son automobile, Garcin s'alluma une cigarette. Il eut la satisfaction de voir la jeune fille se retourner furtivement avant de disparaître dans l'internat. Elle rougissait toujours.

L'unique café de Bourg-d'Artois était bondé, comme tous les soirs. Debout ou assis aux tables en bois, les ouvriers des brasseries Steenfort et Chevalier discutaient ou se lançaient de grasses plaisanteries en buvant des bières dont ils tempéraient l'amertume en avalant de grosses rondelles de saucisson qu'ils coupaient au couteau à même la table. Dans le fond de la salle obscurcie par la fumée des pipes et des cigarettes roulées, quelques commères, jeunes et vieilles, échangeaient les derniers potins tandis que leur marmaille courait entre les jambes des consommateurs. Derrière son comptoir, Florent Lemaître actionnait sans relâche la nouvelle pompe à pression dernier cri qu'il venait de faire installer, directement reliée aux tonneaux entreposés dans la cave. *Chez Léon*, on ne buvait que de la bière en fût. Les bouteilles, c'était bon pour les bourgeois.

La belle Augustine, le corsage généreux et le sourire enjôleur, faisait le service en salle, circulant telle une danseuse entre les hommes en esquivant avec adresse les mains frôleuses, cinq chopines dans chaque main. Accoudé au comptoir, Baptiste la dévorait des yeux, essayant de capter son regard. Mais la rouée patronne faisait mine de ne pas s'apercevoir de sa présence.

Adrien Steenfort, sa canne à la main, pénétra dans le café. Fendant la foule qui s'écartait respectueusement, saluant chacun au passage, il s'approcha du comptoir.

— Bonsoir, Florent. Tout va comme vous voulez?

— On fait aller, monsieur Steenfort, on fait aller. Je vous sers une Steenfort?

— Donnez-moi plutôt une Spéciale Bourg de Chevalier, pour changer. Que je vérifie si mon père a gardé la main.

Tandis que le patron lui remplissait sa chopine à la pompe, Adrien s'approcha du manchot.

— Alors, caporal, on a l'air bien morose, ce soir. Toujours pas de fiancée? À trente-cinq ans, il serait temps d'y songer, mon vieux.

— Qui voudrait d'un manchot, mon capitaine? Cette maudite guerre!... J'aurais mieux fait d'y rester, tiens.

— Faut pas dire ça, caporal. Il vaut mieux être privé d'un bras et avoir du cœur que l'inverse.

— J'suis pas sûr que les filles soient de votre avis, mon capitaine.

Prenant la chopine que lui tendait Florent, Adrien se pencha vers Baptiste, puis baissant la voix.

— Allons, allons, caporal. Il me semble pourtant que j'ai entendu dire... toi et l'Augustine..., c'est vrai, ça?

— Qui vous a dit ça, mon capitaine? tressaillit le manchot.

— C'est un village, ici. Tout finit par se savoir. Allez, à ta santé, caporal! Et à tes futures épousailles!

Abandonnant son cantinier, le bock à la main, Adrien se dirigea vers le fond de la salle. Au passage, il se heurta à Augustine qui revenait vers le comptoir, des chopes vides plein les mains.

— Oh, faites excuse, m'sieur Steenfort.

— Il n'y a pas de mal, Augustine. Au contraire, cela me permet de constater que vous êtes toujours en formes, sourit-il en baissant les yeux vers la poitrine offerte de la jeune femme. Au pluriel, bien entendu.

— Arrêtez, m'sieur Steenfort, vous allez me faire rougir.

— Allons donc, vous êtes capable de rougir, Augustine? Vous m'étonnez.

Et plantant là la belle un peu perplexe, il poursuivit son chemin jusqu'à une table du fond où Servais discutait ferme avec Julot Desmet et deux autres ouvriers. Ces derniers s'empressèrent de se lever pour lui laisser la place.

— Bonsoir, Julot. Tu permets que je m'asseye?

Ce qu'il fit sans attendre la réponse. Le visage du délégué syndical se ferma. Adrien posa son bock sur la table, sortit sa pipe et sa blague à tabac de la poche de son veston, bourra soigneusement le fourneau de sa bouffarde et l'alluma avant de reprendre la parole.

— Qu'est-ce que tu cherches, Julot? À me couler?

— C'est de cela que nous discutions, Adrien, intervint Servais.

— Eh bien, parfait, continuons à en discuter. Écoute, Julot, chez moi, comme à la brasserie Chevalier de mon père, vous avez les meilleurs salaires de la région. Grâce à ma mère, d'ailleurs. Vrai ou faux?

— Ben... c'est vrai, m'sieur Steenfort, marmonna Desmet. Mais...

— Mais quoi? Nous vous offrons les soins gratuits et la plupart de nos ouvriers logent dans des maisons appartenant à la brasserie et pour lesquelles ils paient un loyer minime. En plus, nous avons une cantine où vous pouvez prendre vos repas de midi sans débourser un sou. Et à Noël, tous les enfants du personnel reçoivent des cadeaux. Qu'est-ce que vous voulez de plus, bon sang!?

Embarrassé, le petit délégué syndical baissa le nez.

— C'est vrai qu'on est bien chez vous, m'sieur Steenfort.

— Alors, pourquoi faites-vous ces grèves, nom d'un chien!? Vous savez combien ça me coûte, ces grèves? Déjà qu'avec la crise, j'ai du mal à m'en sortir. Mais en plus, à cause de vous, j'ai des problèmes avec mes banquiers. Vous voulez que ma brasserie ferme ses portes, c'est ça?

— Bien sûr que non, m'sieur Steenfort.

— Alors?

— Ben... c'est pas nous, c'est le syndicat.

— Ah, oui, le fameux syndicat! Et qu'est-ce qu'il veut, votre syndicat, à part nous ruiner?

— La semaine de quarante heures, doubler les primes pour les heures supplémentaires et...

— Et?

— Et deux semaines de congés payés par an.

Adrien en avala sa fumée de travers.

— Des congés *payés*?!? Vous voulez qu'on vous paie pour partir en vacances?!?

— Ben... oui. C'est ce que veut le syndicat.

Adrien soupira profondément avant d'avaler une gorgée de Spéciale Bourg. La bière foncée de haute fermentation avait un agréable arrière-goût sucré.

— Écoute, Julot. Si ton fichu... si ton syndicat obtient tout ce qu'il demande, tu sais ce qui va se passer? Les prix vont encore grimper, votre pouvoir d'achat va diminuer d'autant, donc vous réclamerez de nouvelles augmentations de salaire, qui provoqueront à leur tour de nouvelles augmentations des prix et nous entrerons dans la spirale infernale de l'inflation.

— Je comprends pas toutes ces choses, m'sieur Steenfort. Nous, à la brasserie, on vous aime bien. On trouve que vous êtes un bon patron. Mais on doit obéir au syndicat.

Adrien se leva en soupirant.

— Très bien, Julot. Puisque vous réclamez le pouvoir aux travailleurs, pourquoi ne demandez-vous pas à votre syndicat de diriger ma brasserie? Au moins, vous saurez à qui vous adresser pour demander vos congés payés.

Avec ses toits d'ardoise et ses maisons en pierre du pays, égayé par une charmante petite rivière enjambée par trois ponts en dos d'âne, le village de Faussière, aux confins des Ardennes, avait sous le soleil comme un petit air de vacances. La rue principale, qui s'appelait naturellement la Grand-Rue, était coupée en son milieu par une lourde barrière rouge et blanc marquant la frontière franco-belge. Une seule frontière, sans no man's land, avec les gabelous des deux nationalités bavardant fraternellement de part et d'autre de la barrière en attendant de pincer les éventuels fraudeurs qui auraient l'innocence de passer par la route nationale.

Garcin avait toujours trouvé amusants ces villes et villages frontaliers. Selon que vous naissiez dans cette maison ou dans la maison voisine, vous étiez français ou belge, citoyen d'une république ou sujet d'un royaume, soumis à des lois et des taxes différentes. À dix mètres près, à quoi tiennent les choses ? Mais le directeur commercial de la brasserie Steenfort n'était pas là pour faire du tourisme ou songer aux insondables hasards du destin.

Située à l'extrémité orientale du village, la brasserie Leroux, plus que deux fois centenaire, s'était vue coupée en deux après l'occupation française du début du dix-neuvième siècle par les décisions arbitraires du congrès de Vienne. Mais ce qui avait fait son drame à l'époque était devenu l'origine de sa prospérité actuelle puisque, comme Garcin l'avait rappelé à son patron, cette situation lui permettait à présent d'écouler sa production dans deux pays différents.

— Une association avec la brasserie Steenfort ? Vous voulez plaisanter, jeune homme. Qu'aurais-je à y gagner ?

— Un accord de concessions réciproques, monsieur Leroux. Nous vendons de la Leroux dans les départements du Nord et vous vendez de la Steenfort à votre clientèle. Vous pourriez doubler votre chiffre d'affaires.

— Et vous vous introduiriez dans le marché belge, c'est ça ?

— Heu... oui, accessoirement.

Assis dans le fauteuil de son petit bureau, Georges Leroux regardait avec amusement son interlocuteur par-dessus ses lunettes en demi-lunes. C'était un jovial quinquagénaire aux cheveux poivre et sel dont on sentait immédiatement la générosité foncière et l'amour du travail bien fait.

— Accessoirement ? Ne me faites pas rire, monsieur Garcin. Pensez-vous être le premier à avoir eu cette idée ? Mais ça ne m'intéresse pas. Je produis mes cent mille hectos par an et cela suffit amplement à mon bonheur. Je ne tiens pas à grandir davantage. Oui, entrez !...

Une jeune femme au visage ingrat mangé par d'immenses lunettes rondes, les cheveux blonds filasse coupés à la garçonne, entra timidement dans le bureau.

— Excusez-moi de vous déranger, monsieur Leroux, mais ces messieurs du contrôle des impôts sont là.

— Merci, mademoiselle Lucie. Dites-leur que j'arrive tout de suite.

Leroux se leva et Garcin ne put qu'en faire autant, tandis que la jeune femme quittait la pièce aussi furtivement qu'une souris.

— Votre secrétaire? interrogea Garcin, une fois la porte refermée.

— Mlle Lucie? Non, c'est ma comptable.

Le brasseur contourna son bureau pour s'approcher de son visiteur, baissant la voix et regardant en direction de la porte.

— Je ne sais pas comment je m'en tirerais sans elle. Ma seule crainte, c'est qu'elle se trouve un jour un mari et qu'elle s'en aille. Venez, je vous reconduis.

Parvenus à la sortie de la brasserie, les deux hommes se serrèrent la main.

— Je crains fort que vous n'ayez fait le déplacement pour rien, monsieur Garcin. N'en manquez pas moins de saluer M. Steenfort de ma part. Bon retour.

Une grande enveloppe à la main, Adrien franchit le portail de la maison Chevalier, faisant tinter la sonnette suspendue à la grille. Venant du jardin, une ravissante petite fille de quatre ans courut à sa rencontre, faisant voler en tous sens ses boucles châtain clair.

— Papa!... Papa!...

Souriant, Adrien lâcha sa canne et saisit la fillette, la faisant pirouetter en l'air avant de l'embrasser.

— Bonsoir, ma chérie. Tu vas bien?

— Tu viens manger avec nous? Mamy m'a dit qu'il y aurait du poulet. J'adore le poulet.

— Moi aussi, Marianne. Mais je ne sais pas si j'aurai le temps de rester.

Il déposa la petite sur le gravier de l'allée et reprit sa canne.

— Où sont mamy et papy?

— Dans le fond du jardin. Viens, donne-moi la main.

Margrit et Noël Steenfort étaient assis sous une tonnelle, profitant de la douceur de ce début de soirée de mai. Noël, toujours d'attaque à soixante-dix-neuf ans, fumait sa pipe en sirotant son porto d'avant dîner. Margrit lisait un livre, qu'elle déposa sur une petite table en voyant s'approcher son fils.

— Quelle surprise! Ce n'est pas souvent que tu viens nous rendre visite, Adrien.

Adrien les embrassa tous les deux.

— Bonsoir, maman. Bonsoir, papa.

— Tu veux un porto, fils? demanda Noël.

Sans attendre la réponse, il agita une petite sonnette en argent et demanda à Clotilde, la servante, d'apporter la bouteille de porto et un autre verre. Adrien s'assit et déposa l'enveloppe sur la table. La petite Marianne en profita pour lui sauter sur les genoux. Après un bref instant d'hésitation, son père la laissa faire.

— J'ai la réponse du notaire de Peter Texel. Attendez-vous à une surprise.

— Ne me dis pas que ce vieux forban s'est remarié sans rien dire à personne, s'exclama Margrit en fronçant le sourcil.

— C'est pourtant bien ça. Il y a trois ans. Avec une certaine Régine La Roche, une Québécoise. Donne-moi mon enveloppe, Marianne.

— *Himmel Sakrament*!

— Et alors? interrogea Noël en versant le porto.

— Alors? C'est d'une simplicité biblique, papa. La veuve hérite de tout le groupe Texel. Par testament assorti d'une donation irrévocable.

La main de Noël se mit à trembler et quelques gouttes de porto tombèrent sur la table.

— Tu veux dire... tu veux dire que tes enfants n'auront rien!? Mais c'est impossible. Ils ont droit à quelque chose, tout de même. Joanna, leur pauvre maman, était le seul enfant du vieux Peter.

— Rien, répliqua calmement Adrien en ouvrant l'enveloppe. Le notaire est formel.

— Le vieux *Schweinhund*! s'indigna Margrit. Il nous en aura fait baver jusqu'au bout. Quel âge a-t-elle, cette Régine?

– Je n'en sais rien. Le notaire ne le dit pas.

– Il faut engager un avocat de là-bas, Adrien. Attaquer ce testament. Faire rendre gorge à cette... à cette aventurière.

– Je crains que ce ne soit inutile, maman. Je vous lis ce qu'écrit le notaire.

Adrien tira quelques feuillets de l'enveloppe et commença à lire. Sentant instinctivement que les grandes personnes parlaient de choses graves, Marianne se blottit contre son père sans plus bouger.

– « *Cher monsieur, j'ai l'honneur...* bla bla bla... *Votre beau-père ayant légalement contracté ce mariage en juin 1931...* bla bla bla... Ah, voilà !... *Je devine aisément votre surprise et votre indignation. Et j'imagine que vous envisagerez d'entamer une procédure visant à réclamer la part d'héritage revenant à vos enfants. Je me permets cependant de vous le déconseiller car la donation faite de son vivant en mon étude par feu M. Texel est inattaquable sur la base des lois en vigueur en Colombie-Britannique. Le droit anglo-saxon en matière de donations et successions ne ressemble en effet en rien au droit français.* » Etc.

Il y eut un moment de silence, chacun digérant la nouvelle. Noël en profita pour vider son verre et s'en servir un nouveau après avoir regardé Margrit du coin de l'œil. Mais son épouse ne réagit pas à cette entorse à la règle.

– Que comptes-tu faire, Adrien ? demanda-t-elle.

– Moi ? Rien. Que veux-tu que je fasse ? La lettre de ce notaire me paraît suffisamment claire, non ?

– Donc, tu vas rester sans réagir ?

– À quoi bon ? Nous ne sommes pas dans le besoin, maman. Et j'ai assez de soucis en France pour ne pas gaspiller mon temps et mon énergie à me lancer dans un combat qui me semble perdu d'avance.

Margrit se leva brusquement, poings et mâchoires serrés.

– Eh bien moi, j'en ai, du temps. Et il me reste encore de l'énergie. Si tu ne veux pas t'en occuper, moi, je le ferai. Mais je ne laisserai pas mes petits-enfants se faire dépouiller par une intrigante sortie on ne sait d'où. Elle va entendre parler de Margrit Steenfort, cette Régine je-ne-sais-plus-quoi !

Ce même soir, dans le centre de Lille, Léopold Garcin, impressionné malgré lui, pénétrait pour la première fois dans les salons feutrés du cercle des Trente, le cercle privé le plus élitiste de la grande métropole du Nord. Ne s'y côtoyaient que les industriels, les financiers et les politiciens les plus influents du département, ainsi que leurs invités occasionnels. C'était ici, à voix contenue, que se faisaient et se défaisaient les fortunes, que se nouaient discrètement les alliances et que se décidaient sans recours les mises à mort. C'était ici, à l'abri du populaire, que le plus petit nombre décidait du sort économique ou politique du plus grand.

— Monsieur Garcin? Veuillez me suivre, je vous prie. M. Duponcet vous attend dans le salon Charles X.

Suivant le maître d'hôtel en frac aux allures de grand maréchal de la Cour, Garcin, qui avait revêtu son meilleur costume, traversa une enfilade de salons en s'efforçant de marcher avec une aisance détachée. Mais il en fut pour ses frais. Aucun des puissants personnages enfoncés dans les confortables fauteuils Chesterfield ne lui prêta la moindre attention.

Le grand maréchal ouvrit sans mot dire une porte tendue de soie et s'effaça pour laisser passer l'invité du banquier, non sans lui jeter un dernier regard où se lisait quelque chose qui ressemblait à du dédain. Garcin se promit qu'un jour, lui aussi serait membre du cercle des Trente.

— Entrez, mon petit Léopold, entrez.

Gérard Duponcet, un épais cigare entre les doigts, prit la peine de se lever pour accueillir son jeune protégé et l'introduire dans la petite pièce tapissée de tissu rouge et or. Il n'y avait, devant une cheminée où brûlaient quelques bûches, qu'une table basse et quatre fauteuils pour tout ameublement, ainsi qu'un bar-trolley garni de verres et de nombreuses bouteilles. L'un des fauteuils était occupé par un homme d'une soixantaine d'années, de très haute taille, le crâne presque rasé et le regard incroyablement dur sous d'épais sourcils broussailleux. En smoking, bien entendu, comme le banquier et tous les membres du cercle. L'homme se leva et tendit la main au nouvel arrivant.

— Robin-Dulieu. Ravi de vous rencontrer, mon garçon.

— Le colonel Robin-Dulieu tenait absolument à vous connaître, mon petit Léopold, s'empressa Duponcet en s'approchant du bar. Un peu de cognac ? Un cigare ? Asseyez-vous, voyons, nous sommes entre amis.

Garcin accepta le cognac, refusa le cigare et s'assit, un peu mal à l'aise sous le regard perçant et scrutateur de l'homme au crâne rasé. Celui-ci sourit. C'est-à-dire que ses lèvres s'étirèrent. Mais ses yeux pâles restaient de glace.

— Ainsi, c'est vous le jeune poulain de notre ami Duponcet. Directeur commercial de la deuxième brasserie de France à seulement vingt-cinq ans, mes compliments.

— Merci, mon colonel.

— Que pensez-vous d'Adrien Steenfort ?

— Eh bien..., c'est difficile à dire... Je ne travaille pour lui que depuis trois semaines.

— Allons, allons, Garcin, ne vous faites pas plus idiot que vous ne l'êtes.

— Il m'apparaît comme un homme intelligent mais simple, passionné par son entreprise et la brasserie en général, paternaliste et aimé de ses ouvriers, quoique le plus grand nombre d'entre eux soient syndiqués. Il faut dire qu'il les paie mieux que la plupart de ses confrères.

— Bien. Les femmes ?

— Rien à signaler de ce côté-là, mon colonel. Il est veuf depuis quatre ans et, d'après les informations que j'ai pu glaner, veuf inconsolable. Je n'ai pas entendu parler de maîtresse, ni même de l'une ou l'autre petite aventure qu'il aurait pu avoir.

— Pas même de petites virées discrètes en ville ?

— Pas que je sache.

— Très bien. Distractions ? Associations ? Mondanités ?

— Une promenade à cheval de temps en temps. Et il est président de la corporation des brasseurs du Nord. À ma connaissance, c'est tout. Pas de réceptions, pas de clubs, rien de ce genre. Il ne fait même pas partie de votre association des officiers anciens combattants, mon colonel.

— En effet. Tendance politique ?

— À première vue, aucune. Ses ouvriers, je vous l'ai dit, sont socialistes, mais il semblerait que ce soit sa mère qui ait favorisé la mise en place de ce syndicat à la fin du siècle dernier.

— Ah, oui, la fameuse Margrit-la-Rouge! J'en ai entendu parler. Une grande amie à vous, n'est-il pas vrai, Duponcet?

Le gros banquier grogna dans son fauteuil sans répondre. Garcin en profita pour avaler une gorgée de cognac.

— Steenfort, lui, du moment que sa brasserie tourne, il se moque du reste, enchaîna-t-il. Mais pour le moment, les grèves décrétées par la CGTU lui causent des soucis.

— Tant mieux, approuva le colonel. Qui est le maire de son village?

— Florent Lemaître, le patron du café local. Un brave homme que sa femme fait cocu chaque fois que ça la démange.

— Hum... amusant. Vous en avez profité, Garcin?

— Je préfère ne pas me mêler aux adultères de village, mon colonel. J'ai d'autres visées.

— Vous avez raison. Revenons à ce Lemaître. Socialiste, lui aussi?

— Je n'en sais rien. Et je suppose qu'il n'en sait rien lui-même. Il est régulièrement élu depuis quinze ans sur la liste des « intérêts communaux », sans étiquette politique particulière.

— Parfait. Il me le faut, Garcin!

— Lemaître?

— Mais non, voyons, Adrien Steenfort. Il est un des industriels en vue de ce pays. Travailleur et honnête en affaires. Veuf et père de famille exemplaire. Héros de l'Yser quatre fois décoré. Bref, la parfaite image d'Épinal du citoyen d'élite, politiquement vierge de surcroît. Il me le faut!

— Notre parti est un parti jeune, mon petit Léopold, renchérit Duponcet d'une voix doucereuse qui tranchait avec le ton sec et militaire de Robin-Dulieu. Mais il doit grandir très vite si nous voulons faire échec à la marée communiste qui risque de plonger la France dans la chienlit et le déshonneur. Pour grandir, il a besoin de figures de proue qui puissent séduire et rassurer l'opinion. Et il en a besoin rapidement pour préparer les législatives de 1936. Vous comprenez ?

– Je comprends, monsieur Duponcet. Mais comment ?

L'homme au crâne rasé reprit la parole.

– En commençant par les élections municipales du 23 septembre prochain, c'est-à-dire dans quatre mois et demi.

– Ah. Oui, bien sûr...

– Toute carrière politique commence par les municipales, Garcin. Il faut que Steenfort se présente à ces élections et devienne maire de Bourg-d'Artois. Sous nos couleurs, naturellement. Les trois quarts de son patelin vivent directement ou indirectement de sa brasserie. Ce ne devrait pas être trop difficile de le faire élire.

– Encore faudrait-il le convaincre de se présenter, mon colonel.

– C'est pour ça que vous êtes là, mon petit Léopold, susurra Duponcet en tétant son cigare. Je vous soutiendrai, bien entendu, mais à vous de faire le premier travail d'approche. Le climat social actuel devrait vous y aider.

– Pourquoi pensez-vous que Duponcet vous ait recommandé pour ce poste ? lança brutalement Robin-Dulieu.

Garcin ne put dissimuler une grimace amère.

– Oui... heu..., vu sous cet angle, évidemment. Mais je le répète : comment convaincre un homme que la politique n'intéresse pas de se présenter aux élections ?

– En commençant par vous rendre indispensable à ses yeux, mon petit Léopold. Tenez, par exemple, en réussissant cette affaire Leroux.

– L'affaire Leroux ?

– Cette brasserie à cheval sur la frontière belge dont vous m'avez parlé. Décrochez l'affaire Leroux et Steenfort vous en sera reconnaissant, donc il vous écoutera davantage.

– J'ai vu Leroux, monsieur Duponcet. Il n'est pas vendeur.

– Allons, mon petit Léopold, on voit que vous êtes jeune. Dans toute entreprise, il y a forcément un cadavre qui sommeille dans un placard. Trouvez le cadavre chez Leroux et nous nous occuperons du reste.

Hormis la beauté des cuves en cuivre, l'activité d'une salle de brassage moderne des années trente n'avait rien de spectaculaire. Quelques ouvriers ou ouvrières chargés de surveiller les manomètres de pression, la température des chaudières, la durée de l'empâtage ou celle de la première filtration, c'était à peu près tout. Le gros du travail se faisait ailleurs. En amont, dans l'aire de maltage, pour nettoyer, tremper et tourailler l'orge afin d'obtenir le malt. Et en aval, dans les premiers sous-sols, avec le nettoyage des bassins de fermentation et la récupération de la levure. Ou plus bas encore, le soutirage, la deuxième filtration et la mise en fûts après les trois mois de garde à zéro degré centigrade dans les énormes tanks d'acier galvanisé.

Comme il le faisait plusieurs fois par semaine, Adrien effectuait sa tournée d'inspection en compagnie de Servais. Il savait qu'en dépit du calme apparent qui régnait dans la grande salle, sa brasserie fonctionnait normalement. Mais pas à plein rendement, malheureusement. La réduction du marché avait entraîné un ralentissement de la production et un bon tiers de l'outil était à présent inutilisé.

— Où en es-tu avec cette bière de luxe, Servais?

— Ça avance. J'espère avoir une bonne surprise pour toi d'ici une quinzaine de jours.

— J'y compte bien. Non seulement nous pourrions remettre en route nos cuves en chômage, mais cela devrait me permettre de convaincre ces grippe-sous de banquiers. Si Duponcet exige ses remboursements comme il m'en a menacé, nous allons avoir de gros problèmes. Quinze jours, me dis-tu?

— Si tout va bien.

Les deux hommes traversèrent la salle pour se diriger vers la porte menant aux sous-sols.

— Comment ça s'est passé avec Charles, dimanche dernier? demanda Adrien en marquant un temps d'arrêt.

— Bien, très bien, comme d'habitude. Ton fils sait écouter et poser les bonnes questions, Adrien. C'est un gosse intelligent et il est vraiment passionné par tout ce qui touche à la brasserie. Tu n'auras pas à t'en faire pour ta succession.

— Tant mieux, voilà au moins une bonne nouvelle. Ça ne t'ennuie pas de lui consacrer ainsi tous tes dimanches?

— Moi, tu sais, les dimanches...

— Oui, je sais. Pourquoi ne t'es-tu jamais marié, Servais?

— Parce que ça ne s'est pas trouvé, c'est tout, répliqua sèchement le directeur de fabrication en regardant ailleurs.

Adrien s'en voulut d'avoir posé cette question. D'autant plus qu'il connaissait la réponse. Sa mère ne lui avait rien caché de ce qui s'était passé pendant la guerre, quand les Allemands occupaient le nord de la France et la Belgique. Les fusils que Servais cachait dans la brasserie pour armer la Résistance. Comment Margrit avait découvert son secret et s'était donnée à lui. L'arrestation de Servais et ce que Margrit avait dû subir pour sauver son amant d'une nuit du peloton d'exécution. La manière dont Servais, libéré par les francs-tireurs, l'avait sauvée de la vindicte des habitants de Bourg-d'Artois qui la traitaient de « collabo ». Elle lui avait tout raconté. Servais ne s'était jamais marié parce qu'il n'avait jamais aimé qu'une seule femme et que cette femme était la femme d'un autre, tout simplement.

Sans mot dire, Adrien mit une main sur l'épaule de son vieux compagnon. Un geste simple, d'excuse mais aussi de sincère affection.

— Monsieur Steenfort?

Les deux hommes se retournèrent d'un même mouvement. Une superbe jeune femme d'une trentaine d'années venait vers eux entre les cuves de brassage. Très élégante dans un manteau d'été d'une coûteuse simplicité, un large chapeau posé de travers sur ses cheveux noirs coupés court, à la mode de l'époque, une lueur d'amusement dans son regard bleu outremer. Les ouvriers présents dans la salle en avaient abandonné leur travail, la regardant bouche bée.

Adrien leva un sourcil intrigué.

— C'est moi. Madame?...

La belle inconnue lui tendit sa main gantée.

— Je suis Régine Texel. Je vous avais écrit que je reprendrais contact avec vous. Comme vous le voyez, j'ai préféré venir en personne.

Adrien, qui s'apprêtait à prendre la main de la jeune femme, retira la sienne, son esquisse de sourire gommée net.

— Pour quoi faire, madame Texel? Pour narguer le père des enfants que vous avez spoliés de leur héritage?

— Bon, eh bien, je vais vous laisser..., fit Servais en tentant de s'esquiver.

Mais Adrien le retint par le bras.

— Non, reste, Servais. Je vous ai posé une question, madame.

La jeune femme sourit, ce qui ne fit qu'augmenter l'agacement de son interlocuteur.

— Je suis venue restituer à vos enfants une partie de leur héritage, précisément.

— Ah..., voilà qui est surprenant. Et comment cela, je vous prie?

— Pas ici ni maintenant, cher monsieur Steenfort. Invitez-moi donc à dîner ce soir, je vous expliquerai tout. Vous me faites visiter vos installations en attendant?

— Désolé, j'ai à faire, répondit Adrien d'un ton sec. Servais, tu veux bien t'occuper de madame?

— C'est que...

— Merci, Servais. Et que la visite soit la plus courte possible, je ne tiens pas à ce que mes ouvriers soient trop distraits de leur tâche par la présence parmi eux de la nouvelle reine de la bière canadienne.

Et sans prendre la peine de saluer la jeune femme, il tourna les talons.

— Je serai chez vous à dix-neuf heures, d'accord? cria Régine dans son dos.

Adrien ne prit pas la peine de répondre.

Dissimulé dans l'ombre des vieux tilleuls du jardin public de Faussière, Léopold Garcin guettait sa proie. Assise sur un banc, Mlle Lucie, la comptable de la brasserie Leroux, dévorait un roman en même temps que son déjeuner, une tartine et un fruit sortis d'une petite boîte en fer-blanc. Lorsqu'elle eut ingurgité sa dernière bouchée, Garcin jugea qu'il était temps d'attaquer. Il s'était pour la circonstance vêtu en « vacancier-randonneur » : knickerbockers, souliers de marche, alpenstock et chapeau tyrolien. Il se sentait un peu ridicule mais savait que c'était la tenue qui convenait pour un excursionniste censé passer quelques jours dans les Ardennes.

Il s'approcha d'un air dégagé et souleva son chapeau.

– Bonjour, mademoiselle Lucie.

– Oh !

Effrayée, la jeune femme sursauta si violemment qu'elle en laissa tomber son livre. Garcin s'empressa de le ramasser.

– Vous êtes bien la personne qui travaillez avec M. Leroux, je ne me trompe pas ?

– Oui, mais... et vous ? Je ne... Ah, j'y suis ! Vous êtes le monsieur qui est venu voir M. Leroux il y a dix jours.

– Vous avez une excellente mémoire, mademoiselle Lucie. Léopold Garcin, pour vous servir. Tenez, voici votre livre... Ah, *L'Homme à l'Hispano*, de Pierre Frondaie ! On en parle beaucoup en ce moment, mais je n'ai malheureusement pas encore eu le temps de le lire. C'est bien ?

La comptable devint rouge pivoine derrière ses immenses lunettes.

– Je... je ne sais pas si cela vous plairait. C'est... c'est une histoire tellement romantique.

– Ah, mademoiselle Lucie, si vous saviez..., ce sont celles que je préfère. Vous permettez ?

Garcin s'assit sur le banc et, instinctivement, Mlle Lucie recula d'une cinquantaine de centimètres tout en regardant autour d'elle avec un début d'affolement les quelques promeneurs qui déambulaient dans le petit jardin public.

– Vous... vous êtes revenu voir M. Leroux, monsieur Garcin ? Il est absent, aujourd'hui. Il devait aller à Bruxelles voir des clients.

– Non, mademoiselle Lucie, je ne suis pas venu voir M. Leroux. En fait, j'ai trouvé votre région si belle que j'ai eu envie d'y revenir passer quelques jours de congé. Je suis descendu à *l'Auberge Fleurie*, sur la route vers la cascade. Vous connaissez?

— Heu... oui, bien sûr. Mais je n'y suis jamais allée. Il... il paraît qu'on y mange très bien.

Le nez baissé, elle était presque attendrissante avec son menton fuyant, ses cheveux blonds filasse et ses énormes lunettes. Attendrissante et si ridicule que Garcin dut faire un effort pour ne pas éclater de rire. Il se reprit.

— Justement, mademoiselle Lucie, si j'osais...

— Pardon?

— Pourrions-nous dîner ensemble ce soir à *l'Auberge Fleurie?* Si vous êtes libre, bien entendu. Vous pourriez me parler de cette admirable région que j'aimerais tant mieux connaître.

— À... à dîner!?... Ce soir!?... Mais, je... je ne...

Elle en bafouillait, la malheureuse. Jouant le grand jeu, Garcin lui prit une main dans les siennes, l'enveloppant de son regard le plus caressant.

— Allons, mademoiselle Lucie, faites de moi un homme heureux et dites oui.

La comptable osa redresser la tête et, rougissant de plus belle, regarder dans les yeux cet inconnu qui venait de lui faire la proposition la plus inouïe qu'elle eût jamais reçue.

— Alors... oui. Mais promettez-moi que...

— Tout ce que vous voudrez, s'empressa Garcin. Tout ce que vous voudrez, mademoiselle Lucie.

— Vous me considérez comme une intrigante? Vous avez parfaitement raison. J'ai épousé Peter Texel pour sa fortune.

— Et pour son entreprise.

— Et pour son entreprise.

Delphine, la servante, ravie de pouvoir enfin préparer un « vrai dîner » conforme au rang de son maître, avait mis les petits plats dans les grands : asperges à la flamande en entrée et roastbeef aux petits légumes en plat principal. Régine Texel, dont l'accent chantant rappelait cruellement à Adrien

sa chère Joanna, mangeait avec un appétit digne des bûche-
rons de son pays. Adrien, lui, touchait à peine à son assiette.

— Savez-vous que grâce à la Prohibition aux États-Unis,
Texel est devenu le plus important groupe de brasseries
d'Amérique du Nord?

— Tout le monde dans la profession sait cela, madame
Texel. Et il vous a suffi de pousser le vieux Peter dans la
tombe pour vous en emparer.

— Non. Croyez-le ou non, Adrien — je peux vous appeler
Adrien, n'est-ce pas? —, j'avais une sincère affection pour
mon mari. Pas de l'amour, bien sûr, mais de l'affection.

— Et lui?

— Lui, c'était différent. Quand je l'ai rencontré, il venait
de perdre sa fille, votre épouse. Sa fille unique. Il était désemparé, comme si tout ce qu'il avait construit n'avait plus aucun
sens.

— Et vous, vous lui avez fait retrouver ce sens en vous mettant dans son lit. Bravo, madame Texel, bien joué! Désespérément classique, mais bien joué. Et ses petits-enfants? Il n'y
a pas pensé, à ses petits-enfants?

— Il ne les connaissait pas, ou à peine. Combien de fois les
a-t-il vus en seize ans?

— Deux fois, c'est vrai. Une fois à Vancouver, lorsque
Joanna avait emmené Juliette et Charles faire la connaissance
de leur grand-père. Et une fois ici, lorsqu'il a fait en 1928 un
bref séjour en France.

— Vous voyez... Puis-je avoir encore un peu de vin, s'il
vous plaît?

Adrien la servit. La belle Canadienne but une gorgée puis,
reposant son verre, regarda le portrait de Joanna, accroché
au mur près de ceux de Charles, Margrit, Noël, ainsi qu'une
grande photographie d'Adrien et son épouse avec leurs deux
aînés en bas âge.

— Vous aimiez beaucoup votre femme, je crois?

— Je n'ai pas envie de parler d'elle, madame Texel. Pas
avec vous, en tout cas.

— Vous ne voulez vraiment pas m'appeler Régine?

Adrien sonna Delphine pour débarrasser la table. Puis il
regarda son interlocutrice droit dans les yeux. Avec ses

cheveux d'un noir de jais, son teint légèrement hâlé et son regard outremer, elle était indiscutablement l'une des plus belles femmes qu'il eût jamais vues.

— Non, laissa-t-il tomber d'une voix sourde.

Dans sa robe à fleurs aux épaulettes garnies d'un nœud rose, Mlle Lucie était loin d'avoir la classe et la beauté de Régine Texel. Mais elle était heureuse comme un gosse de se trouver dans cette auberge réputée et au cadre charmant, dont presque toutes les tables étaient occupées par des clients de l'hôtel ou des notables de la région.

Garcin, qui s'était changé pour le dîner, commanda du champagne, qu'on s'empressa de lui apporter dans un seau à glace avant de lui présenter la bouteille.

— Du champagne!? Vous êtes fou!?

— Mais non, mademoiselle Lucie. Heureux, tout simplement. C'est très bien, mon ami, enchaîna-t-il avec une condescendance étudiée à l'adresse du sommelier.

Celui-ci voulut remplir la flûte de la jeune femme, mais elle tendit vivement la main pour l'en empêcher.

— Non, non, pas pour moi. Rien que de l'eau, s'il vous plaît. Je ne bois jamais d'alcool, crut-elle bon d'ajouter à l'adresse de Garcin.

Celui-ci fit signe de remplir sa flûte et commanda une bouteille d'eau. Succédant au sommelier, le maître d'hôtel leur apporta la carte. Avant de la consulter, Garcin remplit d'eau le verre de son invitée, puis leva le sien.

— Je bois au plaisir d'être ici ce soir avec vous, déclama-t-il. Tchin!

La main un peu tremblante, Mlle Lucie leva à son tour son verre d'eau.

— Heu... tchin!

— Dites-moi, mademoiselle Lucie, vous voudriez me faire un plaisir?

— Mais... oui, certainement, quoi donc?

— Vous ne voudriez pas ôter vos lunettes?

— Pardon?

— Vos lunettes. S'il vous plaît. Vous avez de si beaux yeux.

Rosissant et d'une main de plus en plus tremblante, la comptable obtempéra.

— Magnifique! murmura Garcin de sa plus belle voix d'oreiller.

— Vous... vous trouvez?

Avançant le bras en travers de la table, il lui prit la main.

— Vous êtes belle, Lucie. Je l'ai vu dès le premier jour où je vous ai aperçue. Vous êtes belle, rayonnante, lumineuse, splendide!

La bouche de la jeune femme s'ouvrit toute grande et ses yeux s'écarquillèrent tandis que le rouge de la confusion et de la surprise envahissait son visage ingrat.

— Je... je...

Elle parvint à se reprendre, déposa son verre d'eau sur la table et tendit sa flûte vide.

— Je... je crois que je vais prendre un peu de champagne.

C'était vraiment un mois de mai exceptionnellement doux et Régine avait demandé de prendre le café sur la terrasse qu'Adrien avait fait aménager sur une partie de la cour de l'ancienne ferme. Il n'y avait pas encore de lumière électrique à l'extérieur de la maison et Delphine avait posé sur la table un grand chandelier à trois branches dont la flamme des bougies donnait au visage de la Canadienne des chatoiements d'ombre et de lumière qui rendaient sa beauté plus fascinante encore. Mais il était manifeste qu'Adrien avait décidé d'y rester insensible.

— Vous savez sans doute que les États-Unis ont abrogé la Prohibition en décembre dernier.

— J'ai lu ça, oui. Et alors?

— C'est grâce à cette Prohibition que les brasseries Texel ont fantastiquement prospéré pendant ces quinze dernières années, comme toutes les brasseries canadiennes d'ailleurs; les Américains n'ayant jamais autant bu de bière que depuis qu'elle leur était interdite. Résultat : nous nous sommes suréquipés pour répondre à cette demande et je me retrouve aujourd'hui avec une surcapacité de production qu'il me faut bien écouler quelque part ; notre petit marché intérieur étant déjà plus que saturé par nous-mêmes et par d'autres géants tels que Carling, Labatt et Molson. Vous me suivez ?

— Évidemment. Ensuite ?

Il y avait quelque chose d'incongru, presque de choquant, à entendre cette si jolie bouche, faite pour le baiser et l'amour, prononcer ce petit discours technique avec la calme autorité d'un vieil industriel blanchi sous le harnais.

— J'ai donc immédiatement pensé au marché européen et à la filiale du groupe Texel en France : la brasserie Steenfort. Vous me donnez encore un peu de café, s'il vous plaît ? Il est délicieux.

Adrien s'exécuta.

— Vous pensez vite mais mal, madame Texel. La brasserie Steenfort ne fait plus partie de votre groupe. Peter Texel l'a donnée il y a quinze ans à sa petite-fille Juliette.

— Merci. Oui, je sais. Donation qui, soit dit en passant, défavorise vos autres enfants. Mais qu'importe. Ma proposition est la suivante, Adrien. Peter, avant sa mort, avait fait de son groupe une société anonyme, une *limited* comme nous disons chez nous. Débrouillez-vous pour y intégrer votre brasserie et en échange, je vous cède un tiers des parts de l'ensemble. Vous vous occupez du développement des ventes de Texel-Steenfort en France et en Europe, tandis que moi, je me charge du marché canadien tout en m'efforçant de nous réintroduire aux États-Unis. Qu'en pensez-vous ?

— Rien.

Déposant sa tasse, Régine se leva et fit quelques pas sur la terrasse. La lune était à son premier quart et le ciel dégagé offrait le spectacle toujours impressionnant de ses millions d'étoiles. Elle revint vers la petite table et, passant derrière le siège d'Adrien, lui posa les deux mains sur les épaules.

— Allons, Adrien, réfléchissez. Vous êtes le deuxième brasseur français mais, sur le plan européen, encore loin derrière Heineken, Amstel, Carlsberg, Bass ou Kronenbourg. Ensemble, nous pourrions être l'un des cinq premiers mondiaux.

Adrien restait figé comme une statue. S'écartant, Régine poursuivit son argumentation debout.

– Nous sommes en pleine récession, Adrien. Chez vous comme chez nous. Pour nous en sortir, nous devons devenir gros. Très gros. Qu'auriez-vous à craindre ? Vous produisez deux millions d'hectolitres par an, je le sais, je connais vos chiffres. Moi, j'ai une capacité de dix millions d'hectos. En vous associant avec moi pour le tiers de l'ensemble, vous doubleriez votre patrimoine.

Delphine sortit de la cuisine pour venir reprendre le service à café sur son plateau. Régine lui adressa son plus beau sourire.

– J'ai oublié de vous dire que votre dîner était excellent, Delphine. Je vous félicite. Vous êtes bien digne de la réputation qu'a la France d'être la mère de la gastronomie. Ah, tant que j'y pense, poursuivit-elle en se tournant vers Adrien. J'ai loué une voiture au Havre et je suis venue directement ici. Vous connaîtriez un bon hôtel dans les environs ?

– Il n'y a pas d'hôtel convenable dans la région. Vous devrez aller jusqu'à Lille.

– Ah... C'est que je crains de manquer d'essence. Et cette longue route, la nuit...

Pour la première fois de la soirée, Adrien sourit. Un sourire d'une ironie froide.

– Bien, j'ai compris. Delphine, la chambre de Mlle Juliette est-elle en ordre ?

– Je crois, Monsieur.

– Préparez-la pour Mme Texel, s'il vous plaît. Si l'inconfort d'une modeste chambre de village ne rebute pas une riche héritière, bien entendu, ajouta-t-il sèchement à l'adresse de Régine.

– La riche héritière vous remercie pour votre hospitalité, *monsieur* Steenfort. Ainsi que pour cet agréable dîner. Vous réfléchirez à ma proposition ?

Adrien se leva.

– J'y réfléchirai. Pardonnez-moi si je vous laisse, mais j'ai l'habitude de me coucher tôt. Delphine s'occupera de votre bagage. Bonne nuit, madame Texel.

À vingt-neuf ans, Mlle Lucie, comme tout un chacun, avait été plusieurs fois amoureuse sans oser l'exprimer. Mais elle n'avait connu qu'une seule expérience sexuelle, huit ans auparavant au cours d'un bal du 14 juillet, lorsque le fils du pharmacien de Faussière, complètement saoul, l'avait entraînée dans la remise de l'officine de son père. De cette aventure sans lendemain, la jeune femme n'avait gardé qu'une opinion désenchantée sur les joies de l'amour en général et une allergie persistante à l'odeur de l'éther en particulier. La nuit qu'elle passa à *l'Auberge Fleurie* fut donc, le champagne aidant sans doute, une révélation qui allait bouleverser sa vie. Mlle Lucie se découvrit non seulement capable d'aimer à nouveau, mais son corps, à son immense surprise, libéra la lave en fusion d'un volcan dont elle n'avait jamais soupçonné l'existence.

Quelque peu fourbu en dépit de la vigueur de son âge par deux assauts successifs, Garcin s'était allongé la tête sur l'oreiller, fumant une cigarette. La chambre, petite mais confortable, était telle qu'on aime à les trouver lors d'une escapade vacancière : semi-mansardée, les murs et plafond fleuris, et meublée de chêne autour d'un grand lit moelleux à souhait.

Mlle Lucie, ronronnant comme une chatte au soleil, se coula contre son amant, heureuse à crier de sa féminité gourmande enfin libérée.

– Vous me trouvez toujours belle, Léopold ?

– De plus en plus belle, ma chérie. Vous êtes magnifique. Votre peau a la douceur du satin et vos yeux brillent comme les étoiles du solstice d'été.

– Oh, Léopold, Léopold... Je pourrais rester des jours et des nuits ainsi, à vous embrasser, à vous caresser, à sentir vos mains sur mon corps... Aimez-moi encore, s'il vous plaît...

– Encore ? Vous n'êtes pas raisonnable, Lucie.

– J'ai passé trop d'années à être raisonnable, Léopold. Allons, grand voyou, éteignez cette cigarette et prenez-moi dans vos bras.

Soupirant imperceptiblement, Garcin s'exécuta, puis tendit la main vers l'interrupteur de la lampe de chevet.

— Non, n'éteignez pas la lumière, mon chéri, c'est si bon de vous voir...

Garcin se dit que la nuit allait être longue. Très longue.

Comme Adrien, en robe de chambre, quittait la salle de bains au fond du couloir pour regagner sa chambre, Régine sortit au même moment de celle de Juliette. Elle portait un déshabillé de soie qui, comme son nom le dit si bien, ne l'habillait que fort peu. Adrien marqua un temps d'arrêt, embarrassé. Mais il n'avait pas le choix. Tandis qu'ils se croisaient dans l'étroit couloir, leurs corps se frôlèrent et il sentit le léger parfum de la jeune femme l'envahir. Ils ne s'immobilisèrent qu'une seconde, les yeux dans les yeux. Puis Adrien détourna la tête et entra dans sa chambre, suivi par le regard amusé de la belle Canadienne.

En descendant le lendemain matin, Adrien vit que la table du petit déjeuner était mise pour une seule personne. Delphine lui apporta son café et une demi-baguette de pain frais.

— Bonjour, Delphine. La dame ne déjeune pas ?

— Elle est partie, monsieur Adrien. Elle était déjà partie quand je me suis levée. Je crois qu'elle vous a laissé un mot.

— Ah...

Il y avait effectivement un petit carré de papier plié sur la table. Adrien l'ouvrit. Il ne contenait que deux lignes : *Merci pour votre hospitalité et cette agréable soirée. Je serai au Palace Hôtel de Lille. La nuit vous a-t-elle porté conseil ? Régine.*

3

Quelques centaines de mètres à peine séparaient la maison d'Adrien de la brasserie. En arrivant ce matin-là, à 7 h 30 comme d'habitude, il trouva les ouvriers rassemblés dans la cour, formant un cercle animé autour de Julot Desmet en grande discussion avec un inconnu. Ils s'écartèrent en le voyant s'approcher.

— Que se passe-t-il, Julot? Qui est ce monsieur?

L'homme, manifestement quelqu'un du peuple lui aussi, ne laissa pas au délégué syndical le temps de répondre. S'avançant de deux pas, il fixa Adrien d'un air agressif sans prendre la peine de le saluer ni de lui tendre la main.

— René Chauffard, de l'Union syndicale des ouvriers brasseurs. Vous êtes Steenfort?

— Je suis *monsieur* Steenfort, en effet. Que voulez-vous?

— Il veut qu'on refasse la grève, m'sieur Steenfort, expliqua Desmet, visiblement mal à l'aise.

— Encore!? Mais vous venez d'en faire une le mois dernier.

D'un regard impérieux, Chauffard intima à Desmet l'ordre de le laisser parler.

— Nous avons décidé la grève générale de tout le secteur, déclara-t-il. Sans limite, cette fois. Jusqu'à ce que nous obtenions ce qui nous est dû.

— Mes ouvriers sont mieux payés qu'ailleurs, monsieur Chauffard. Et mieux traités. Ils le savent bien, d'ailleurs.

— Peut-être, *monsieur* Steenfort. Mais ils doivent être solidaires des autres. C'est ça, l'union des travailleurs.

Négligeant le syndicaliste, Adrien se tourna vers Desmet.

— Écoute, Julot, nous en avons déjà discuté. Si vous refaites la grève, moi, je ferme la brasserie. Et vous vous retrouverez tous au chômage, c'est aussi simple que ça.

— Le lock-out, hein ? C'est le chantage que nous font tous les patrons, lança Chauffard. Mais nous ne sommes plus au temps où vous aviez droit de vie et de mort sur vos ouvriers, *monsieur* Steenfort. Et quand la gauche, la vraie, aura gagné les prochaines élections, nous pourrons enfin donner le pouvoir à ceux qui le méritent vraiment, c'est-à-dire aux travailleurs.

Sans se soucier de lui, Adrien avait gardé les yeux fixés sur son délégué syndical.

— Je t'aurai prévenu, Julot. Je vous aurai tous prévenus. À vous de voir où se trouve votre véritable intérêt. Et à présent, j'apprécierais que vous vous mettiez tous au travail, vous avez déjà trois quarts d'heure de retard.

Et tournant les talons, il se dirigea vers l'entrée des bureaux.

Garcin l'y attendait, toujours aussi impeccablement habillé dans un de ses costumes trois pièces dont il semblait avoir une réserve inépuisable..

— Ces syndicalistes..., quelle insolence ! Bonjour, monsieur Steenfort.

— Mouais... Bonjour, Garcin. Venez dans mon bureau, nous avons du travail.

Les deux hommes pénétrèrent dans le bâtiment.

— Vous n'avez jamais songé à vous présenter aux élections, monsieur Steenfort ?

Surpris, Adrien marqua un temps d'arrêt.

— Pardon ?

— Les prochaines élections ont lieu dans quatre mois. Vous devriez vous présenter au poste de maire de Bourg-d'Artois.

— De quoi me parlez-vous, Garcin ?

— De politique, monsieur Steenfort. Vous ne vous en rendez peut-être pas compte, mais vous faites partie de ces personnes qui, en France, peuvent faire bouger les choses. Si les
communistes s'allient aux socialistes pour les prochaines législatives, comme on l'entend dire de plus en plus, notre pays
courra à la ruine. Voyez ce qui se passe chez les Soviets.
Voyez les problèmes que connaît l'Espagne. Voyez ce qui se
passe déjà chez nous avec notre actuel gouvernement de
gauche dite modérée. La crise économique, des grèves tolé-
rées dans tous les secteurs, le début de l'effondrement de
notre richesse nationale...

Adrien entra dans son bureau, suivi par le jeune homme.

— Et qu'est-ce que ça changerait, d'après vous, si je deve-
nais maire d'un petit village comme le nôtre ?

— Vous pourriez vous présenter comme candidat député
aux législatives de 36, monsieur Steenfort. Renforcer le camp
de ceux qui veulent défendre les valeurs qui ont toujours fait
de la France une grande nation prospère et heureuse. Et faire
cesser ces grèves stupides qui ruinent notre économie.

Souriant, Adrien s'assit derrière son bureau.

— Vous parlez comme un directeur de campagne électorale, Garcin. Merci de votre conseil, mais la politique ne m'a
jamais intéressé. À présent, asseyez-vous et faites-moi votre
rapport sur votre tournée de cette dernière semaine.

Assis sur une chaise pliante à l'extrémité du quai de chargement, à l'ombre de la façade ouest de la brasserie Chevalier, le vieux Noël Steenfort regardait en suçotant sa pipe
éteinte deux de ses ouvriers charger des fûts de Spéciale
Bourg sur la lourde charrette de livraison attelée à deux
robustes percherons. Par-delà la cour, il voyait son jardin et
la maison où il avait toujours vécu depuis son adoption par
Élise et Charles Steenfort en 1857, quand il n'avait que deux
ans. Que de drames les murs de cette vieille demeure
n'avaient-ils pas connus depuis cette époque ! Que de cris et
de pleurs ! Mais aussi que de joies, que de bonheur depuis ce
fameux soir de février 1919 où Margrit, transie de froid sous

la neige, avait frappé à sa porte pour reprendre la vie commune.

Sa chère, sa merveilleuse Margrit, comme il l'aimait, comme il n'avait jamais cessé de l'aimer en dépit des souffrances qu'il avait endurées lorsqu'elle l'avait quitté pour aller vivre avec Charles. Mais c'était loin, tout ça. La vie était redevenue douce et belle, encore davantage égayée ces dernières années par la présence de la petite Marianne, cette merveilleuse petite boule de joie de vivre et d'affection. Oui, la vie était belle. Si belle qu'il pouvait mourir heureux, à présent.

— Tu ne t'es toujours pas décidé à acheter un camion ?

Tressaillant, Noël redressa la tête. Adrien se pencha pour lui déposer un léger baiser sur la joue.

— Un camion ? Pour quoi faire ? Tu crois que ma bière en sera meilleure ?

— Non, mais tes clients l'auront plus rapidement.

— Mes clients sont des habitués, Adrien. Ils sont comme moi, ils ont le temps. Et puis, des charrettes, c'est plus joli. Tous ces camions, toutes ces automobiles qu'on voit sur les routes, ça gâche le paysage. Bonne tournée, Willy !

Cette dernière réplique s'adressait au charretier qui, assis sur son siège haut perché, répondit d'un signe du bras avant de faire s'ébranler ses percherons d'un claquement de langue. Adrien alla chercher une autre chaise et s'assit à côté de son père.

— Dis-moi, papa, tu n'as pas de problème avec le syndicat, toi ?

— Tu parles des grèves ? Bien sûr, que ça me fait des problèmes. Mais que veux-tu que j'y fasse. Et comme, en plus, Margrit les soutient...

— Oui, évidemment, Margrit-la-Rouge... Mais tu ne penses pas qu'ils risquent d'aller trop loin ? Toutes ces grèves, ces manifestations, avec les gendarmes qui tirent dans la foule comme en février dernier, à Paris. Tu sais qu'il y a eu soixante morts ?

— Je sais, Adrien, je sais. C'est sans doute l'époque qui veut ça. La guerre, et puis cette crise... Mais nos gens auront assez

de bon sens pour savoir s'arrêter à temps. Enfin, je l'espère...
Tiens, à propos de syndicat, voilà notre syndicaliste en chef
qui arrive.

Adrien tourna la tête. Venant du village, un sac à provisions dans une main et tenant la petite Marianne de l'autre,
Margrit entrait dans la cour. La gamine la lâcha pour escala-
der les quelques marches du quai et courir vers les deux
hommes.

— Papy! Papa!... Papy! Papa!...

Elle se jeta dans les bras de son père avant de sauter sur les
genoux de Noël qui poussa un gémissement.

— Hé, doucement, petit diable! Je ne suis plus un jeune
homme, tu sais.

— Oui, je sais, tu es vieux, mais c'est pas grave parce que
tu es gentil.

Restant en bas du quai, Margrit leva la tête pour fixer son
fils d'un regard sans aménité.

— Bonjour, maman. Que se passe-t-il? Tu as l'air contrarié.

— Contrarié? Je suis furieuse, oui. Qu'est-ce que c'est que
cette histoire, Adrien? Tu couches avec cette Régine Texel, à
présent?

— Quoi?!?

— Ne fais pas l'innocent. Elle a passé la nuit chez toi, oui
ou non? Et ne dis pas non, tout le village est au courant.

— Elle a passé la nuit chez moi, c'est vrai, mais pas dans
mon lit, maman. Elle n'avait pas réservé d'hôtel et...

— Oh, et puis je m'en moque que tu aies couché ou non
avec cette créature. Ce que je n'admets pas, c'est que tu la
reçoives après ce qu'elle a fait à tes enfants.

— Mais...

— Il n'y a pas de mais, Adrien. Cette aventurière, cette...
cette *Schweinhunde* débarque ici la bouche en cœur et toi, tout
ce que tu trouves de mieux à faire, c'est de lui faire des ronds
de jambe et l'inviter à dîner au lieu de la jeter dehors à coups
de pied où je pense. Mais c'est un procès, moi, que je vais lui
flanquer au cul, moi, à cette *Arschloch*.

La petite Marianne en ouvrait de grands yeux, intriguée
mais ravie de cette occasion exceptionnelle d'enrichir son

vocabulaire dans la langue de Goethe que lui enseignait sa grand-mère.

— Maman, je t'en prie...

— Quoi, « maman, je t'en prie »?... heureusement qu'elle est là, maman, pour veiller aux intérêts de ses petits-enfants puisque monsieur le deuxième brasseur de France a trop de soucis pour s'en occuper. D'ailleurs, j'ai déjà engagé un détective privé pour savoir d'où elle sort, cette voleuse d'héritage.

— Tu as engagé *quoi*!?

— Un détective privé canadien, parfaitement. Comme dans les romans policiers. Parce que quand une fille comme ça réussit à se faire épouser par un milliardaire de près de cinquante ans son aîné, c'est qu'elle n'a pas fait ses classes au couvent des Oiseaux. Et tu sais très bien que je parle d'expérience. Viens Marianne, je vais aller préparer ton goûter.

La gamine s'empressa de quitter les genoux de son grand-père et de descendre du quai. Margrit lui reprit la main et l'entraîna vers la petite barrière qui, de la cour de la brasserie, donnait directement accès au jardin de sa maison. Les deux hommes les regardèrent s'éloigner sans mot dire. Puis Noël se tourna vers son fils avec un sourire ravi.

— Eh ben... Elle n'a pas changé, hein, ma Margrit?

— Pour ça non, grommela Adrien entre ses dents, elle n'a pas changé.

En ce jeudi après-midi ensoleillé, les allées du bois entourant la citadelle de Lille, au nord-ouest de la ville, faisaient leur plein de promeneurs. Rentiers fuyant leur ennui, bourgeoises en mal d'amant, bonnes d'enfants surveillant leur marmaille, permissionnaires courtisant leur promise, adolescents sommés de profiter du grand air, séducteurs cherchant l'occasion ou sergents de ville bombant fièrement le torse sous leur uniforme, chacune et chacun déambulait d'un pas mesuré le long des petits étangs qui s'étiraient mollement sous les frondaisons des hêtres cinquantenaires.

Assise sur un banc près du kiosque à musique, les genoux bien serrés sous sa jupe d'uniforme, Juliette osait à peine regarder autour d'elle. Que faisait-elle là, Seigneur Dieu!? Pourquoi était-elle venue? Rien que de se poser la question la remplissait de confusion. Soudain, sa décision fut prise. Elle allait rentrer, retourner à l'internat. Le baccalauréat était dans moins d'un mois et elle devait encore étudier. Mais comme elle se levait, elle vit Léopold Garcin venir vers elle.

Trop tard.

Le cœur battant, elle se rassit sur le banc, cachant ses mains derrière son dos pour dissimuler le tremblement qui les avait saisies.

— Bonjour, Juliette.

— Bon... bonjour, monsieur Garcin.

— Je vous ai attendue jeudi dernier.

— Je vous avais dit que je ne viendrais pas.

— Et vous avez eu raison : jeudi passé, il pleuvait. Mais aujourd'hui, il fait beau. Venez, marchons un peu, ajouta-t-il en lui tendant la main.

Main qu'elle ne prit pas. Mais elle se leva docilement et ils se mirent à marcher dans l'allée. À côté de cet homme de vingt-cinq ans en veston et gilet, elle se sentait parfaitement ridicule dans son uniforme bleu et blanc de pensionnaire. Juliette avait l'horrible impression que chacun des promeneurs qu'ils croisaient la dévisageait en se retenant pour ne pas rire.

— En quelle année êtes-vous au lycée, Juliette?

— Je vous l'ai déjà dit : en dernière année. Je passe mon baccalauréat le mois prochain.

Elle s'en voulut immédiatement de son ton agressif. Mais M. Garcin n'eut pas l'air de s'en formaliser.

— Et ensuite?

— Quoi, ensuite?

— Après le baccalauréat. Vous comptez poursuivre des études?

— Pour quoi faire? Vous avez entendu mon frère : les filles ne sont bonnes qu'à faire le ménage et la couture.

— Il plaisantait, voyons. Vous êtes une fille intelligente, Juliette, cela se sent tout de suite. De plus, si j'ai bien compris, la brasserie Steenfort vous appartient. Plus tard, vous devrez vous en occuper.

– Ça ne m'intéresse pas, cria presque Juliette. C'est mon père qui la dirige. Et après lui, ce sera Charles. On ne parle que de ça à la maison : la bière, la brasserie, la bière et encore la brasserie. Si je le pouvais, j'irais vivre le plus loin possible de ce village et de cette maudite brasserie.

Garcin sourit.

– Je vous comprends, Juliette. Vous voulez vous marier et avoir des enfants, c'est ça ?

Le jeune fille ne répondit pas.

– Comme vous avez raison. Fonder un foyer est le plus noble et le plus beau destin de la femme.

Ils marchèrent quelques instants en silence. L'allée qu'ils suivaient·se terminait en T à l'extrémité d'un étang où nageait un couple de cygnes, suivis à distance respectueuse par quelques canards à l'affût des miettes de pain que leur lançaient les promeneurs. Sur la droite, un chemin en cul-de-sac aboutissait à une charmille abritant quelques bancs sur lesquels des couples d'amoureux s'embrassaient en échangeant des regards enflammés.

– Vous avez un fiancé, Juliette ?

Les yeux fixés sur les couples enlacés, Juliette ne répondit pas.

– Un petit ami, peut-être ? Un soupirant ?

Toujours pas de réponse. Garcin prit d'autorité le bras de la jeune fille et l'entraîna vers un des bancs restés libres. Comme dans un état second, elle se laissa faire sans résistance. Il la fit s'asseoir et s'assit à côté d'elle.

– Vous avez déjà embrassé un garçon ?

Piquant un fard, Juliette s'abîma dans la contemplation forcenée de ses souliers vernis.

– Je voudrais vous embrasser, Juliette. J'en ai eu envie dès la première fois où je vous ai vue, quand par ma faute vous avez failli être blessée. Je peux vous embrasser ?

Elle leva vers lui un regard d'animal affolé. Doucement, très doucement, Garcin lui caressa la joue. Rougissant de plus belle, elle se laissa faire. Toujours doucement, il fit glisser sa main derrière la nuque de la jeune fille et attira son visage vers le sien. Puis, fermant les yeux, il effleura ses lèvres de sa bouche. Sous sa main, la nuque de Juliette se fit molle, consentante. Garcin, rouvrant les yeux, s'écarta et sourit. La bouche de la jeune fille tremblait convulsivement. Refermant les yeux pour la rassurer, Garcin, avec un art consommé, l'attira de nouveau vers lui, cherchant de sa langue à forcer les lèvres serrées de la petite pensionnaire. Laquelle, d'un seul coup, laissa éclater la passion qui couvait en elle, s'ouvrant avec fougue à cette langue qui la brûlait jusqu'au cœur, mordant les lèvres qui se pressaient contre les siennes, griffant le dos de l'homme qui la serrait dans ses bras.

Mais cela ne dura qu'un instant.

Dans un sursaut inattendu, Juliette repoussa violemment Garcin tandis que des larmes lui jaillissaient des yeux. Se levant d'un bond, sans un mot, elle s'enfuit en courant le long de l'allée. La suivant des yeux, Garcin se recoiffa d'une main avant de prendre une cigarette dans l'étui qu'il sortit d'une poche de son veston.

Il souriait.

Le dernier dimanche du mois de mai 1934 fut un grand jour pour le jeune Charles Steenfort. Debout dans un coin du « laboratoire » de la brasserie, le visage calme en apparence mais le cœur battant sous sa blouse blanche, il regardait son père, en tenue d'équitation après sa promenade dominicale, goûter le contenu d'un flacon que venait de lui donner Servais. Ce liquide ambré et non encore filtré était le résultat de plusieurs semaines d'essais et de recherches, et Charles savait que l'instant était décisif. Si le mélange n'était pas au goût d'Adrien, il serait trop tard pour mettre au point une nouvelle bière en gardant une chance d'en lancer la production pour l'été.

Adrien fit claquer sa langue, puis regoûta le contenu du flacon, faisant rouler chaque gorgée le long de son palais avant de l'avaler. Servais, comme Charles, l'observait avec une secrète angoisse. Enfin, après une longue minute de suspens, Adrien déposa le flacon et son visage se fendit d'un sourire ravi.

— Par saint Arnould, notre patron, je crois que tu as trouvé, Servais. C'est exactement la saveur que je voulais. Combien de degrés d'alcool?

— Six et demi, comme tu l'avais demandé.

— Durée de fermentation?

— Douze jours.

Adrien frappa joyeusement l'épaule de son directeur de fabrication.

— Ha haaa... Je crois qu'avec cette bière-là, nous allons enfin pouvoir saouler les bourgeois. Bravo, Servais!

— Merci. Mais je ne suis pas le seul qu'il faut féliciter, Adrien.

Adrien, toujours souriant, se tourna vers son fils resté immobile dans son coin.

— C'est vrai, j'oubliais notre directeur de recherche adjoint. Bravo à toi aussi, Charles. Qu'avez-vous utilisé, en plus du houblon, pour lui donner cette amertume à l'arrière-goût légèrement pimenté? Du poivre? De la coriandre? Des écorces d'orange?

— Non, fit Charles, souriant à son tour.

— Mais quoi, alors?

— C'est notre secret, papa.

— Un vrai petit brasseur, hein? D'accord, c'est votre secret, mais dis-le-moi quand même. Je suis le patron, après tout, il faut bien que je sache.

L'enfant interrogea Servais du regard et celui-ci cligna des paupières en guise d'approbation. Charles fit alors se pencher Adrien pour lui souffler quelques mots à l'oreille. Adrien écarquilla les yeux.

— Non?...

— Si.

— Ça alors, je n'y aurais jamais pensé.

— Moi non plus, reconnut Servais. C'est Charles qui a eu cette idée.

Lâchant sa canne, Adrien prit son fils dans ses bras et le fit tournoyer.

— Mais tu es un génie, mon fils! Un génie! Le digne héritier du grand Charles Steenfort en personne!

— J'ai aussi trouvé un nom pour notre nouvelle bière.

Adrien le reposa à terre.

— Ah ?

— La *Joanne*, en souvenir de maman.

Une bouffée d'émotion submergea soudain Adrien, tandis que les larmes lui montaient aux yeux.

— La *Joanne*... Oh, Charles, Charles..., tu ne peux pas savoir le bonheur que tu me donnes. La *Joanne*, c'est si beau...

Ravalant ses larmes, il mit une main sur l'épaule du garçon et prit un ton exagérément solennel.

— À partir d'aujourd'hui, monsieur le directeur de recherche adjoint, je te donne officiellement un salaire de quinze francs par dimanche. Pas d'objection, Servais ?

— Aucune, sourit l'homme aux cheveux gris. C'est un salaire amplement mérité.

Adrien reprit sa canne.

— Alors, voilà qui est réglé. Messieurs les directeurs, il faut absolument que la *Joanne* soit mise en production pour l'été. C'est possible, Servais ?

— Oui, à condition d'avoir les bouteilles et les étiquettes à temps.

— Ça, je m'en occupe. Et dès la semaine prochaine, je prends rendez-vous avec nos banquiers. Sur ce, je file, j'ai à faire dans mon bureau. À ce soir, Charles, et encore bravo !

Dans le bureau d'Adrien, sous le sévère portrait du fondateur Charles Steenfort, Garcin était au téléphone. Il n'y avait que trois appareils téléphoniques dans tout le village : le poste privé d'Adrien chez lui, celui de son père à la maison Chevalier, et celui-ci. Le jeune directeur commercial avait donc pris le risque de s'en servir pour faire son rapport à Duponcet ; les bureaux de la brasserie étant déserts le dimanche.

— Vous aviez raison, monsieur Duponcet, il y a bien un cadavre chez Leroux, et un beau. Depuis la fin de la guerre, il produit chaque année vingt mille hectos de plus que ce qu'il déclare officiellement.

— Excellent, mon petit Léopold, excellent! gloussa la voix du banquier dans le combiné. Vous en avez la preuve?

— Non, mais je sais où elle se trouve : dans le coffre du bureau de Leroux. Un registre officieux tenu à jour de la main de sa comptable.

— Merveilleux, nous le tenons! Je me charge du reste. Comment avez-vous obtenu cette information, mon petit Léopold?

— Disons... en payant un peu de ma personne et avec quelques promesses sans conséquences...

— Vous travaillez le dimanche, Garcin?

Celui-ci sursauta. Adrien se tenait sur le seuil du bureau, souriant aimablement.

— Heu... au revoir, maman, s'empressa d'improviser Garcin dans le combiné. Et soigne-toi bien, surtout.

Puis il raccrocha avant de se tourner vers son patron d'un air gêné.

— Excusez-moi, monsieur Steenfort, mais j'étais venu écrire mon rapport sur ma tournée de la semaine et je me suis permis de venir dans votre bureau téléphoner à ma vieille maman qui est malade. Et comme le seul téléphone se trouve ici...

— Vous avez bien fait, le rassura Adrien, d'excellente humeur. Rien de grave, j'espère?

— Pardon?

— Votre mère. Ce n'est pas trop grave?

— Non, non, un simple refroidissement. Mais à son âge, vous comprenez... Avec votre permission, j'irai la voir jeudi après-midi. Vous avez appris, pour la grève nationale de la semaine prochaine?

— Oui, mais j'espère qu'elle n'aura pas lieu chez nous. J'en ai discuté avec Julot Desmet, le délégué syndical.

— Espérons-le, monsieur. Mais pour combattre efficacement cette lèpre rouge avant qu'elle ne nous étouffe, il faut frapper au sommet, c'est la seule solution. Au sommet, mais démocratiquement, grâce au suffrage des électeurs qui finiront par comprendre où se trouve leur véritable intérêt.

— D'accord, vous avez sans doute raison. Puisque vous êtes là, Garcin, vous serez le premier à apprendre la bonne nouvelle : notre nouvelle bière est au point. Elle s'appellera la *Joanne* et nous ferons tout pour la commercialiser avant la mi-juillet. Vous allez avoir du pain sur la planche, mon garçon.

Il ne croyait pas si bien dire.

Dans le salon de la suite « présidentielle » du *Palace Hôtel*, Régine Texel s'étira voluptueusement avant de s'attaquer au copieux petit déjeuner qu'elle s'était fait monter. Elle venait de passer une semaine à Paris et s'y était follement amusée à se laisser faire la cour par l'armée de soupirants qui l'avait entraînée de fête en fête dans une débauche de caviar, de champagne et d'orchestres tziganes. Qu'il est donc agréable, songeait-elle, d'être jeune, belle, libre, intelligente et riche. Pensant à l'étrange destinée qui l'avait conduite là où elle se trouvait, elle, la fille de la modeste crêpière de Corner Street, elle devait bien admettre qu'elle avait eu beaucoup de chance. Encore fallait-il que cette chance continue.

En rentrant à Lille, dimanche soir, elle avait trouvé un mot d'Adrien Steenfort lui signalant qu'il se présenterait à son hôtel le lendemain matin après avoir conduit ses enfants à leur internat. Régine avait donc choisi soigneusement son plus élégant déshabillé et attendait son visiteur en s'attaquant à ses croissants avec son bel appétit habituel. Elle venait à peine de terminer quand la réception l'avertit que M. Steenfort demandait la permission de monter. Un groom escorta Adrien jusqu'à l'entrée de la suite. Régine vint lui ouvrir la porte.

– Quelle agréable surprise, Adrien ! Ou dois-je encore dire monsieur Steenfort ?

– Faites comme il vous plaira, madame Texel. De toute manière, je n'en ai pas pour longtemps. Je vous remercie de me recevoir.

– Ôtez au moins votre manteau. Vous ressemblez à un inspecteur de police à rester planté comme ça au milieu du salon. Voulez-vous une tasse de café ?

– Avec plaisir, merci, acquiesça Adrien en se débarrassant.

Mais son visage fermé contrastait avec la politesse de commande de son ton. Jouant de sa silhouette sous le déshabillé, Régine lui servit une tasse de café avant de s'asseoir en croisant les jambes. Adrien s'assit à son tour, posant sa canne contre l'accoudoir de son fauteuil et évitant ostensiblement de regarder l'agréable spectacle que lui offrait son hôtesse.

— Je suis heureuse de vous revoir, Adrien. Sincèrement. Je suppose que vous avez eu le temps de réfléchir à ma proposition ?

— Oui. C'est non. Si je suis ici, c'est parce qu'il m'a semblé plus correct de venir vous donner ma réponse de vive voix.

Régine ne manifesta en rien sa déception, allant même jusqu'à sourire aimablement.

— Je vois. Mais pourquoi, Adrien ? Le marché nord-américain ne vous intéresse pas ?

— Peut-être, mais pas à ce prix. Je veux rester mon propre maître.

— Un argument louable mais fallacieux, mon cher. Vous n'êtes pas votre propre maître puisque la brasserie que vous dirigez appartient à votre fille aînée.

— Ce n'est pas la même chose. Et c'est d'ailleurs la raison pour laquelle, même si j'avais envie d'accepter votre offre, je ne pourrais pas y répondre.

— C'est un faux problème, Adrien. Vous pourriez facilement récupérer cette brasserie. Ou en tout cas, en posséder la majorité.

— Vraiment ? Et comment cela ?

La Canadienne lui adressa son plus charmant sourire et saisit la cafetière en argent pour les resservir. Adrien refusa de la main.

— En créant une société anonyme, par exemple. Dans laquelle l'apport de votre fille Juliette, c'est-à-dire le terrain et les murs, seraient sous-évalués, tout en surévaluant votre propre apport, à savoir l'équipement, la clientèle, le *« know-how »* et les stocks. Je connais des financiers qui pourraient vous arranger ça.

— Je n'en doute pas, rétorqua Adrien en se levant et reprenant sa canne. Mais je vous l'ai déjà dit : ça ne m'intéresse pas.

– Attendez, ne partez pas tout de suite... J'ai une autre proposition à vous faire.

– Encore ?

Elle se leva à son tour et s'approcha de lui.

– J'y ai beaucoup pensé depuis notre première rencontre et la nuit que nous n'avons pas passée ensemble. Vous me plaisez, Adrien. Beaucoup. Et moi, est-ce que je vous plais ?

Surpris, Adrien, qui ne s'y attendait pas, eut quelque peine à cacher son trouble. Cette jeune femme était indubitablement d'une ensorcelante beauté, rendue plus séduisante encore par l'intelligence de son regard outremer et la souplesse féline de chacun de ses mouvements. Mais il se reprit rapidement et se força à conserver un ton sec.

– Je ne vois pas le rapport...

– Il y en a un, pourtant. Marions-nous.

Adrien crut avoir mal entendu.

– Pardon ! ?

– Vous êtes libre, je suis libre, marions-nous. Associons-nous par le mariage.

Il recula de deux pas. Mais Régine eut la présence d'esprit de ne pas forcer la note et ne chercha pas à se rapprocher de lui davantage. Au contraire, elle s'écarta pour se poster près de la grande fenêtre donnant sur le jardin intérieur de l'hôtel.

– J'ai hérité d'un groupe important, Adrien. Un petit empire. Mais nous vivons dans un monde d'hommes et j'ai besoin d'un homme à mes côtés pour diriger cet empire. Pourquoi pas vous ?

Il reprit son manteau et son chapeau.

– Non, Régine, pas deux fois. Je ne suis pas Peter Texel, moi. Si vous voulez distribuer votre bière en Europe, trouvez-vous un autre partenaire. Moi, je me contenterai de ce que j'ai. Adieu, madame veuve Texel.

Et il sortit. Régine se mordit la lèvre en regardant la porte refermée. Elle qui venait d'avoir les plus beaux hommes de Paris à ses pieds s'était fait repousser comme la première fille venue. Mais elle n'avait pas dit son dernier mot

Dix jours plus tard, Adrien examinait avec Servais les plans d'aménagement d'une nouvelle ligne d'embouteillage pour la *Joanne* quand Mme Durieux vint le prévenir qu'un visiteur l'attendait dans son bureau. C'était Georges Leroux, le teint jaunâtre et de grosses poches sous les yeux derrière ses lunettes en demi-lunes. Les deux hommes se connaissaient, s'étant déjà rencontrés à plusieurs reprises lors des assemblées générales de la corporation des brasseurs du Nord qu'Adrien présidait.

— Monsieur Leroux, quel bon vent vous amène?

Le brasseur de Faussière se leva du siège dans lequel il s'était installé et serra la main du maître des lieux.

— Le vent qui m'amène n'est pas bon du tout, j'en ai peur. Merci de me recevoir, monsieur Steenfort.

— Rasseyez-vous, je vous en prie, fit aimablement Adrien en prenant place derrière son bureau. Que puis-je pour vous, monsieur Leroux?

— Me sauver. Enfin, je l'espère.

— Je ne comprends pas.

— J'ai commis une faute, monsieur Steenfort. Et aujourd'hui, j'en paie les conséquences. Mais le prix est lourd, terriblement lourd. Trop lourd pour moi, en fait.

— Expliquez-vous, cher ami.

— Je vais être franc avec vous, monsieur Steenfort. Vous savez que depuis la guerre, j'ai une production régulière de cent mille hectos par an, que j'écoule tant en France qu'en Belgique. Vous m'avez d'ailleurs fait récemment une proposition de concession réciproque par l'intermédiaire de votre nouveau directeur commercial.

— Proposition que vous avez refusée, ce que je peux comprendre.

— Le problème, c'est qu'en réalité, je produis chaque année vingt mille hectos de plus.

— Ah... Non déclarés, je suppose?

— Non déclarés, en effet. Et je viens d'être dénoncé aux Finances belges et françaises. Une dénonciation anonyme, bien entendu. Ces messieurs ont perquisitionné chez moi et trouvé le registre dans lequel ma comptable notait cette production supplémentaire.

— Aïe! Je devine la suite.

— Cette suite est dramatiquement simple. Ils me réclament quinze années d'arriérés de taxes et d'impôts sur le revenu, doublés par les intérêts de retard et le tout encore doublé par les amendes. Bref, un total d'un peu plus de dix millions de francs [1].

— Fichtre! Mais c'est énorme!

— Inutile de vous dire que je n'ai pas cette somme. Je suis perdu, monsieur Steenfort. Pour payer, je devrais vendre tout ce que je possède, sans parler de la honte et du déshonneur. Et je ne peux pas mettre ma brasserie en faillite puisqu'elle m'appartient en nom propre. Elle va donc être saisie. Par ma faute, huit générations de Leroux vont voir deux siècles de travail réduits à néant.

Le malheureux brasseur en était sur le point de pleurer. Sincèrement touché, Adrien se leva et vint lui poser une main sur l'épaule.

— Allons, monsieur Leroux, remettez-vous. Il doit bien y avoir un moyen de vous en sortir.

— C'est ce que m'a dit votre M. Garcin quand il est revenu me voir.

— Garcin?

— Il avait entendu parler de mes problèmes, je ne sais pas comment, et il m'a conseillé de venir vous trouver. D'après lui, vous pourriez m'aider à trouver une solution. Puisque vous êtes intéressé par le marché belge, peut-être pourriez-vous racheter ma brasserie? En... en m'en laissant la direction?...

— Il est vrai que votre brasserie pourrait m'intéresser, mais... vous me prenez au dépourvu, monsieur Leroux. Je dois justement engager des capitaux frais pour lancer une nouvelle ligne de production. Quand devez-vous payer ces dix millions?

— Un premier tiers dans deux mois. Le reste en deux ans, les intérêts continuant à courir, naturellement.

---

1. Trente-six millions de francs actuels.

— Bigre, c'est court. Écoutez, monsieur Leroux, je ne peux rien vous promettre mais je vais voir avec mes banquiers ce que je peux faire.

Ému et soulagé, l'aimable brasseur saisit à deux mains celles d'Adrien.

— Oh, merci, monsieur Steenfort, merci.

— Gardez confiance, Leroux, vous vous en sortirez.

— Quinze millions, c'est une somme.

— Pas pour votre banque, Duponcet.

Adrien s'était résolu sans enthousiasme à se rendre chez son principal banquier. Le bureau entièrement lambrissé de vieux chêne patiné par les ans ne s'ouvrait sur aucune fenêtre, comme si son occupant craignait les bruits et les regards du monde extérieur. Et dans cet espace confiné, éclairé par une lumière électrique chichement mesurée, régnait une atmosphère un peu lourde qui mettait généralement le visiteur mal à l'aise, ce qui était probablement le but recherché.

— Peut-être, soupira Duponcet. Mais pour vous, oui. Sans compter ce que vous allez me demander pour lancer votre nouvelle bière. Comment s'appelle-t-elle, déjà ?

— La *Joanne*. Mais rassurez-vous, cet argent-là, je le trouverai chez nos autres partenaires. À vous, je ne demande que de quoi racheter Leroux. Avec l'ouverture du marché belge à la clé.

Le gros homme prit des mines de vieille fille en butte à des propositions inconvenantes, alors qu'intérieurement, il jubilait. Son plan fonctionnait à la perfection. L'appât était lancé, le poisson ne demandait qu'à mordre, il ne restait plus qu'à ferrer. L'enfance de l'art pour un vieux forban de la finance.

— Et il vous laisserait sa brasserie pour quinze millions ?

— Il n'a pas le choix. Et après avoir payé les dix millions qu'il doit aux impôts, ça en lui laisserait tout de même cinq pour ses vieux jours. La seule crainte que j'ai, si je tarde trop à lui répondre, c'est qu'il s'adresse à quelqu'un d'autre qui fasse de la surenchère.

— Vous le garderiez comme directeur ?

— Oui. C'est un bon brasseur et il connaît bien ses marchés.

— Quinze millions... mmh... Et comme garantie ?

— Un mandat hypothécaire sur la brasserie, comme de coutume.

— Mmh... Vous avez déjà entendu parler du Front populaire, Steenfort ?

— Pardon ?

— Le Front populaire, vous connaissez ?

— Non, qu'est-ce que c'est ?

— Un projet lancé par Maurice Thorez, le secrétaire général du Parti communiste français. Une alliance entre les socialistes et les communistes pour remporter les législatives de 36.

— Quel rapport avec notre affaire ?

— Rappelez-vous ce que je vous ai dit lors de notre dernier conseil : si la gauche reste au pouvoir, je n'investis plus un sou dans votre entreprise. Pas plus que dans une autre, d'ailleurs. Je ne tiens pas à être ruiné par ces maudits syndicats et ces grèves perpétuelles.

— Oui, je sais, mais tout cela n'aura qu'un temps, voyons.

— Vous croyez ? Je ne suis pas de votre avis, Steenfort. Si on laisse faire ces agitateurs plus longtemps, c'est le pays tout entier qui courra à la ruine. Faites-moi une faveur, cher ami...

— Volontiers. Laquelle ?

— Venez dîner à mon cercle après-demain soir, je voudrais vous présenter quelqu'un. Et d'ici là, je réfléchirai à votre demande d'emprunt supplémentaire.

— Hou..., j'ai couru ! Je ne suis pas trop en retard ?

Essoufflée, les joues rouges, Juliette s'arrêta devant Garcin, une main sur sa poitrine pour tenter de ralentir les battements de son cœur. Celui-ci jeta sa cigarette, qu'il écrasa soigneusement du pied, et sourit à la jeune fille en uniforme de pensionnaire. Le temps était gris et les promeneurs dans les allées du parc plus rares que le jeudi précédent.

– Pas plus d'un quart d'heure, Juliette. Le fameux quart d'heure académique que tout le monde pardonne.

– La surveillante voulait me garder avec les autres pour préparer la fête de fin d'année. J'ai dû inventer une histoire de vieille cousine à qui j'avais promis de rendre visite.

– Et voilà comment l'esprit vient aux jeunes filles. Bravo, Juliette ! Cela vaut bien un baiser.

– Pas ici, objecta-t-elle en repoussant le bras qui voulait l'enlacer. Imaginez que quelqu'un de l'internat nous voie.

– Vous avez raison, venez.

Se gardant de lui prendre la main, Garcin l'entraîna vers la charmille en cul-de-sac où il l'avait embrassée la première fois. Un seul couple s'y trouvait, se dévorant mutuellement des yeux.

– Notre banc. Vous vous souvenez ?

Juliette piqua un fard sans répondre. Garcin s'assit, l'invitant du geste à prendre place à côté de lui. Elle obéit, tirant sur sa jupe bleu marine pour couvrir ses genoux bien serrés l'un contre l'autre. Garcin sortit d'une de ses poches un petit paquet noué d'un ruban rose.

– J'ai un cadeau pour vous.

– C'est vrai ?

Veillant soigneusement à ne pas déchirer le papier, elle ouvrit le paquet et sortit d'un mince étui une fine chaîne de cou dorée. La bouche de Juliette s'ouvrit en un O de surprise et ses yeux se mirent à briller. Oubliant toute retenue, elle entoura de ses bras les épaules de Garcin et plaqua sa bouche contre la sienne. Savamment, le jeune homme prolongea le baiser, passant sa main sous le cardigan de Juliette pour lui caresser la poitrine à travers sa blouse. Elle frémit mais ne fit rien pour l'en empêcher. Quand leurs visages se séparèrent, les yeux de la petite pensionnaire brillaient toujours.

– Je... On ne m'avait jamais offert de cadeau comme ça. Pourquoi moi, Léopold ? Je... je sais que je ne suis pas jolie. Il y a tellement d'autres femmes qui vous plairaient sûrement davantage.

— Vous n'êtes pas jolie, Juliette, vous êtes belle. Et le bonheur vous rend plus belle encore. Attendez, je vais vous aider...

Elle se tourna à demi pour lui permettre de fermer l'attache de la chaîne qu'elle s'était passée autour du cou. Puis, la prenant par les deux épaules, il la contempla de son regard le plus énamouré.

— Magnifique ! C'est vous qui me plaisez, Juliette. Vous et aucune autre.

Les yeux humides, elle replongea à son cou.

— Oh, Léopold, Léopold, Léopold...

Adrien n'était venu qu'une seule fois au cercle des Trente, lors d'une soirée privée donnée quelques années auparavant par le maire de Lille. Il s'y était rendu avec Joanna et en avait gardé le souvenir d'un profond ennui. Voir défiler de salon en salon, comme un escadron de pingouins compassés, les hauts dignitaires de l'industrie et de la finance flanqués de leurs épouses endiamantées ne l'avait amusé qu'un bref instant, le temps de réaliser qu'il faisait partie, lui aussi, du troupeau et que les banalités polies qu'il échangeait avec les autres invités ne méritaient pas l'ombre d'un intérêt que d'ailleurs personne ne leur accordait. Il s'était donc promis de ne plus y mettre les pieds. Un engagement qu'il lui avait bien fallu rompre ce soir.

Duponcet avait fait servir un dîner pour trois dans un petit cabinet particulier et le maître d'hôtel qui les servait en gants blancs en aurait facilement remontré au plus raide des *horse-guards*. Quant à l'homme en smoking assis en face d'Adrien, que le banquier lui avait présenté comme étant le colonel Robin-Dulieu, il n'était certes pas fait pour rendre l'atmosphère plus chaleureuse. Sa haute taille qu'il tenait bien droite, son crâne presque rasé, sa voix tranchante et son regard de lac gelé évoquaient davantage un examinateur de la sainte Inquisition que l'aimable convive d'un dîner entre amis. Il n'avait d'ailleurs pas perdu de temps pour attaquer Adrien de front.

– La France a besoin de vous, Steenfort.

– Serions-nous en guerre, colonel ?

– Oui. Une guerre d'un autre genre que celle pour laquelle vous avez versé votre sang, mais une guerre d'autant plus dangereuse qu'elle ne se fait pas les armes à la main. La guerre contre le communisme dont le but avoué est de saper les valeurs les plus sacrées de la République.

Adrien se risqua à sourire.

– N'exagérez-vous pas un peu ?

Robin-Dulieu se pencha légèrement vers son interlocuteur, la fourchette en bataille.

– Je crains que vous ne vous rendiez pas compte de ce qui est en train de se passer, Steenfort. Vous vivez trop isolé. Mais voyez la débâcle que connaît notre pays depuis l'accession de la gauche au pouvoir depuis deux ans.

– Le colonel a raison, intervint Duponcet. Lui et quelques amis haut placés ont fondé un parti dont l'objectif est d'endiguer cette montée de la gauche : le Parti d'action nationale. Il va de soi que les principaux industriels et chefs d'entreprise du pays nous soutiennent. Ce que nous vous demandons, mon cher Steenfort, c'est de nous rejoindre.

– Pour sauver la France du marasme, enchaîna Robin-Dulieu, nous devons avoir un parti fort, représentatif de l'élite de la nation. Voyez comment les fascistes de Mussolini ont réussi à redresser l'économie d'une Italie malade. Voyez comment le chancelier Hitler a stoppé l'inflation galopante de l'Allemagne tout en donnant du travail à cinq millions de chômeurs. Voilà les exemples que nous devons suivre, Steenfort.

– Admettons. Mais si la gauche a gagné chez nous les législatives de 32, c'est tout de même parce que le peuple l'a portée au pouvoir, non ?

– Le peuple n'y connaît rien, trancha l'homme au crâne rasé. Ni en politique ni en économie. Le suffrage universel a été une stupidité née de l'euphorie de la victoire de 1918. Est-ce le peuple qui crée les emplois qui le nourrissent ? Non, c'est nous, l'élite. Est-ce le peuple qui crée les universités formant les médecins qui le soignent ? Non, c'est encore nous.

Le peuple ne sait pas ce qui est bon pour lui. Nous, nous le savons car c'est notre rôle de responsables et de dirigeants.

— Le socialisme n'a pas eu que des aspects négatifs, colonel.

— Non, certes. J'admets que par le passé, il a contribué à faire prendre conscience à certains industriels de la situation tragique dans laquelle vivaient les ouvriers. Mais c'était au dix-neuvième siècle, Steenfort. Aujourd'hui, du socialisme au communisme, il n'y a plus qu'un pas qui est en train d'être franchi. Et le communisme, c'est Moscou. Voulez-vous que la France soit dirigée par Moscou ?

— Certainement pas, reconnut Adrien.

Le repas terminé, le maître d'hôtel présenta un choix d'alcools et de cigares. Adrien refusa poliment les uns comme les autres.

— Sobre et non-fumeur, apprécia Robin-Dulieu en se choisissant soigneusement un Monte-Cristo. Décidément, vous avez toutes les qualités, mon cher.

Adrien observa les deux hommes sacrifier au rituel de l'allumage du cigare, se retenant pour ne pas sortir sa montre de sa poche de gousset. Il avait hâte de reprendre sa voiture et de rentrer chez lui.

— Parlons un autre langage, réattaqua Robin-Dulieu après avoir exhalé une première bouffée de fumée grise. Votre entreprise, comme beaucoup d'autres en France, est menacée par ces grèves de plus en plus fréquentes orchestrées en dépit du bon sens par les syndicats. Pour sauver notre patrimoine économique et industriel, nous devons plus que jamais nous serrer les coudes.

— Vous connaissez mon point de vue sur la question, renchérit Duponcet de sa voix ronronnante tout en réchauffant son ballon de cognac dans sa main.

Adrien se tourna vers le banquier.

— Soyons clairs, Duponcet. Vous voulez que j'entre en politique, c'est ça ?

— Oui.

— En me présentant comme candidat maire de Bourg-d'Artois aux municipales de septembre, comme votre Garcin me l'a déjà suggéré à plusieurs reprises ?

– Exactement.

– Mais ce ne sera qu'une étape, enchaîna le colonel. Dans deux ans, aux législatives, vous serez élu député, foi de Robin-Dulieu.

– Fichtre ! Vous allez vite en besogne, colonel.

– Les guerres ne se gagnent pas en dormant, capitaine Steenfort. Vous êtes officier comme moi, donc vous savez qu'une campagne, ça se prépare, qu'elle soit militaire ou électorale. Alors, votre réponse ?

– Je... j'aimerais réfléchir, si vous n'y voyez pas d'inconvénient.

Le gros banquier avala une longue gorgée de cognac sans cesser de fixer Adrien de ses petits yeux embusqués sous les replis de graisse.

– Ne réfléchissez pas trop longtemps, cher ami. Et je me permets de vous rappeler l'atout précieux que peuvent représenter des appuis politiques bien placés. Vous semblez faire mine de l'oublier, mais il n'est plus possible, de nos jours, de réussir en affaires sans la politique.

L'allusion était claire. Adrien se racla la gorge.

– Vous avez probablement raison. Comme je viens de vous le dire, je vais y réfléchir.

Robin-Dulieu se leva. Il devait mesurer près de deux mètres.

– Le temps presse, Steenfort. L'ennemi est à nos portes, bientôt dans nos murs. Si vous acceptez d'être des nôtres, ce que votre intelligence vous convaincra de faire, c'est maintenant qu'il faut agir. Maintenant.

4

Chaque fois que Margrit s'asseyait sur le banc de pierre dans la cour de l'ancienne ferme Texel, elle ne pouvait s'empêcher de se remémorer tous les événements, heureux ou tragiques, qu'elle y avait vécus depuis ce fameux jour de 1889 où elle y avait pénétré pour la première fois avec Charles Steenfort. Passé un certain âge, les projets d'avenir consistent surtout à rassembler les fils du passé.

Ce jour-là, dimanche 17 juin 1934, alors qu'à Paris le président Albert Lebrun inaugurait le zoo de Vincennes et qu'à Venise se clôturait la première conférence au sommet d'Hitler et de Mussolini, Margrit et Noël avaient décidé de rendre visite à leur fils avec la petite Marianne. Juliette, à la table de la terrasse, étudiait avec application les matières de son baccalauréat tout proche. Charles junior, comme tous les dimanches, était à la brasserie avec Servais. Marianne, à l'autre bout de la cour, écoutait son grand-père lui raconter pour la quinzième fois la dramatique histoire de la petite sirène d'Andersen. Et Margrit, assise sur le banc de pierre, se laissait envahir par la tentation de la nostalgie. Sortant de la grande maison, Adrien vint s'asseoir à côté d'elle et elle se ressaisit aussitôt.

— Tu as encore revu cette Régine Texel ? interrogea-t-elle abruptement.

— Non, mentit Adrien. Et toi, tu as des nouvelles de ton détective ?

— Pas encore.

Un ange passa. Il y avait, comme d'habitude, une sorte de gêne entre eux. Margrit avait toujours déploré cette absence de complicité avec son fils. Non pas qu'ils se sentissent étrangers l'un à l'autre, mais elle avait l'impression que les trop lourds secrets qu'ils avaient partagés jadis avaient dressé entre eux une sorte de barrière qu'ils auraient tous deux voulu abattre sans être capables de faire le premier geste pour y parvenir. Elle changea de sujet.

— Il paraît que tu vas racheter la brasserie Leroux?

— J'envisage de le faire, en effet. Pour autant que j'obtienne un prêt supplémentaire de Duponcet. Cela me permettrait de m'introduire sur le marché belge.

— Ce qui étonne Servais, c'est que Leroux soit vendeur.

— Il a des problèmes financiers. C'est Garcin qui m'a mis sur l'affaire.

— Ah oui, Garcin..., l'espion de ce rat de Duponcet.

— Comment ça, l'espion de Duponcet? Qu'est-ce que tu vas chercher là, maman?

— C'est lui qui te l'a amené, non? Tu penses bien qu'il s'empresse de raconter à son protecteur tout ce qui se passe dans ta brasserie.

— Et alors? Servais est bien ton espion à toi, maman.

Margrit haussa les épaules.

— Il n'empêche que je n'aime pas ce Garcin. Il est peut-être un bon directeur commercial, mais il me fait l'effet d'être un hypocrite et un intrigant.

— Ce n'est pas vrai!

Aussi surpris l'un que l'autre, Margrit et Adrien tournèrent la tête vers Juliette qui, dressée sur sa chaise à quelques mètres d'eux, venait de protester avec une vigueur aussi soudaine qu'inattendue.

— Qu'est-ce que tu as dit?

La jeune fille, le visage empourpré et consciente de sa bévue, ne put que tenter une explication vaguement plausible.

— Je... je voulais dire que... que M. Garcin m'avait l'air d'un monsieur très bien.

– Ah bon, s'étonna Margrit. Tu le connais ?

Juliette se troublait de plus en plus, triturant machinalement la fine chaîne en or qu'elle portait autour du cou.

– Je... non..., enfin, un peu... Je... je l'ai croisé une ou deux fois au village... par hasard..., un dimanche...

Son père ne lui prêta qu'une attention distraite, mais Margrit, songeuse, ne quitta pas sa petite-fille des yeux tandis que celle-ci rassemblait hâtivement ses livres pour se précipiter à l'intérieur de la maison.

– Oui, bon, grommela Adrien en revenant à leur sujet. Je crois en effet que tu exagères, maman. Garcin est ambitieux, c'est tout. Dans les affaires, ce serait plutôt une qualité.

Margrit le regarda droit dans les yeux.

– L'ambition est une qualité quand on la possède soi-même, Adrien. Chez les autres, c'est un défaut.

Adrien sourit.

– N'est-ce pas un peu cynique comme définition ?

– Appelle ça comme tu veux, c'est une vérité élémentaire.

Adrien sortit sa montre et se leva.

– Je vais passer prendre Charles à la brasserie pour aller au cimetière. Nous serons de retour pour le goûter.

Le cimetière de Bourg-d'Artois était situé sur une hauteur dominant le village. On y accédait par un chemin non carrossable qui serpentait entre les genêts. Le conseil municipal n'avait jamais envisagé de le rendre accessible aux voitures, la tradition du pays voulant qu'on y portât, comme aux siècles précédents, les cercueils des défunts à dos d'homme.

Une fois par mois, Adrien y emmenait ses deux aînés se recueillir sur la tombe de leur mère. Ce dimanche-là, préférant ne pas distraire Juliette de son baccalauréat imminent, il ne s'était fait accompagner que de Charles. Le garçon portait à la main un bouquet de roses blanches cueillies le matin même dans le parterre amoureusement entretenu par Delphine.

Les genêts en fleur annonçaient la fin du printemps et formaient, de part et d'autre du sentier, une magnifique double haie d'or pur. Ce n'était pas pour rien que les villageois appelaient l'accès au cimetière « le chemin du Ciel ».

À mi-parcours, Adrien posa une main sur l'épaule de son fils.

— Charles...

— Oui, papa ?

— Qu'est-ce que tu dirais si je me présentais aux prochaines élections municipales ?

Surpris, Charles s'arrêta pour lever vers son père un regard étonné et ravi.

— Pour devenir maire ? Ce serait formidable, papa. Et d'ailleurs, ce serait normal que tu sois le maire.

— Normal ? Pourquoi normal ?

— Parce que c'est toi qui donnes du travail à tout le village. Tout le monde t'aime bien, ici. De plus, les ouvriers de la brasserie seraient forcés de voter pour toi, non ?

— Forcés ? sourit Adrien en reprenant sa marche. Certainement pas. Ils pourront voter pour qui ils voudront. Pour Florent Lemaître, par exemple, comme les autres fois. Nous sommes en démocratie, Charles. On ne t'a pas appris ce que c'était que la démocratie, au collège ?

— Bien sûr que si. C'est la manière dont les Grecs vivaient pendant l'Antiquité.

— Ah. Et rien d'autre ?

— Ben... non.

— Ah...

Ils arrivaient en vue du mur d'enceinte entourant le petit cimetière. Charles était visiblement excité par la perspective que venait d'évoquer Adrien.

— Tu vas vraiment devenir le maire de Bourg, papa ?

— Je ne sais pas, Charles. Disons que je pourrais envisager de me présenter.

— Et après, tu vas devenir ministre ?

— Ministre !? Comme tu y vas, mon garçon.

— Mais oui, c'est certain. Un de mes professeurs m'a dit un jour : « Charles, si votre père se lançait dans la politique, il deviendrait ministre. »

Adrien ne put s'empêcher de rire.

— Eh bien, il voit plus loin que moi, ton professeur.

Ils franchirent la grille ouverte du cimetière et marchèrent en silence le long de l'allée principale bordée de tombes, modestes pour la plupart, dont les plus anciennes laissaient voir des inscriptions à demi effacées par les années. Adrien marqua un temps d'arrêt. Une femme, de dos, en manteau d'été et chapeau, semblait se recueillir devant la tombe de Joanna. Les entendant s'approcher, elle se retourna. C'était Régine Texel.

Adrien ne put retenir un sursaut.

— Madame Texel!? Mais...

Elle leur adressa un sourire empreint de douceur.

— Bonjour, Adrien. Et toi, tu es Charles, n'est-ce pas? ajouta-t-elle à l'adresse du garçon.

— Heu... oui, madame.

Charles était visiblement fasciné par la beauté de cette femme inconnue qui semblait bien connaître son père. Quoique celui-ci n'eût pas l'air de l'aimer beaucoup car il la regardait en fronçant les sourcils.

— Puis-je savoir ce que vous faites ici, madame Texel?

— Je suis venue me recueillir sur la tombe de Joanna. Je l'avais promis à Peter avant sa mort. Cela vous choque?

— Non, se reprit Adrien. Bien sûr que non. Mais je ne m'attendais pas à...

— À me revoir? Rassurez-vous, je vais bientôt quitter le pays. Tu aimais beaucoup ta maman, n'est-ce pas? enchaîna-t-elle en se tournant vers Charles.

— Heu... oui, madame.

— Viens, je vais t'aider à mettre tes fleurs sur sa tombe. Et puis nous dirons une petite prière pour qu'elle sache que tu penses à elle.

— Je vais suivre votre conseil, Adrien, et faire un petit tour d'Europe pour étudier les possibilités de marché.

Adrien ne répondit pas, regardant droit devant lui. Mais les mouvements saccadés de sa canne trahissaient sa nervosité. Ce qui n'échappa évidemment pas à la belle Canadienne.

Ils marchaient de front en descendant le chemin, Charles les suivant à quelques mètres. Régine baissa légèrement la voix.

— Je comprends que vous ayez été choqué par ma proposition, Adrien. Je parle de ma seconde proposition. Je regrette ce qui s'est passé. Je... je vous connaissais mal.

— Vous croyez mieux me connaître à présent ? lança-t-il sèchement.

— Non, bien sûr.

Ils poursuivirent leur marche en silence jusqu'au bas du chemin qui rejoignait la route menant au village. À l'écart de la chaussée, dissimulé sous l'ombre des arbres, était garé un splendide cabriolet Bugatti jaune vif qu'Adrien n'avait pas remarqué en montant. Charles se précipita vers la superbe voiture décapotée aux chromes étincelants.

— Mince ! C'est votre voiture ?

— Pas vraiment, Charles, sourit Régine. Je l'ai louée en débarquant en France.

— Mon père a une Renault, mais elle n'est pas aussi belle que celle-ci.

— Tu aimes les voitures ?

— Et comment ! Plus tard, j'en aurai une comme la vôtre. Mais je la prendrai en rouge. Vous savez que mon père va devenir le maire de Bourg-d'Artois ?

— C'est vrai ? Ça ne m'étonne pas, poursuivit Régine, qui se tourna vers Adrien tout en continuant à s'adresser au jeune garçon. Ton père est un homme de valeur. Je l'aime beaucoup. Dommage que lui ne m'aime pas.

Charles, fort occupé à caresser amoureusement les garde-boue de la Bugatti, n'entendit pas la dernière partie de la phrase. Régine tendit la main à Adrien. Celui-ci, après une brève hésitation, la prit.

— J'ai compris que nous ne ferions rien ensemble, Adrien. Mais à défaut d'être alliés, ne pourrions-nous pas devenir amis ?

— Oui... oui, certainement. Eh bien, bon voyage... Régine.

Charles s'empressa d'ouvrir la portière pour permettre à Régine de prendre place derrière le volant de bois précieux. Il ne pouvait s'empêcher de la dévorer des yeux.

— Merci, Charles, lui sourit la jeune femme. Tu es un galant homme et j'ai été très heureuse de faire ta connaissance. Veille bien sur ton père, il a besoin qu'on l'aime.

— Je n'y manquerai pas, madame, répondit gravement le garçon. Je vous souhaite un bon voyage.

Le père et le fils regardèrent s'éloigner le cabriolet jusqu'à ce qu'il disparaisse au premier virage.

— Elle est belle, la dame, hein, papa ?

— Oui, Charles, répondit rêveusement Adrien. Elle est belle. Trop belle.

Mais Régine n'entama pas tout de suite sa tournée européenne. Il lui restait un dernier point à régler avant son départ. Le mardi qui suivit sa visite au cimetière de Bourg-d'Artois, elle se présenta chez Gérard Duponcet avec qui elle avait pris rendez-vous en le priant de n'en rien dire à personne. Le banquier s'empressa de la recevoir, lui baisant la main en s'inclinant aussi bas que son tour de taille le lui permettait.

— C'est un honneur pour moi de vous recevoir, madame Texel. Quoi que vous nous demandiez, mes collaborateurs et moi-même ferons tout ce qui est en notre pouvoir pour vous donner satisfaction.

Sans quitter son manteau et son chapeau, la belle Canadienne s'assit dans le fauteuil que lui présentait le gros homme. Elle ne tenait pas à rester plus de temps que nécessaire dans ce bureau sans fenêtre dont les lambris trop sombres renforçaient une désagréable impression d'enfermement. En outre, le visage porcin et l'obséquiosité de commande de son interlocuteur lui avaient immédiatement déplu. Mais elle n'était pas là pour parler de la pluie et du beau temps autour d'une tasse de thé.

— Ne perdons pas de temps en politesses d'usage, monsieur Duponcet. Je crois savoir que vous êtes le principal bailleur de fonds de la brasserie Steenfort.

— Ce n'est un secret pour personne, madame. La banque Duponcet soutient la brasserie Steenfort depuis sa création, en 1890.

— J'ai cru également comprendre que vous vous apprêtiez à avancer une forte somme à M. Steenfort pour le rachat d'une petite brasserie installée à la frontière belge.

Les bourrelets de graisse masquant à demi les petits yeux du banquier tressautèrent imperceptiblement..

— Là, en revanche, vous m'étonnez. Qui vous l'a dit ? Il n'y a pratiquement personne qui soit au courant de ce projet.

— Vous oubliez ce que je représente, laissa sèchement tomber Régine. Avec les moyens dont je dispose, je ne suis jamais à cours d'informateurs.

— C'est vrai, c'est vrai, excusez-moi. Donc, « on » vous a informée de cette intention de M. Steenfort. Puis-je me permettre de vous demander en quoi cela vous concerne ?

— Je voudrais que vous le convainquiez de transformer sa brasserie en une société anonyme.

— Ah...

— Avec à la clé un apport de capital extérieur de l'ordre de quinze millions, c'est-à-dire la somme dont il a besoin.

— Mm mmh...

— Apport de capital que vous souscrirez en lieu et place du prêt que vous vous apprêtiez à lui consentir.

— Je vois.

— En réalité, c'est moi qui souscrirai cet apport de capital.

— Là, je ne vois plus.

Duponcet était perplexe. Il savait comme tout le monde que cette Régine Texel avait hérité de l'empire de son défunt mari qui avait un demi-siècle de plus qu'elle. Il s'était donc attendu à voir une sorte d'aventurière, ravissante certes, mais qui aurait laissé à d'autres le soin et le souci de gérer ses biens acquis sur l'oreiller, se contentant de dilapider les revenus de sa fortune dans une vie de plaisirs et d'amants de passage. Or, la personne qu'il avait en face de lui paraissait être non seulement une femme de tête, mais qui semblait en outre jongler avec les subtilités de la finance commerciale en capitaliste chevronnée. Quel jeu jouait donc cette femme étrange ?

Déjà, Régine enchaînait.

– En clair, vous me servirez de prête-nom, monsieur Duponcet. En échange d'une commission de cinq pour cent du montant en question, soit sept cent cinquante mille francs. Et ce, sans le moindre risque pour vous.

– Soit, objecta Duponcet. Mais en admettant que cette opération puisse se faire, cela ne vous donnerait qu'une participation très minoritaire dans l'éventuelle future société de M. Steenfort. Et sans droit de vote aux assemblées, puisque votre nom n'apparaîtrait pas sur le registre des actionnaires. Quel serait votre intérêt, madame Texel?

– Ça, ça me regarde, monsieur Duponcet. Cinq pour cent. Acceptez-vous?

À cet instant, le téléphone posé sur le bureau du banquier sonna. Il décrocha le combiné.

– Oui? Ah... Bien, passez-le-moi.

La main sur le cornet, il sourit à sa visiteuse.

– Quand on parle du loup... C'est Steenfort. (...) Oui, bonjour, cher ami, comment allez-vous? (...) Moi de même, merci. Avez-vous réfléchi à... (...) Ah, bien, très bien, voilà une excellente nouvelle. J'avertis immédiatement le colonel, il sera ravi. (...) Oui, bien sûr, nous nous occuperons de vous inscrire sur les listes officielles, ne vous souciez pas de ces détails. Et encore bravo, mon cher, vous avez fait le bon choix, vous verrez. (...) Pour votre prêt? Naturellement que j'y pense, c'est comme si c'était fait. Vous pourriez passer à la banque en fin de semaine? (...) Parfait. Non, non, ne me remerciez pas, c'est tout naturel. Depuis le temps que nous travaillons ensemble... (...) C'est cela, à bientôt cher ami.

Duponcet raccrocha et son sourire s'élargit tandis qu'il fixait Régine de ses petits yeux rusés.

– J'accepte, dit-il.

Adrien ne fut pas trop surpris de la décision du banquier dont il avait clairement compris le message : tu te présentes sur nos listes, et moi, en échange, je t'accorde ton prêt. Au fond, Garcin, qui semblait s'y connaître en dépit de son jeune âge, n'avait pas tort : la politique peut être un atout précieux en affaires. Qu'il soit ou non élu ne préoccupait pas trop Adrien ; au moins, il aurait rempli sa part du contrat. Et il était en outre convaincu que le retour de la droite au pouvoir ne pourrait qu'améliorer les choses, la situation économique et sociale devenant de plus en plus catastrophique.

Il reprit son téléphone pour annoncer la bonne nouvelle au brasseur de Faussière.

En raccrochant, Georges Leroux sentit disparaître l'énorme boule d'angoisse qui lui écrasait la poitrine depuis plusieurs semaines. Il était sauvé ! Il perdrait sa brasserie, mais il s'en tirerait avec les honneurs. Et surtout, il pourrait continuer à diriger son entreprise comme auparavant. Béni soit Adrien Steenfort !

Il se leva pour annoncer l'heureuse nouvelle à sa comptable. Elle aussi s'en faisait, il l'avait bien vu. Depuis ce jour maudit de la perquisition opérée conjointement par les sections financières des parquets belge et français, la pauvre avait les yeux rouges comme si elle passait ses nuits à pleurer. Quel dévouement admirable à son entreprise ! Une collaboratrice comme Mlle Lucie était un véritable cadeau du ciel.

Pour fêter l'événement, Leroux décida d'inviter la jeune femme à dîner ce soir-même avec lui et son épouse. À *l'Auberge Fleurie*, tiens. Il savait qu'elle avait envie d'y aller depuis longtemps. Mais quand il lui en fit la proposition, Mlle Lucie fondit en larmes et s'enfuit en courant, bredouillant le prétexte d'un soudain malaise.

Allez comprendre quelque chose aux femmes.

— Dès que vous aurez signé ce contrat de prêt, les quinze millions seront à votre disposition, cher ami.

Duponcet, tout sourire, fit glisser quelques feuillets en direction d'Adrien assis devant lui dans son bureau.

— Ce sont les clauses habituelles, à l'exception de l'article 8.

– L'article 8 ?

Le banquier indiqua du doigt l'article en question.

– C'est une clause qui prévoit que si vous transformez votre entreprise en société anonyme, ce que je vous conseille vivement de faire par ailleurs, notre prêt sera automatiquement transformé en apport de capital.

– Donc que vous deviendrez actionnaire de la société ? s'étonna Adrien.

– Exactement. Ce qui voudrait dire pour vous : plus d'intérêts à payer ni d'emprunt à rembourser. Rien que des dividendes sur les bénéfices. Une clause extrêmement généreuse, vous l'admettrez.

– En effet, reconnut Adrien en lisant l'article 8. Il faudra que j'y songe sérieusement. C'est curieux, vous êtes la seconde personne à me conseiller de créer une société anonyme.

– Vraiment ? ronronna Duponcet en faisant mine d'être étonné. Et qui donc est la première personne ?

– Oh, quelqu'un que vous ne connaissez pas.

Adrien parapha chaque page du contrat en trois exemplaires, puis signa la dernière.

– Voilà, mon cher Duponcet. Avec tous mes remerciements. Je fonde de grands espoirs dans cette percée sur le marché belge.

– Je ne doute pas que vous réussirez, Steenfort. Vous et moi sommes de la race des battants. Nous allons d'ailleurs le prouver en vous faisant gagner les municipales. Soit dit en passant, il était grand temps que vous vous décidiez, les listes électorales doivent être clôturées le 30 juin, c'est-à-dire dans quelques jours. Que pensent vos concitoyens de votre candidature ?

– Rien. Je n'en ai encore parlé à personne.

Le banquier se leva et tendit une main grassouillette à son visiteur.

– Ils ne parleront bientôt plus que de ça, faites-moi confiance. Et ce sera un grand jour, pour vous comme pour le Parti d'action nationale. À très bientôt, cher ami.

Le dimanche 22 juillet, soit tout juste deux mois avant les élections municipales, l'unique salle de classe de la petite école primaire de Bourg-d'Artois était pleine à craquer. Presque tous les hommes du village s'y étaient entassés vaille que vaille, la plupart une chopine à la main, riant, s'interpellant, se poussant du coude en échangeant les plaisanteries habituelles. Florent Lemaître, la taille ceinte de son écharpe tricolore et une paire de lunettes sur le nez, monta sur l'estrade et réclama le silence. Le brouhaha s'apaisa peu à peu tandis qu'il sortait un feuillet imprimé d'une enveloppe scellée reçue le matin même.

– Ahem... Un peu de silence, mes amis. Ahem... Conformément à l'article 14 de l'arrêté-loi du 27 août 1919, j'ai l'honneur de donner lecture publique des listes ayant obtenu le nombre de signatures requises pour se présenter au suffrage des électeurs de Bourg-d'Artois à l'occasion des élections municipales du 23 septembre 1934. Ahem... Liste n° 1 : liste du Parti communiste français, menée par notre ami..., pardon, par M. Éric Bossart.

Assis derrière un banc du premier rang, le dénommé Bossart, un maigre quadragénaire précocement chauve, leva le bras tandis que des cris divers éclataient dans son dos.

– Houuu !...

– À bas les cocos !

– Les écoute pas, Riquet, on est avec toi !

– Silence ! poursuivit Florent. Silence, nom d'un chien !... Liste n° 2 : liste des Intérêts communaux, menée par M. Florent Lemaître, maire sortant.

– Bravo, Florent !

– C'est dans la poche, mon gros !

– Et une tournée générale, une !

– Ouais... Et aussi une bise générale à la mairesse, ha ! ha ! ha !

– Liste... liste n° 3...

La voix du maire s'étrangla soudain comme il découvrait la suite du document frappé aux armes de la République. Il déposa le papier sur le pupitre devant lui, ôta ses lunettes et en essuya les verres avec son mouchoir.

– Et alors, Florent, tu sais plus lire ?

– On est à l'école, pourtant.

– Accouche, nom de Dieu ! C'est quoi, ta liste n° 3 ? Le parti d'en rire ?

Le maire-cafetier remit ses lunettes et reprit le document officiel. Mais sa voix s'était étrangement cassée.

– Liste n° 3... Liste du Parti d'action nationale, menée par... par M. Adrien Steenfort.

Un silence stupéfait s'abattit sur l'assistance. Florent Lemaître replia tristement son papier.

– Je... ahem... je vous rappelle que le vote est réservé à tous les citoyens français de sexe masculin inscrits dans la commune et ayant atteint l'âge de vingt et un ans au 1ᵉʳ janvier précédant le scrutin. Voilà, je..., c'est tout.

De mémoire de buveur de bière, on n'avait jamais vu autant de monde *Chez Léon* que ce dimanche-là. On se bousculait au comptoir derrière lequel Florent Lemaître, qui paraissait avoir vieilli de dix ans, actionnait tristement ses pompes à bière. Presque tout le village était là, y compris le curé et l'instituteur, se pressant dans la salle, sur la terrasse et jusque dans la rue. Et le brouhaha était tel qu'il fallait presque crier pour se faire entendre de son voisin. Avec un seul et unique sujet de conversation : l'incroyable nouvelle de la candidature de M. Adrien Steenfort à la fonction de maire.

Leur chopine à la main, quelques-uns de ses administrés se relayaient pour consoler le cafetier. Celui-ci, le sourcil en berne, ne prêtait même pas attention à Baptiste Moulinot, le manchot, qui, à l'autre extrémité du comptoir, s'efforçait de convaincre la belle Augustine de lui accorder un nouveau rendez-vous champêtre à la première occasion.

– Allez, Florent, fais pas cette tête-là, bon Dieu ! Puisqu'on te dit qu'on votera tous pour toi.

– Et comment qu'on votera pour toi. Steenfort, comme patron, ça peut aller. Mais comme maire en plus, ça ferait tout de même un peu beaucoup.

– Surtout pour un parti de fachos comme ce machin d'action nationale.

— Mais qu'est-ce qui lui a pris ? gémit Florent. On s'entendait bien, pourtant... Ho, Augustine, tu rêves !? Il y a des clients qui attendent à la terrasse.

Assis au fond de la salle, très entourés, Julot Desmet et Marcel Brébois, les deux syndicalistes, s'échauffaient mutuellement.

— Je parie que c'est ce fichu Garcin qui lui a monté la tête, à votre patron, lança Brébois. Avant, le Steenfort, il s'intéressait pas plus à la politique que moi à un verre d'eau.

— Il s'y intéressera plus après non plus, répliqua le petit Desmet, tu peux me faire confiance. Quand je pense qu'il a réussi à m'embobiner pour qu'on ne fasse pas la grève avec les camarades de l'union nationale. Mais il ne perd rien pour attendre, l'Adrien. Dès demain, je réunis tous les camarades de la brasserie. Et samedi prochain, j'irai à la permanence de l'union à Charleville.

— J'irai avec toi. Chevalier et Steenfort, même combat ! Faut qu'on se serre les coudes si on veut pas voir ces salauds de la droite venir faire la loi chez nous.

— Bien dit, Marcel ! lança un des assistants. Pas de patronmaire chez nous !

— Ouais, fit un autre. Il se retrouvera avec une seule voix, le Steenfort : la sienne.

Augustine s'approcha du petit groupe, quelques bocks de bière brune accrochés à ses doigts.

— Vos chopines, les hommes. Vaut mieux boire un coup avant de partir en guerre.

— C'est de la Spéciale Bourg, ça, grimaça le gros Brébois. Avec cette chaleur, je préfère boire de la blonde. Ho, Florent !... je t'avais demandé une Steenfort. Y en a plus ?

— Non, *môssieur*, aboya le cafetier par-dessus son comptoir. Y en a plus. À partir d'aujourd'hui, de la Steenfort, moi, j'en vends plus !

Quelques heures plus tard, à la nuit tombée, personne ne remarqua Baptiste qui, se glissant comme un voleur entre les ruelles, alla sonner à la porte d'une assez belle maison à la lisière du village. Garcin ouvrit presque immédiatement et fit entrer le manchot après s'être assuré de deux rapides coups d'œil qu'il n'avait pas été suivi.

— Alors ? demanda-t-il sans autre préalable.

Le lundi matin, Adrien entra dans la brasserie directement par les bureaux, sans passer par la salle de brassage comme il en avait l'habitude. Il ne tenait pas à affronter le regard de ses ouvriers dès le lendemain de l'annonce de sa candidature, se doutant bien que la nouvelle n'avait suscité qu'un enthousiasme mitigé. Il fallait leur laisser le temps de digérer ça, on verrait bien plus tard.

Garcin l'attendait dans le couloir, une serviette sous le bras. Adrien le fit entrer dans son bureau.

— Alors, Garcin, satisfait ? Me voici entré en politique comme vous le souhaitiez.

— Vous m'en voyez très heureux, monsieur. Et je peux vous affirmer que vous ne le regretterez pas, vous verrez.

— Mouais, grommela Adrien en prenant place derrière son bureau. J'espère que vous avez raison. Bon, où en sont les ventes de notre nouvelle *Joanne* ?

— J'ai peur qu'elles ne soient pas encore bien fameuses, monsieur. La production vient seulement de commencer et tous les grossistes-distributeurs avaient déjà passé leurs commandes d'été. J'ai néanmoins réussi à placer quelques commandes d'essai chez certains d'entre eux, mais malheureusement peu de chose. Il faudra attendre septembre pour vraiment démarrer. En revanche...

Garcin prit dans sa serviette un feuillet qu'il déposa devant Adrien.

— ... j'ai ici quelque chose qui devrait vous consoler.

Le brasseur n'eut besoin que d'un bref regard pour saisir la teneur du document.

— Fichtre, une commande de cent cinquante hectos d'un coup, renouvelable tous les six mois ! Bravo, Garcin ! Comment l'avez-vous obtenue ?

— Quelqu'un que je connais m'a introduit auprès du commandant chargé des approvisionnements de la base militaire. Bien entendu, il y aura une commission à payer, mais comme vous le constatez, je l'ai incluse dans le prix de vente.

— Décidément, vous êtes un homme précieux, mon garçon. Mais je voudrais tout de même que...

La phrase d'Adrien fut interrompue par la porte du bureau s'ouvrant à la volée sur une Margrit fulminante, sans manteau ni chapeau, le cheveu gris en bataille, qui se dirigea droit vers Garcin.

— Sortez !

— Maman, qu'est-ce que ?... voulut demander Adrien, interloqué par cette intrusion.

Mais sa mère ne lui prêta aucune attention, fixant le jeune directeur commercial d'un œil vindicatif.

— J'ai dit : sortez ! Et fermez la porte derrière vous !

Reprenant sa serviette, Garcin obtempéra, non sans lancer à son patron un regard mi-surpris, mi-amusé. Dès que la porte fut refermée, Margrit se tourna vers son fils, le fusillant du regard.

— Puis-je savoir ce que me vaut ce... ?

— Tais-toi ! Sais-tu au moins ce que représente ce Parti d'action nationale pour lequel tu es candidat ?

— Bien sûr, c'est un parti de droite. Je ne suis pas socialiste comme toi, maman. Social, oui, mais pas socialiste.

— C'est un parti d'*extrême* droite, Adrien. Lié à l'Action française et aux Croix-de-Feu.

— Extrême, extrême... Tous les partis sont extrêmes, aujourd'hui. Ceux qui veulent empêcher ma brasserie de tourner sont aussi des extrémistes.

— Eux, au moins, ils défendent une cause. La cause du peuple.

— Et moi, je défends la cause d'une entreprise qui fait vivre le peuple.

Margrit voulut répliquer, mais elle se ravisa, prenant une longue inspiration. Puis elle s'assit sur la chaise réservée aux visiteurs.

— Bon, restons calmes. Tu sais, mon chéri, j'ai vu en Allemagne ce qu'était une dictature de droite. C'est une expérience que je ne souhaite à personne.

– Nous ne sommes plus au temps de Bismarck, maman.

– Non, nous sommes au temps de Mussolini et de Hitler.

– Ça n'a rien à voir.

– C'est ce que tu crois. Écoute, Adrien, je sais que tu as eu besoin de l'argent de ce... de Duponcet pour racheter cette brasserie Leroux. Mais tu pourrais essayer de trouver un emprunt ailleurs et le rembourser. Je t'en supplie, Adrien, ne te laisse pas embrigader par ces gens-là.

Adrien, qui avait conservé son calme jusque-là, sentit la moutarde lui monter au nez. Il se leva brusquement.

– Je connais depuis trop longtemps tes idées sur la question, maman. Ou devrais-je dire Margrit-la-Rouge ? Mais je n'ai plus quinze ans, ni même vingt, et j'aimerais si possible mener ma barque comme je l'entends. En d'autres termes, mêle-toi de tes affaires, je m'occuperai des miennes.

Margrit se leva à son tour, le visage fermé, et se dirigea vers la porte. Avant de sortir, elle se retourna sur le seuil.

– Très bien, tu l'auras voulu. Ce sera la guerre, Adrien. Et de cette guerre-là, tu n'en sortiras pas seulement avec une jambe blessée, crois-moi.

Le cœur battant, Juliette pédalait aussi vite qu'elle le pouvait sur l'étroit sentier qui traversait le bois de la Renardière. Elle était une fois de plus en retard. Pourvu que Léopold l'ait attendue. Dissimulant sa bicyclette derrière un gros buisson, elle poursuivit à pied en s'écartant du chemin, se retenant pour ne pas courir entre les basses branches qui la giflaient au passage. À quelques mètres de la Clère, elle s'arrêta pour reprendre son souffle. Merci, Sainte Vierge, il était là, assis au soleil au bord de l'eau et fumant une de ses cigarettes à bout doré. Juliette sourit en songeant qu'elle avait choisi pour lieu de rendez-vous l'endroit même où, trois mois plus tôt, elle avait vu s'ébattre le manchot avec la femme du maire. Et elle dut bien s'avouer qu'elle l'avait fait consciemment.

Elle rajusta sa mince robe d'été, remit ses cheveux en place et s'avança. Garcin, l'entendant approcher, se leva, jeta sa cigarette dans la rivière et lui ouvrit les bras en souriant. Elle s'y jeta pour un long baiser passionné.

– Ah, ma Juliette, toujours aussi belle... L'avantage des grandes vacances, c'est que nous pourrons nous voir plus souvent.

– C'est vrai. Mais nous devrons faire attention, Léopold. Ici, tout le monde nous connaît.

– À Lille aussi, il fallait prendre garde. Laisse-moi t'embrasser encore, ma jolie bachelière.

La jeune fille avait en effet réussi son baccalauréat. Mais elle avait franchi l'épreuve sans presque y prêter attention, le cœur et l'esprit tout emplis de l'amour qui la transcendait et la faisait flotter à cent coudées au-dessus des mesquines contingences de ce bas monde. Qu'y a-t-il de plus merveilleux que d'être amoureuse quand on est payée de retour ? Juliette se laissa entraîner sur l'herbe qui sentait bon le soleil et le bonheur.

Mais quand la main de Garcin se glissa sous sa robe, elle se crispa en un réflexe de défense.

– Non..., non, Léopold...

– J'ai tellement envie de toi, ma chérie. Depuis le premier jour.

L'image de Baptiste s'agitant sur Augustine revint à la mémoire de Juliette. La frénésie de Baptiste embrassant les seins d'Augustine. Les gémissements d'Augustine subissant l'assaut de Baptiste...

– Moi aussi, Léopold, je... j'ai envie, mais... je ne veux pas..., c'est mal.

– Qu'y a-t-il de mal à s'aimer, ma Juliette ? D'autant moins que nous allons nous marier.

– Nous *marier* ? ! ?

Juliette s'était redressée, comme mue par un ressort, les yeux écarquillés. Il y a certains mots magiques qui ont plus de pouvoir que tous les grimoires d'alchimie réunis. Se redressant à son tour, Garcin la prit par les épaules et la serra fort contre lui.

– Oui, mon amour, nous marier. Je ne peux plus me passer de toi. Je ne veux plus me cacher pour te voir. Maintenant que tu as passé ton bac et que tu vas avoir dix-sept ans, tu pourras vivre ton rêve : avoir un foyer et des enfants. Dès que l'occasion se présentera, je demanderai ta main à ton père. Si tu es d'accord, naturellement.

— Si je suis d'accord!?... Oh, Léopold, mon chéri, mon chéri... Mais... est-ce que papa acceptera?

— Pourquoi n'accepterait-il pas? Je n'ai pas de fortune, c'est vrai, mais je viens d'une famille honnête. Et j'ai de l'ambition. J'irai loin. Et ça, M. Steenfort le sait.

— J'ai entendu ma mamy dire l'autre jour, parlant de toi, que l'ambition chez les autres était un défaut.

— Ça ne m'étonne pas de cette... de Mme Steenfort. Ta grand-mère a un humour assez... particulier. Je crois, d'ailleurs, qu'elle ne m'aime pas beaucoup. Mais ton père, lui, m'apprécie à ma juste valeur. Il acceptera, tu peux me faire confiance. Embrasse-moi, ma chérie, je t'aime tellement.

Juliette se laissa à nouveau entraîner sur l'herbe, l'âme scintillante d'étoiles, toute frissonnante de plaisir en écoutant la douce musique des mots que l'homme qu'elle aimait lui susurrait à l'oreille.

— Nous commencerons par nous fiancer, bien sûr. Et puis, après quelques mois, nous nous marierons. Un beau mariage à l'église de Bourg-d'Artois, avec la musique du village, des fleurs partout et beaucoup d'invités. Et nous irons en voyage de noces en Italie, à Venise...

Elle ne sursauta plus lorsque la main de Garcin repassa sous sa robe, remontant le long de sa cuisse pour atteindre son ventre. Le cœur bercé par les gondoles de Venise, elle abandonna son corps aux frémissements du plaisir qui l'envahissait tout entier. Et c'est ainsi que Juliette Steenfort, à presque dix-sept ans, perdit en un bel après-midi de juillet sa virginité sur l'autel de sa candeur.

5

Les quatre hommes se tenaient debout devant Adrien assis derrière son bureau. Servais, Garcin, Baptiste et Julot Desmet. Comme au tribunal.

— Je t'écoute, Baptiste, entama Adrien, le visage fermé.

— Voilà, mon capitaine. Ce matin, en ouvrant la cantine, j'ai tout de suite vu que la serrure avait été tripotée. J'ai vite été voir ma caisse, pour sûr... Elle avait été forcée et l'argent avait disparu.

— Combien y avait-il ?

— Trois cent dix-huit francs [1], mon capitaine. C'est beaucoup parce qu'on est à la fin de la semaine. En sortant, je suis tombé sur M. Garcin. C'est lui qui m'a dit qu'il fallait fouiller tout de suite le vestiaire des ouvriers.

— Ce qu'il n'avait pas le droit de faire, protesta Servais. Les ouvriers sont sous *ma* responsabilité.

Garcin, impassible, se tourna vers le directeur de fabrication.

— Je ne savais pas où vous étiez, monsieur Laurembert. Et il fallait faire vite, avant que le coupable n'ait eu le temps de dissimuler son larcin.

— Assez, vous deux, fit sèchement Adrien. Donc, Baptiste, tu es allé dans le vestiaire avec M. Garcin...

1. Onze cent cinquante francs actuels.

— Oui, mon capitaine. Et on a trouvé l'argent dans la veste de Julot Desmet. Trois cent dix-huit francs tout juste.

— Mais c'est pas vrai! explosa Desmet. C'est pas moi, m'sieur Steenfort! J'ai jamais rien volé de ma vie, moi!

— Alors, explique-moi comment cet argent se trouvait dans ta veste.

— J'en sais rien, moi. Parce que quelqu'un l'y a mis, forcément. Quelqu'un qui veut me faire du tort, compléta-t-il en se tournant vers Garcin.

Celui-ci ne réagit que par un reniflement de mépris. Servais fit un pas en avant.

— Desmet travaille chez nous depuis plus de dix ans, Adrien. Je le connais bien et toi aussi. Je suis certain qu'il dit la vérité.

— Vraiment? intervint dédaigneusement Garcin. En quoi le fait de le connaître peut-il vous garantir son honnêteté, monsieur Laurembert? J'estime, moi, qu'il faut sanctionner sans faiblesse ce genre de pratique lamentable. Sinon, cela se répand comme une lèpre.

Adrien se leva, l'air attristé. C'était le genre de situation qu'il détestait, mais il n'avait pas le choix, il devait trancher.

— Je crains que M. Garcin n'ait raison, Servais. Le vol dans une entreprise est un mal qu'il faut enrayer rapidement et fermement, en écartant tout sentiment personnel. Désolé, Julot, poursuivit-il en se tournant vers le délégué syndical. Les apparences sont contre toi. Tu passeras à la comptabilité te faire régler ta semaine. Tout ce que je peux faire pour toi, eu égard à ton passé chez nous, c'est de ne pas prévenir les gendarmes.

Le petit homme serra les poings, les yeux flambant de rage contenue.

— Bravo, bien joué! Je ne pensais pas que vous iriez jusque-là, mais j'ai eu tort.

— Qu'est-ce que tu veux dire?

— Vous le savez très bien. Mais ça ne se passera pas comme ça, monsieur le candidat du Parti d'action nationale.

Et tournant les talons, il quitta la pièce en prenant bien soin de claquer violemment la porte, suivi par quatre regards exprimant des sentiments divers.

– Alors, mon petit Léopold, où en sommes-nous ?

Garcin n'avait pas droit au cercle des Trente à tous les coups. Son rendez-vous bimensuel avec Duponcet se déroulait cette fois, à l'heure du déjeuner, dans un restaurant discret des faubourgs de Lille.

– Steenfort ne devrait pas poser de problèmes, monsieur. Il semble acquis à nos idées et nous laissera faire. Le problème, c'est que ses ouvriers et les autres n'en veulent pas comme maire, c'est aussi bête que ça.

– Allons, allons..., deux cent quarante-deux électeurs à convaincre, ce n'est pas la mer à boire, tout de même. Surtout avec les moyens dont nous disposons.

– Ce sont des caboches de paysans, monsieur. Têtus comme des bourriques. J'ai pu me débarrasser du plus remuant d'entre eux, le délégué syndical, mais ils se sentent soutenus par Servais Laurembert, l'ancien contremaître devenu directeur de fabrication. Et aussi par la propre mère de Steenfort.

– Ah, celle-là..., soupira le gros banquier. Margrit-la-Rouge. Mais nous pouvons difficilement y toucher. En revanche, on pourrait peut-être éliminer ce Laurembert.

– Éliminer, monsieur ?

– Jusqu'aux élections, je veux dire. Un accident, par exemple. Suffisamment grave pour le mettre hors course pendant quelque temps, mais rien de plus.

– C'est que...

– Ne vous en faites pas pour ça, mon petit Léopold. Nos hommes s'en chargeront. Vous, occupez-vous des électeurs et de la campagne de notre ami. Je vous ai donné un budget, n'est-ce pas ? Servez-vous-en comme bon vous semblera, mais il faut que Steenfort soit élu. À présent que nous avons annoncé à grands renforts de publicité le ralliement au Parti du héros de l'Yser, nous sommes trop engagés pour nous permettre d'échouer. Notre crédibilité en dépend ainsi que, dois-je vous le rappeler, votre carrière chez nous. Ai-je été suffisamment clair, mon petit Léopold ?

– Parfaitement clair, monsieur.

Dans la grande cour de la brasserie, des plans d'architecte à la main, Adrien désigna à Servais le mur nord du bâtiment abritant la chaîne d'embouteillage.

— On pourrait agrandir la chaîne en abattant ce mur-là. Tant que notre production de Steenfort est réduite, on peut caser l'embouteillage de la *Joanne* sur la chaîne actuelle. Mais avec la reprise et la perspective du marché belge, nous serons vite trop à l'étroit. Je propose de commencer les travaux en octobre, qu'en dis-tu?... Ho, Servais, tu m'écoutes?

— Non.

Le visage fermé, l'ancien contremaître regardait ailleurs. Adrien replia ses plans.

— Bon, d'accord, je sais que tu m'en veux pour cette affaire de Desmet. Mais que voulais-tu que je fasse? Autoriser le personnel à croire que je laisse voler l'argent de la cantine sans réagir?

— Julot Desmet n'a rien volé du tout, Adrien, tu le sais comme moi. Mais ça t'arrange fort bien d'être débarrassé de ton délégué syndical.

Adrien tressaillit, pivotant pour faire face à son vieil ami et le regarder droit dans les yeux.

— Attends... Tu me soupçonnes d'avoir piégé Desmet, c'est ça?

— Non, tout de même pas. Je dis que tu as avalé un peu trop facilement l'histoire de Garcin et de Baptiste.

— Ils auraient donc menti?

— Baptiste, je ne sais pas. Mais ce faux-jeton de Garcin en est parfaitement capable.

— Et pourquoi Garcin en voudrait-il à ce point à Desmet, s'il te plaît? Ils se connaissent à peine.

Servais haussa les épaules.

— Décidément, tu es encore plus naïf que je ne le pensais. Si tu continues comme ça, avec cette stupide histoire d'élections en prime, tu vas te mettre tout le village à dos, Adrien.

— Eh bien, tant pis! répliqua sèchement Adrien en redépliant ses plans. Au moins, je n'aurai plus de grèves chez moi.

Et personne n'oblige quiconque à voter pour moi, hein ? Bon, si nous reparlions de cet embouteillage ?

L'homme aux cheveux gris eut une grimace amère.

— Très bien, monsieur Steenfort. À vos ordres, monsieur Steenfort.

Une surprise attendait Adrien quand il rejoignit son bureau. Garcin, en compagnie de deux jeunes gens en débardeur, chemise ouverte, épaules larges et cheveux blonds coupés court, avait étalé de grandes affiches sur le sol. On y voyait une belle photo d'Adrien grandeur nature, avec le sigle du PAN et de vibrants slogans tels que « *Pour la justice, le progrès, la prospérité, votez ADRIEN STEENFORT* », ou « *Avec ADRIEN STEENFORT, nous RÉSISTERONS* », ou encore « *Les plus FORTS avec STEENFORT* ». Des affiches plus petites reprenant les mêmes thèmes étaient empilées sur le bureau, ainsi que des affichettes et des prospectus exposant les principaux points du programme du Parti.

Marquant un temps d'arrêt, Adrien mit un moment à revenir de son étonnement. Garcin s'avança vers lui avec un large sourire.

— Ah, monsieur Steenfort... Ces jeunes gens ont été envoyés par le Parti pour vous aider à préparer votre campagne. Comment trouvez-vous les affiches ?

Adrien prit une de celles qui étaient posées sur son bureau.

— Je m'impressionne moi-même. Où avez-vous déniché cette photographie ?

— C'est mademoiselle votre fille qui me l'a donnée. Je lui ai demandé de ne pas vous en parler parce que je voulais vous faire la surprise.

— Eh bien, la surprise est réussie ! Mais vous ne trouvez pas tout cela un peu disproportionné pour convaincre deux cent quarante-deux électeurs qui me connaissent presque tous depuis mes culottes courtes ?

— C'est parce que nous voulons que votre campagne soit un modèle à l'échelon national, monsieur Steenfort. Une vraie campagne à l'américaine, avec meetings, visites aux électeurs, affiches et prospectus. Le grand jeu, quoi! Il faut que la presse et la radio parlent de vous dans tout le pays. Rappelez-vous que ces municipales ne sont qu'une étape, mais une étape décisive. Vous devez être élu à une majorité suffisamment large pour asseoir d'emblée votre future carrière politique.

— Bien entendu, sourit Adrien en reposant l'affiche. Maire, député... Et après cela, je suppose que vous ferez de moi un ministre ?

Le sourire de Garcin s'effaça tandis qu'il posait sur son patron un regard grave.

— Parfaitement, monsieur Steenfort : nous ferons de vous un ministre.

Margrit, qui revenait de promenade avec la petite Marianne, en avala sa salive de travers. Juste devant l'entrée de sa maison, Garcin surveillait deux jeunes gens inconnus occupés à placarder trois grandes affiches sur un mur destiné à la réclame. Trois affiches identiques avec une photo géante de son fils proclamant, sous l'égide du PAN, qu'il fallait voter Adrien Steenfort pour la justice, le progrès et la prospérité. Quelques badauds, principalement des femmes revenant du marché, les regardaient faire à distance.

Lâchant la main de sa petite-fille, Margrit fonça au pas de charge sur les trois hommes.

— Retirez-moi tout de suite ces affiches de là, vous m'entendez ? Tout de suite !

Garcin se tourna vers elle avec son plus charmant sourire.

— Sauf votre respect, madame Steenfort, nous avons le droit d'afficher aux emplacements autorisés.

— Placardez vos saletés où vous voudrez, mais pas devant ma maison. Je refuse de voir ça tous les matins en me levant.

— Vous n'aimez pas la photographie de votre fils, madame Steenfort ? Personnellement, je la trouve très réussie. Vous devriez être fière de lui, au contraire.

Leur pinceau de colle à la main, les deux séides du PAN s'étaient interrompus, ne sachant trop que faire. Les bousculant, Margrit entreprit d'arracher l'une des affiches fraîchement collées. Garcin la saisit par le bras.

— Ne faites pas ça, madame Steenfort, vous commettriez un délit.

Pivotant sur elle-même, elle darda sur lui un regard méprisant.

— Un délit, vraiment? À ce propos, il y a un autre délit que j'ai envie de commettre depuis quelque temps, monsieur Garcin...

Vive comme un chat, elle se baissa, empoigna un des deux seaux de colle et, avant que Garcin n'ait eu le temps de comprendre ce qui lui arrivait, elle le lui renversa sur la tête. Puis, toujours aussi vivement, elle prit le second seau et en projeta le contenu sur les deux jeunes gens qui assistaient bouche bée à la scène.

Poussant des cris de rage assourdis, Garcin se débarrassa du seau qui l'étouffait, tandis qu'à quelques mètres de là, les badauds hurlaient de rire en se tapant sur les cuisses. Aveuglés par le liquide poisseux leur dégoulinant de partout, les trois hommes s'enfuirent piteusement sous le regard victorieux de Margrit-la-Rouge.

Derrière le comptoir de la cantine, déserte à cette heure-là, Baptiste lavait pour la troisième fois les même verres, s'efforçant avec application de ne pas croiser le regard de Servais qui, assis à une des tables, buvait un café noir sans quitter le manchot des yeux. Le directeur de fabrication finit par se lever et vint déposer sa tasse vide sur le zinc.

— Un... un autre café, m'sieur Servais?

— Non, merci. Dis-moi, Baptiste...

— Ou... oui, m'sieur Servais?

— Regarde-moi quand je te parle. Entre nous, rien qu'entre nous, combien il t'a payé, Garcin, pour ta saloperie de l'autre jour?

— ...

— Ne me réponds pas tout de suite, Baptiste. Réfléchis. Et quand tu te seras décidé, tu sais où me trouver.

Et l'homme aux cheveux gris quitta la cantine sans se retourner, laissant le manchot en proie à la plus grande confusion.

De la cantine, Servais descendit dans le deuxième sous-sol, là où s'alignaient les énormes citernes de garde en acier galvanisé. La lumière électrique installée l'année précédente rendait l'endroit un peu moins effrayant que par le passé, mais dans cette longue cave au haut plafond voûté où régnait en permanence un silence de nécropole, on pouvait difficilement se défendre d'un indéfinissable sentiment de malaise. En outre, chaque fois qu'il s'y rendait, Servais revoyait les images de cette nuit terrible de février 1918, quand les Allemands avaient surgi au moment où ses compagnons et lui sortaient les fusils cachés dans une des citernes inutilisées. Ses amis abattus sans sommation, lui-même arrêté et condamné au peloton d'exécution, l'affreux sacrifice de Margrit pour lui sauver la vie...

Chassant ces pénibles souvenirs d'un mouvement de tête, Servais s'approcha d'un ouvrier qui émergeait d'une citerne vide par la porte de visite, une lampe tempête dans une main et un fer à souder dans l'autre.

— Alors, Alphonse, c'est terminé?

— Oui, m'sieur Servais, ça devrait tenir.

— Passe-moi la lampe, je vais voir ça. Et va chercher la clé anglaise, la grosse. Il faut absolument resserrer cette plaque d'écrou de la cinq.

L'ouvrier lui donna la lampe puis, au lieu de s'éloigner, toussota d'un air hésitant.

— Dites, m'sieur Servais...

— Oui?

— On a discuté, avec les camarades. Et aussi avec Chauffard, le délégué de la centrale. On voudrait faire la grève pour ce qui est arrivé à Julot Desmet. Je devrais pas vous en parler, mais... qu'est-ce que vous en pensez?

— Je ne crois pas que ce soit une bonne idée, Alphonse. Le patron est un chic type, mais il a parfois la tête dure. Une nouvelle grève risquerait de vous coûter plus cher qu'à lui. En outre, il y a deux personnes pour témoigner que l'argent de la cantine a été trouvé dans la poche de Julot. Faire la grève ne changera rien à ça.

— Vous pensez que c'est lui qui l'a volé ?

— Je n'ai pas dit ça, Alphonse. J'ai ma petite idée là-dessus. Dis aux autres de me faire confiance et de me laisser faire, d'accord ? Ça vaudra mieux pour tout le monde.

— D'accord, m'sieur Servais, si c'est vous qui le dites...

— Bien. Va me chercher cette clé, à présent.

L'ouvrier s'éloigna et, la lampe tempête à la main, Servais se pencha pour franchir la porte de visite de l'énorme citerne.

À l'intérieur, il leva la lampe pour examiner la soudure fraîche le long d'une ligne d'écrous qui menaçait de céder. C'était du travail bien fait ; la citerne en aurait encore pour de nombreuses années. Soudain – clanggg – Servais sursauta. La porte de visite venait de se refermer et quelqu'un, à l'extérieur, en bloquait le loquet de sécurité.

— Alphonse ! ?... Alphonse, qu'est-ce que tu fais ! ?

La voix angoissée de l'homme aux cheveux gris résonnait lugubrement le long des parois métalliques de la citerne vide. Déposant sa lampe, il tambourina sur la porte.

— ALPHONSE !... OUVRE, BON SANG !... ALPHONSE !... ALPHONSE ! ! !...

À cet instant, une masse liquide s'abattit lourdement sur ses épaules. Servais leva la tête, horrifié. Quelqu'un avait ouvert le conduit qui laissait couler la bière filtrée des bassins de décantation directement dans la citerne de garde à la cadence de deux cents litres à la minute. Servais se débattit en hurlant sous la douche mousseuse qui lui cassait le dos, pataugeant déjà jusqu'à la taille. Dans moins de vingt secondes, il serait totalement immergé. Et une minute plus tard, au mieux, il serait mort noyé.

Complètement affolé, il cessa de lutter, les oreilles emplies du grondement sourd de la mortelle cascade qui allait lui ôter la vie, frappé par une évidence. Ce n'était pas un accident. On voulait le tuer. On voulait le tuer. ON VOULAIT LE T...

Le niveau du liquide atteignit son menton, puis son nez, ses yeux... et il perdit conscience.

En revenant avec la clé anglaise, Alphonse entendit immédiatement le grondement du remplissage de la citerne dont la porte de visite était verrouillée. Le directeur de fabrication aurait-il déclenché le remplissage sans l'attendre?

— M'sieur Servais?

Pas de réponse. Et la lampe tempête n'était plus là. Servais n'avait aucune raison de la prendre avec lui pour aller ouvrir le conduit de remplissage.

— M'sieur Servais, vous êtes là?

Et si?... nom de Dieu!...

Fébrilement, Alphonse déverrouilla la porte de visite et l'ouvrit. Le liquide qui en jaillit le projeta à terre, l'inondant d'un flot continu. Horrifié, l'ouvrier vit un bras passer par l'ouverture, le reste du corps restant bloqué en travers de la porte. Luttant contre la pression de la bière qui s'échappait toujours, il réussit à extirper le corps de Servais de la citerne. Puis il partit en courant chercher de l'aide.

— Nous lui avons fait un lavage d'estomac et de ce côté-là, il n'y a plus de danger. Mais il a subi un choc émotionnel violent et son cœur a flanché.

— Oh, mon Dieu! s'exclama Margrit. Vous voulez dire que?...

Elle n'acheva pas sa question, par peur des mots qu'elle ne voulait pas prononcer. Le jeune médecin s'empressa de la rassurer.

— Non, madame. Il a fait un infarctus, mais il s'en sortira. Seulement, il lui faudra du repos. Beaucoup de repos.

Margrit eut un regard ému pour l'homme inconscient allongé dans son lit d'hôpital. Ce presque sexagénaire au visage buriné et aux cheveux gris, ce vieux compagnon de lutte qui avait été jadis son amant d'une seule nuit et dont elle savait qu'il n'avait jamais cessé de l'aimer. À côté d'elle, Adrien et Charles gardaient le silence, encore sous le coup de l'émotion.

Margrit se tourna vers le médecin.

— Soignez-le bien, docteur. C'est un homme comme il y en a peu.

— C'est mon rôle, madame, sourit le praticien. À présent, si vous voulez bien m'excuser...

Il s'éloigna.

— Je ne comprends pas ce qui s'est passé, fit Adrien. D'après Alphonse, l'ouvrier qui était avec lui, la porte de visite était verrouillée de l'extérieur. Le loquet de sécurité a dû retomber tout seul.

— Non, Adrien, non, ce n'était pas un accident.

— Qu'est-ce que tu vas chercher là, maman? Qui pourrait vouloir du mal à Servais? Tout le monde l'aime bien à la brasserie.

— C'est vrai, mamy, renchérit Charles. Tout le monde aime bien Servais, j'en suis sûr.

— Eh bien, apparemment, il y a au moins une personne qui ne l'aime pas.

Adrien prit sa mère par l'épaule pour l'éloigner du lit du malade.

— Écoute, maman... Tu n'aimes pas ce que je fais, c'est ton droit. Tu n'aimes pas Garcin au point de lui renverser un seau de colle sur la tête, passe encore. Mais de là à en faire un criminel, je trouve que tu vas un peu loin.

— C'est toi qui vas trop loin, Adrien. J'espère que tu t'en rendras compte avant qu'il ne soit trop tard.

— Oh, et puis, ça suffit comme ça. Je n'ai plus envie de parler de ça. Nous ne pouvons rien faire de plus ici. Rentrons à Bourg, j'ai du travail.

— Rentre si tu veux, moi, je reste.

— Voyons, maman, c'est ridicule. Le docteur l'a dit : Servais peut rester inconscient pendant plusieurs jours encore.

— Je reste.

— Je reste avec toi, mamy, s'empressa de dire Charles en venant prendre la main de sa grand-mère.

Adrien fronça les sourcils.

— Charles, voyons...

— C'est mon professeur, papa. Je reste avec mamy.

— Très bien, se rendit Adrien en haussant les épaules. Faites comme vous voudrez. Je vous enverrai ma voiture ce soir.

Tous les villages ont leurs garnements, c'est bien connu. Lulu, Riton et Dédé, douze ans chacun depuis les cerises, faisaient partie des garnements de Bourg-d'Artois. Ils avaient d'ailleurs fondé un club dont ils étaient les seuls membres et qui s'appelait précisément le club des Garnements.

Cette nuit-là, ils avaient décidé de s'amuser un peu. Sortis de leur lit en cachette de leurs parents, ils s'étaient retrouvés devant l'église avec un petit pot de peinture noire que Dédé avait chipé dans la remise de son père. S'étant muni chacun d'une baguette de saule en guise de pinceau, ils s'attaquèrent aux affiches du Parti d'action nationale placardées sur un panneau de bois au milieu de la place.

Riant sous cape de leur bonne blague, dont ils étaient sûrs que, pour une fois, elle remporterait l'adhésion de tout le village, ils barbouillèrent allègrement les grandes photographies de M. Steenfort, lui ajoutant qui une moustache, qui un bandeau de pirate en travers de l'œil, qui une barbe lui descendant sur la poitrine. Sans oublier, souvenir des conversations entendues *Chez Léon*, quelques phrases bien senties quoique à l'orthographe douteuse : « À ba la dictature, Vive la goche, Mor o facho, Vive *FLOREN* ».

Reculant de quelques pas, ils contemplaient leur œuvre avec beaucoup de satisfaction quand des pas derrière eux les firent se retourner, mais trop tard. Deux hommes qu'ils ne connaissaient pas, les cheveux blonds très courts et les épaules larges sous leur débardeur leur sautèrent dessus avec de longs gourdins.

Les trois membres du club des Garnements eurent le temps de crier. Pas celui de s'enfuir.

— Ce sont sûrement des sympathisants de M. Steenfort qui sont intervenus, adjudant, dit Garcin d'un ton apaisant. Ce genre d'incident se produit dans toutes les campagnes électorales.

— Dans les grandes villes, oui, malheureusement, rétorqua d'un ton sec l'adjudant de gendarmerie. Dans les villages, c'est plutôt rare.

L'adjudant, flanqué d'un brigadier, se tenait dans le bureau d'Adrien en présence de celui-ci et de Garcin. Ils venaient du poste de gendarmerie de Barœul, juridiction à laquelle appartenait Bourg-d'Artois.

— Comment vont-ils ? demanda Adrien.

— Aussi bien qu'on puisse aller avec un nez et des côtes cassées, sans parler de contusions multiples. Leurs parents ont déposé plainte contre vous, monsieur Steenfort.

— Oui, je sais. Vous m'en voyez sincèrement désolé, adjudant. Je peux vous garantir que cela ne se reproduira plus.

— Espérons-le, monsieur Steenfort. Bien, je vais aller terminer mon rapport. Et à l'avenir, je souhaiterais que vos sympathisants vous montrent un peu moins de... sympathie, si vous voyez ce que je veux dire. Messieurs...

Les deux gendarmes partis, Adrien laissa éclater sa colère.

— C'est ça que vous appelez une campagne à l'américaine, Garcin !? Nous ne sommes pas à Chicago, ici !

Le directeur commercial haussa les épaules.

— Qu'est-ce que j'y peux si vos villageois aiment un peu trop votre bière, monsieur Steenfort ? Il y en a à qui elle monte à la tête.

— Ne vous foutez pas de moi, Garcin. Mes villageois, comme vous dites, n'y sont pour rien. Ce sont vos deux sbires qui ont tabassé ces malheureux gamins.

— Ça, c'est vous qui le dites.

— C'est moi qui le dis, en effet. Et j'exige que vous les renvoyiez d'où ils viennent. Aujourd'hui même.

— Très bien, monsieur Steenfort, se rendit docilement Garcin. Ils partiront. Pouvons-nous parler du meeting ?

— Quel meeting ?

— Celui que nous allons organiser ici même à la fin de la semaine prochaine. Le colonel Robin-Dulieu en personne prendra la parole et les principaux dirigeants du Parti seront présents.

— C'est trop d'honneur, ricana Adrien en prenant place derrière son bureau. Et vous pensez qu'à part eux, il y aura quelqu'un dans ce village pour y assister, à votre meeting?

— Ils viendront, monsieur. Ils viendront tous, ne serait-ce que par curiosité. Les distractions sont rares dans ce pat... à Bourg-d'Artois.

— Après l'affaire Desmet? Après l'accident de Servais? Après cette malheureuse histoire de ces pauvres gosses rossés par vos brutes? Ça m'étonnerait, Garcin. Ça m'étonnerait même beaucoup. Et entre nous soit dit, je commence à sérieusement regretter de m'être embarqué dans cette affaire d'élections.

Garcin eut un sourire teinté d'assurance.

— Ils viendront parce qu'en dépit de ces petits incidents, vos concitoyens vous aiment, monsieur Steenfort. Ils vous aiment et ils savent aussi que vous êtes le meilleur garant de la prospérité de la région. Même le plus obtus des imbéciles ne scie pas la branche qui le soutient.

Le cri de Juliette fit fuir le couple d'écureuils qui, sur une haute branche, observait les deux humains s'ébattre au bord de la rivière. Un petit cri de plaisir, volontairement retenu de peur d'être entendu. La jeune fille s'accrocha au cou de son amant pour prolonger ce délicieux moment de bonheur intense. C'est si bon, l'amour, dans les bras de l'homme qu'on aime.

Garcin lui rendit son sourire et se dégagea avec douceur avant de se rajuster et d'allumer une cigarette, allongé sur le dos dans l'herbe douce. Appuyée sur un coude, Juliette le caressait du regard. Qu'il était beau, son Léopold. Si beau, si tendre, si ardent. Que la vie serait belle quand ils seraient mariés et qu'ils pourraient faire l'amour dans un vrai lit aussi souvent qu'ils le voudraient sans plus devoir se cacher.

— Quand vas-tu parler à mon père?

— Après les élections. Quand il sera élu maire, ce qu'il me devra, il ne pourra plus rien me refuser.

— Mais c'est dans un mois, ça!

– Dans un mois, nous serons fiancés, ma chérie. Tiens, regarde...

Se redressant, Garcin sortit un petit écrin de sa poche et le tendit à Juliette. Celle-ci l'ouvrit et poussa un cri d'émerveillement en découvrant une jolie bague de fiançailles sertie d'un éclat de rubis.

– Oh, Léopold, qu'elle est belle !

Elle voulut se la passer au doigt, mais Garcin l'arrêta du geste.

– Non, ne la mets pas maintenant, ça porterait malheur. Tu devras attendre le jour de nos fiançailles.

Il reprit la bague et remit l'écrin dans sa poche.

– Je voulais juste te la montrer. Pour que tu saches combien je pense à toi.

Follement heureuse, Juliette lui repassa les bras autour du cou.

– Oh, mon amour, mon amour..., je voudrais tellement être plus vieille d'un mois.

– Et moi, donc ! chuchota Garcin. Je t'aime tant, ma Juliette.

Il retroussa sa robe et ils se relancèrent dans un nouveau ballet amoureux.

Margrit renifla avec mépris en passant devant une affiche, collée sur la porte de la mairie, qui annonçait un grand meeting du Parti d'action nationale le samedi 8 septembre à vingt heures dans la salle de brassage de l'entreprise Steenfort. À ce moment, une belle voiture décapotable jaune vif passa à toute allure dans la grand-rue, une jeune femme élégante au volant. Margrit la suivit des yeux. Le véhicule allait dans la direction de la maison d'Adrien.

Bourg-d'Artois n'etait pas traversé par une nationale et il y avait peu de chance qu'un automobiliste s'égare par ici. Une seule femme au monde pouvait venir dans ce village au volant d'une voiture pareille. Margrit ne l'avait jamais vue, mais elle ne doutait pas que c'était elle.

Régine Texel.

Adrien dînait seul ce soir-là. C'était la rentrée scolaire et Charles était retourné à son internat. Quant à Juliette, elle passait la soirée à Barœul, en compagnie d'une amie chez qui elle devait rester dormir.

Elle avait beaucoup changé, Juliette, depuis son baccalauréat. Elle avait pris des formes et son regard était devenu plus brillant. Bref, elle devenait une femme. Adrien n'avait pas été trop surpris quand sa fille lui avait annoncé qu'elle ne poursuivrait pas ses études. C'était dans l'ordre des choses. À quoi lui servirait-il d'avoir un diplôme universitaire ou professionnel ? Les revenus de la brasserie lui permettraient de vivre à l'aise sa vie durant. En outre, elle se marierait un jour et aurait des enfants. Donc...

La marier. Adrien n'avait encore jamais songé à ça. Vous avez une gamine qui va à l'école, c'est une gosse, et tout à coup, vous vous apercevez que votre fille a dix-sept ans, qu'elle est devenue une femme et qu'elle se mariera bientôt. Enfin..., encore faudrait-il lui trouver un bon parti. Mais avec une brasserie en guise de dot, ça ne devrait pas poser trop de problèmes. De toute façon, on verrait ça plus tard. Il serait toujours temps d'y songer quand la question se poserait.

Le vrombissement d'une voiture pénétrant à toute allure dans la cour de l'ancienne ferme le fit sursauter. Qui donc ?... Adrien avala la bouchée qu'il mastiquait, posa sa serviette sur la table et alla voir à la fenêtre. La Bugatti jaune... Régine !... Quittant la salle à manger, il gagna le vestibule et ouvrit la porte d'entrée au moment où, à quelques mètres de là, Régine descendait de son cabriolet. Et Adrien comprit brutalement qu'il ne s'était pas passé un seul jour, depuis le départ de la belle Canadienne, qu'il n'ait pensé à elle.

Ils restèrent une longue minute à se regarder, immobiles, comme tétanisés. Puis, d'un seul coup, l'impensable les propulsa d'un même élan l'un vers l'autre avec la force d'une explosion. Sans avoir prononcé une parole, ils s'étreignirent violemment, désespérément, se couvrant de baisers comme si leur vie en dépendait.

De la fenêtre de sa cuisine, la brave Delphine en ouvrit des yeux comme des soucoupes.

Toujours sans un mot, Adrien entraîna Régine dans la maison et, sans même lui laisser le temps d'ôter son manteau, la souleva dans ses bras et grimpa l'escalier.

— Tu m'as manqué, Adrien.
— Toi aussi, tu m'as manqué.
— Ça, j'ai du mal à le croire.
— Et pourtant...

Nus tous les deux, pelotonnés l'un contre l'autre, ils se découvraient avec ravissement des yeux et des mains, encore sous le choc de cet amour qui leur était tombé dessus sans avertissement.

— Je dois être la dix milliardième femme de l'humanité à dire ça à un homme, Adrien, mais je crois que je suis amoureuse de toi.
— Et moi le dix milliardième homme à répondre : moi aussi.
— C'est embêtant.
— Très embêtant.

Ils rirent, se prirent et rirent encore.

— Excuse-moi, mais je mourais de faim. Je suis venue directement de Cologne et je n'ai rien mangé depuis ce matin.

En robe de chambre dans la salle à manger, Adrien regardait avec attendrissement Régine dévorer avec son appétit coutumier les restes de son dîner qu'il avait fait réchauffer. À deux heures du matin, Delphine était couchée depuis longtemps et Adrien bénissait la circonstance qui avait poussé Juliette à dormir cette nuit-là chez son amie de Barœul. Dans son déshabillé de soie, les cheveux défaits, Régine était plus belle que jamais.

— Comment s'est passé ton voyage à travers l'Europe ?
— Bien, très bien. J'ai été merveilleusement accueillie partout, sauf en Espagne où les républicains m'ont littéralement

expulsée du pays. En revanche, en Italie et en Allemagne, j'ai été reçue comme une reine. Ce que les fascistes et les nazis sont en train de réaliser chez eux est remarquable, Adrien. Une reprise économique et sociale réellement impressionnante.

— Tu as donc été impressionnée. Tu as trouvé des importateurs ?

— Non. En Allemagne, ils ont plus qu'assez de brasseries. En outre, la loi du *Reinheitsgebot* interdit toute importation de bières étrangères. Quant à l'Italie, ils veulent bien de la Texel, mais à condition que je la produise sur place. L'ennui, c'est que les Italiens boivent peu de bière.

— Ça, on pouvait s'en douter. Ton voyage a donc été inutile ?

— Non, puisqu'il m'a confirmé que c'est bien en France que je dois avoir ma tête de pont européenne. Ou à la rigueur en Belgique. Ce qui me ramène à mon point de départ. Qu'est-ce que tu me proposes comme dessert ?

— Delphine m'avait fait une salade de fruits. Je vais aller te la chercher.

Adrien revint moins d'une minute plus tard avec la salade de fruits, deux bols et deux cuillers. Régine n'avait pas laissé la moindre miette du dîner.

— J'ai vu tes affiches en passant. Tu es très beau sur ces photographies. Comment se présentent les élections ?

Adrien haussa les épaules et servit la salade de fruits.

— Mon directeur commercial, qui s'occupe de ma campagne, est persuadé que je serai élu. Moi, je suis nettement plus sceptique. Mes ouvriers n'ont pas l'air très heureux de me voir me présenter sous les couleurs d'un parti de droite.

— Ils ont tort. Tu as choisi le bon camp, Adrien. Tes ouvriers ne savent pas ce qu'est un régime communiste. Ils te seront reconnaissants plus tard de le leur avoir évité.

— Pour ça, ils faudrait d'abord qu'ils m'élisent. Mon parti organise un meeting pour moi samedi soir à la brasserie. Je verrai bien comment mes villageois réagissent.

— Un meeting ? Chic ! Je pourrai venir ?

— Heu... oui, bien sûr. Mais à mon avis, à part quelques huiles du Parti, il n'y aura pas grand monde.

Une équipe du PAN, arrivée dès le samedi matin dans un gros camion à ridelles, avait passé la journée à aménager la salle de brassage pour le meeting du soir. Une douzaine de rangées de bancs s'alignaient en face d'une estrade supportant une table et quelques chaises pour les orateurs. Pour les deux premiers rangs, les bancs étaient remplacés par des chaises. C'étaient les places réservées aux cadres du Parti, aux journalistes et aux proches du héros du jour, Adrien Steenfort.

Lorsque celui-ci arriva comme prévu à dix-neuf heures trente, deux garçons en veste blanche achevaient de dresser un somptueux buffet sur un côté de la salle, tandis que les deux séides qu'Adrien connaissait déjà dressaient au-dessus de l'estrade une large banderole sur laquelle on pouvait lire de très loin :

HONNEUR TRAVAIL PATRIE
TOUS AVEC LE PARTI D'ACTION NATIONALE
TOUS AVEC **ADRIEN STEENFORT**

Adrien les désigna à Garcin qui supervisait les opérations.

— Je croyais vous avoir dit de les renvoyer.

— Je l'ai fait, monsieur Steenfort. Il ne sont revenus avec le colonel Robin-Dulieu que pour la soirée. Ils font partie de son service d'ordre.

— Un service d'ordre pour quoi faire ? maugréa Adrien en désignant les bancs aux trois quarts vides. Il n'y a que des vieux et des femmes, ici.

Effectivement, la maigre assemblée n'était constituée que de quelques femmes qui papotaient entre elles tout en maniant les aiguilles de leurs tricots et d'une dizaine de vieillards à demi assoupis qui lorgnaient vers le buffet entre deux ronflements.

— Aucune importance, affirma Garcin. Ceux qui comptent ce soir, ce sont les journalistes. Ah, voilà nos amis...

Le jeune directeur commercial se précipita pour accueillir les responsables du Parti qui faisaient leur entrée dans la salle, le colonel Robin-Dulieu en tête et Duponcet dans son sillage. Ils étaient entourés par quatre jeunes gens aux cheveux courts, frères jumeaux des deux séides qui avaient fini d'accrocher leur banderole. La garde prétorienne du colonel, pudiquement rebaptisée service d'ordre. Adrien transforma son air maussade en un sourire de circonstance et vint serrer les mains des arrivants. Robin-Dulieu le présenta à ses compagnons ; pour la plupart des personnalités dont les noms apparaissaient régulièrement dans la presse. Comme il se doit, Adrien se déclara enchanté de faire leur connaissance.

Les éminences du Parti étaient suivies de près par une demi-douzaine de journalistes et deux photographes qui s'empressèrent d'installer en bonne place leurs trépieds et leurs plateaux à magnésium. Du coin de l'œil, tout en conversant avec ces messieurs, Adrien vit Noël, flanqué de Juliette et de Charles, s'installer discrètement sur trois chaises du deuxième rang. Margrit, bien sûr, n'était pas venue ; ce qui était plutôt un soulagement.

Juliette essayait désespérément de capter l'attention de Garcin, mais celui-ci était bien trop occupé à jouer les mouches du coche pour lui accorder autre chose qu'un bref regard de temps en temps.

Quelques vieux entrèrent encore, timidement, et il fut bientôt l'heure de prendre place. Adrien s'apprêtait à monter sur l'estrade avec le colonel quand il vit Régine s'avancer le long des bancs. Il alla à sa rencontre et la présenta à ces messieurs qui se déclarèrent ravis, charmés, honorés et tout et tout. Duponcet lui proposa galamment la chaise voisine de la sienne, au premier rang, ce dont la jeune femme le remercia de son plus charmant sourire. Les membres du « service d'ordre » se postèrent, debout, aux quatre coins de la salle. Adrien rejoignit Robin-Dulieu derrière la table sur l'estrade, les éclairs de magnésium crépitèrent, les derniers retardataires s'assirent et le colonel put prendre la parole après les quelques applaudissements d'usage venus exclusivement du premier rang.

— Chers amis, chers citoyens de Bourg-d'Artois... La France traverse une crise extrêmement grave, vous le savez mieux que personne. Des dizaines, des centaines de milliers de vos camarades sont sans travail, réduits pour survivre à toucher les misérables allocations que leur accorde, telle une aumône, le gouvernement d'incapables que nous avons eu la lâcheté de laisser prendre le pouvoir. Bien sûr, ici, à Bourg-d'Artois, vous ne vous rendez pas bien compte de cette désolante situation car vous avez la chance de pouvoir compter sur le soutien d'un homme exceptionnel, d'un chef d'entreprise avisé qui a su, au milieu de la tempête, maintenir son navire à flot et vous garantir, en bon capitaine, la prospérité à laquelle a droit tout travailleur honnête de ce pays. Cet homme, je n'ai pas besoin de le nommer, vous le connaissez tous, c'est Adrien Steenfort!

— HOUUUUU!

Tout le monde se retourna. Debout à l'entrée de la salle, Margrit, son célèbre foulard rouge autour du cou, avait ses mains en porte-voix autour de la bouche.

— HOUUUU! HOUUUUU!

Les journalistes ricanèrent, Adrien piqua un fard, Noël rit sous cape, les femmes et les vieillards rigolèrent franchement, le colonel Robin-Dulieu fronça les sourcils et, décidant d'ignorer cette intervention intempestive, poursuivit sa péroraison.

— Mais même Adrien Steenfort, même vous, mes amis, n'êtes pas à l'abri du danger qui nous menace. Parce que si la France est en crise, ce n'est pas, comme on essaie de vous le faire croire, pour de simples raisons économiques. Si la France est en crise, c'est parce que, s'infiltrant sournoisement parmi nous, les bolcheviks en ont gangrené les institutions dans le but effroyable d'abolir nos libertés et d'y substituer le pouvoir totalitaire des soviets. Si la France est en crise, c'est parce que, tels des rats rongeant les fondations d'un immeuble solide, les Juifs de l'affairisme international en ont sapé les structures pour la dépouiller de ses forces vitales. Si la France est en crise, c'est parce que nous laissons depuis trop longtemps les ennemis de notre pays arracher de leurs dents avides le fruit séculaire de notre travail et de notre abnégation.

— ASSEZ !

Une fois de plus, tout le monde se retourna sur Margrit. Celle-ci s'avança vers l'estrade, l'œil flambant de colère.

— Comment osez-vous proférer de telles insanités, monsieur ? Vos propos sont une insulte à la dignité de l'être humain. Et toi, Adrien, tu ferais mieux de quitter cette estrade avant d'être définitivement éclaboussé par toute cette boue.

Robin-Dulieu se tourna ironiquement vers Adrien, figé sur sa chaise.

— Madame votre mère, je présume ? Bravo, mon cher, cela doit vous faire des dîners de famille animés. Madame, enchaîna-t-il en s'adressant à Margrit, vous avez le droit d'avoir des opinions différentes des nôtres, mais pas celui de troubler une réunion pacifique. Si vous nous interrompez encore, je serai au regret de devoir vous faire expulser.

Sur un signe du colonel, deux « prétoriens » s'avancèrent vers Margrit. Elle les fusilla du regard.

— Vous, je ne vous conseille pas d'essayer de me toucher, espèces de fascistes.

— Cela suffit, madame, tonna Robin-Dulieu. Faites-la sortir ! intima-t-il à ses sbires.

Les deux jeunes gens empoignèrent chacun Margrit par un bras. Adrien se leva pour intervenir, mais sa mère ne lui en laissa pas le temps. Se débattant, elle se mit à crier.

— À MOI, VOUS AUTRES !... À MOI !...

À ce signal, une trentaine d'hommes déboulèrent dans la salle, foulard rouge au cou, avec Julot Desmet et Marcel Brébois à leur tête. Les deux « prétoriens » du PAN qui gardaient l'entrée furent balayés comme des fétus. Les « huiles » du Parti se levèrent d'un bond, ne sachant trop s'ils devaient faire front ou tenter de s'enfuir. Les deux jeunes gens qui tenaient Margrit la lâchèrent, poings dressés, et la bagarre devint aussitôt générale tandis que les petits vieux de l'assistance, louvoyant entre les combattants, se précipitaient vers le buffet pour engloutir tout ce qui leur tombait sous la main.

Adrien, complètement dépassé, sauta à bas de l'estrade et se retrouva face à Julot Desmet affichant un large sourire.

– Je vous l'avais bien dit que ça ne se passerait pas comme ça, monsieur Steenfort.

Et sans attendre de réponse, le petit délégué syndical bondit sur l'estrade, repoussa le colonel et se mit à crier :

– LE POUVOIR AUX TRAVAILLEURS ! À BAS LES FASCISTES ! VIVE LA GAUCHE ! *C'est la luuutte finaaaale...*

Tout en jouant des poings, les ouvriers reprirent en chœur une *Internationale* quelque peu saccadée tandis que Margrit, montée sur un banc, encourageait ses troupes du geste et de la voix, sous le regard de Noël aux anges. Robin-Dulieu, se frayant un passage entre les combattants, agrippa Garcin par le collet de son veston, hors de lui.

– Toutes mes félicitations, Garcin. On en reparlera, de votre meeting.

Puis, rassemblant ses fidèles, il se fraya un chemin jusqu'à la sortie sans un regard pour Adrien.

Celui-ci, dans la bousculade, se retrouva soudain plaqué contre Régine. La jeune femme souriait, visiblement ravie de l'ambiance.

– Tu vois que tu as eu du monde à ton meeting. Tu sais quoi, mon amour ? J'adore la politique.

Le lendemain matin, Adrien resta au lit. Avec Régine. Il avait raccompagné la jeune femme à Lille, en pleine nuit, et s'offrait à présent le luxe d'un petit déjeuner tardif en sa compagnie dans le vaste lit de la suite qu'elle avait louée au *Palace Hôtel*. C'était la première fois depuis quatre ans qu'il redécouvrait les délices d'une grasse matinée dominicale. Surtout en une telle compagnie.

Leur faim de l'autre était telle que la grasse matinée se mua en grasse après-midi, puis en grasse soirée. Bref, ils ne quittèrent pas leurs draps avant le lundi matin, épuisés, heureux, à peine assouvis. Ils se quittèrent en se promettant cent folies, mille délires et, notamment, de se revoir le soir même.

Avant de se rendre à la brasserie, Adrien s'arrêta chez ses parents. Noël était déjà parti et Margrit lisait les journaux dans le salon. Adrien l'attaqua d'emblée.

— Alors, tu es contente de toi? Très réussi, ton petit numéro de samedi, Margrit-la-Rouge.

Sans répondre à la question, Margrit prit un des journaux posés à côté d'elle et lut le chapeau d'un article en première page.

— « *Un candidat de choc pour le Parti d'action nationale. Discours musclé du colonel Robin-Dulieu en faveur d'Adrien Steenfort.* » Ils ne parlent même pas de notre intervention, poursuivit-elle en repliant le quotidien. Les seuls journalistes invités étaient acquis à leur cause, évidemment.

— Je t'ai demandé si tu étais contente de toi, répéta Adrien, la mâchoire crispée.

— De moi, oui. De toi, beaucoup moins. Ces gens te manipulent, Adrien. Ils se servent de toi comme d'un leurre pour attirer le gibier.

— Tu ne penses pas que tu vas un peu fort, là? Le respect que je te dois a des limites, maman.

— Fort? Pas encore assez, apparemment. Ce n'était pas moi qui était assise à côté de ce sinistre individu criant « À bas les Juifs! », « À bas les bolcheviks! ». Malheureusement, il se trouve que tu portes le même nom que moi. Heureusement, par contre, nos villageois auront assez de bon sens pour ne pas voter pour toi. Mais ce n'est pas tout...

Reprenant le journal, elle montra une photographie figurant juste au-dessous de l'article précédent, toujours en première page. On y voyait Régine, souriante, au bras d'Adrien, discutant avec les dignitaires du PAN. Et la légende demandait : « *Vers un rapprochement Texel-Steenfort?* »

— Et ça? grinça Margrit. Ce n'est pas trop fort, ça? Je suppose qu'il ne lui reste plus qu'à t'épouser, à présent? Comme elle l'a fait avec Peter Texel?

Adrien serra les poings tandis que le rouge lui montait au front.

— Maman, ce que je fais avec Mme Texel ne te regarde pas.

— Oh si, ça me regarde. Ce sont *mes* petits-enfants que cette intrigante a volés. Et toi, naïf comme tous les hommes, tu ne t'aperçois même pas qu'elle se sert de son cul pour arriver à ses fins.

— Si c'était le cas, laissa sèchement tomber Adrien, elle ne serait pas la première de la famille à en faire autant, que je sache.

Douchée par ce rappel du passé, Margrit fixa un instant son fils sans répondre. Puis elle se leva lentement.

— Très bien, murmura-t-elle presque pour elle-même. Si tu le prends comme ça, je sais ce qu'il me reste à faire.

6

Charretiers compris, le personnel de la brasserie Leroux se limitait à une vingtaine d'ouvriers. Georges Leroux les rassembla le samedi 15 septembre dans la petite salle de brassage en travers de laquelle une grande banderole proclamait fièrement :

1734-1934

Dufour, son contremaître, avait préparé une caisse de champagne et Mlle Lucie s'était débrouillée pour dénicher assez de coupes pour tout le monde. Quand chacun eut son verre plein à la main, Georges Leroux monta sur la caisse afin d'être vu de tous.

— Chers amis, ces derniers mois furent difficiles, vous le savez. Et j'en porte l'entière responsabilité. J'ai joué, j'ai perdu, ainsi va la vie ! Mais ce que je tenais à vous dire, en ce jour de notre deux centième anniversaire, c'est qu'en dépit de ces revers, je me sens parmi vous le plus riche et le plus heureux des hommes. Heureux d'avoir pu, grâce à Adrien Steenfort, sauver notre brasserie, même si je n'en suis plus le propriétaire. Et d'avoir pu ainsi vous garantir, à vous et à vos familles, l'assurance d'un avenir serein à travers la crise qui frappe notre pays. Et riche de la seule vraie valeur qui soit en ce bas monde : la confiance et l'amitié de ceux qui vous entourent. À tous, je vous souhaite une bonne fête. Vive la France et vive la brasserie Leroux !

Il leva son verre, imité par l'assistance qui poussa de vibrants vivats. Mlle Lucie laissa tomber le sien et, éclatant en sanglots, s'enfuit en courant.

— Qu'est-ce qu'il lui prend ? interrogea le contremaître, étonné.

— Je ne sais pas, reconnut Leroux. Elle ne va pas très bien depuis quelque temps.

— Si vous voulez mon avis, patron, il serait grand temps de la marier. Allez, à votre santé !

Le dimanche 16 septembre, à cinq heures du matin, après une affreuse nuit d'insomnie, Mlle Lucie fit dissoudre vingt comprimés de somnifère dans un verre d'eau qu'elle but d'un trait en fermant les yeux.

Ce même dimanche, Régine et Adrien firent une longue promenade sur les hauteurs des caps Blanc-Nez et Gris-Nez. Régine devait rentrer au Canada afin de reprendre ses affaires en main ; elle n'avait déjà que trop passé de temps en Europe. Mais elle attendrait les élections du dimanche suivant. Élu ou non, Adrien lui promit de la retrouver là-bas un mois plus tard.

Le mardi 18 septembre, deux jours après sa promenade avec Adrien, Régine sablait le champagne dans sa suite du *Palace Hôtel* avec Gérard Duponcet.

— À vos amours, chère madame ! Et à nos affaires ! Tout au moins si vous êtes toujours disposée à prendre une participation dans la future société anonyme Steenfort.

— Vous en avez reparlé ?

— Steenfort m'a téléphoné hier. Nous nous occuperons de créer sa société immédiatement après les élections.

— Parfait, sourit Régine. Dès que cette société sera constituée et que vous m'aurez envoyé les certificats d'actionnaire, je vous ferai transférer les quinze millions. Plus votre commission, bien entendu.

— Vous rentrez au Canada?

— Il le faut. Je me suis déjà absentée trop longtemps.

— Et... Adrien Steenfort?

— Ne vous occupez pas de cela, monsieur Duponcet.

— Soit, grimaça le gros banquier. Mais en admettant..., si j'ai bien compris... Je veux dire, si par hasard vous l'épousiez, que deviendrait notre arrangement?

— Cela n'y changerait rien, monsieur Duponcet. En clair, deux précautions valent mieux qu'une.

— Donc... heu..., si je vous suis bien...

— Ce n'est pas moi que vous devez suivre, monsieur Duponcet, le coupa sèchement Régine. Ce sont mes instructions.

Duponcet s'inclina légèrement.

— Très bien, madame, ce sera toujours avec plaisir. Je vous souhaite un bon voyage.

En ouvrant la porte pour quitter la suite, le banquier tomba nez à nez avec Margrit. Surpris, ils se dévisagèrent haineusement sans prononcer une parole. Comme Margrit ne faisait pas mine de lui laisser le passage, le gros homme fut obligé de se contorsionner de manière assez grotesque pour gagner le couloir. Margrit franchit la porte restée ouverte sans se retourner.

Regardant le jardin de sa fenêtre, sa flûte de champagne à la main, Régine ne l'avait pas vue entrer.

— Cléopâtre aimait la compagnie des serpents. Je constate que vous préférez celle des rats.

La belle Canadienne tressaillit et se retourna. Mais elle se reprit presque instantanément et sourit.

— Tiens..., Margrit-la-Rouge en personne. Vous venez m'offrir une autre démonstration de vos talents d'animatrice, madame Steenfort? C'était très réussi, l'autre samedi, je me suis bien amusée.

Sans ôter son manteau ni son chapeau, Margrit s'assit posément dans un des fauteuils du salon de la suite.

— Je crains que vous ne vous amusiez moins aujourd'hui, madame LaRoche.

Régine, restée debout, se servit un peu de champagne sans en proposer à sa visiteuse.

— Madame LaRoche... Il est vrai que le notaire de Peter vous a communiqué mon nom de jeune fille.

— De jeune fille!... Ne me faites pas rire.

— Je n'en ai aucune envie pour l'instant. Que voulez-vous?

— Vous voir quitter la France et rentrer au Canada.

— Ça tombe bien, c'est exactement ce que je comptais faire.

— Et ne jamais revenir ni revoir mon fils.

Régine leva un de ses sourcils soigneusement épilés.

— Ça, c'est une autre histoire. Je ne vois vraiment pas ce qui m'en empêcherait.

— Deux mots.

— Deux mots?

— Deux noms, plutôt : « Chicago » et « Ralph Morgan ».

Régine blêmit et manqua de laisser s'échapper la flûte de champagne qu'elle tenait à la main. La déposant sur un guéridon, elle s'assit à son tour, une main sur la poitrine pour calmer les battements soudains de son cœur.

Margrit sourit. D'un sourire sans aménité.

— Cela vous suffit? Ou dois-je en dire davantage.

— Comment... comment avez-vous appris?...

— Par le détective privé que j'ai engagé dès que j'ai appris votre existence. Il m'a fait parvenir un dossier fort complet avec toutes les preuves nécessaires.

Régine se releva et se rendit à la fenêtre donnant sur le jardin.

— Ralph Morgan..., murmura-t-elle. Après toutes ces années, c'est trop drôle...

— N'est-ce pas? railla Margrit. Il va de soi que ce dossier se trouve en sécurité chez mon notaire, qui a ordre de le remettre à mon fils s'il m'arrivait quelque chose.

— Vous... vous en avez parlé à Adrien?

— Non.

— Vous allez lui en parler?

— Pas si vous quittez le pays aujourd'hui même. On ne trouve plus de bateau quittant un port français pour l'Amérique cette semaine, je me suis renseignée. Mais il y a un paquebot pour New York qui quitte Anvers, en Belgique, demain matin. Anvers n'est qu'à quelques heures de route d'ici et on y trouve d'excellents hôtels.

Régine ne réagit pas. Mille pensées contradictoires s'agitaient dans sa tête.

— Bien entendu, poursuivit Margrit, j'ai fait faire un jeu de copies de ce dossier, que j'aurai le plus grand plaisir à envoyer aux journaux français et canadiens si jamais vous remettiez les pieds en France.

— Pourquoi m'en voulez-vous à ce point, madame Steenfort?

Margrit ne répondit pas, se contentant de fixer la Canadienne d'un regard farouche. Celle-ci baissa la tête, vaincue.

— Très bien, madame Steenfort, vous gagnez. Puis-je voir Adrien une dernière fois?

— Non.

— Lui téléphoner? Lui écrire, au moins?

— Surtout pas.

— Décidément, utiliser le chantage pour expédier les Texel au-delà de l'Atlantique est une habitude chez vous, madame Steenfort. Mais la situation n'est plus la même qu'en 1890. Le groupe Texel est à moi et bien à moi. Ralph Morgan ou pas, vous ne l'aurez jamais.

— Je sais, reconnut sèchement Margrit. La donation que vous avez arrachée à Peter Texel de son vivant est malheureusement inattaquable; les avocats que j'ai consultés me l'ont confirmé.

Elle se leva et se dirigea vers la porte, se retournant pour planter sa dernière banderille.

— Mes petits-enfants n'auront pas ce qui leur était dû, mais au moins vous ne mettrez pas vos griffes d'aventurière sur mon fils et sur notre brasserie. Bon retour chez vous, madame LaRoche.

— Madame Steenfort...

— Mmh?...

— Je ne vous pardonnerai jamais ce que vous m'obligez à faire.

— Parce que je vous empêche de vous emparer d'une malheureuse petite brasserie française ? Vous êtes encore plus vile que je ne le pensais.

— Non, parce que... parce que... Et puis, non, rien. Partez, allez-vous-en !

Régine regarda longtemps la porte refermée. Ses yeux étaient noyés de larmes. Puis, d'un pas lourd, elle se dirigea vers le téléphone intérieur pour demander à la chambrière de venir l'aider à faire ses bagages.

Quand Adrien téléphona de chez lui au *Palace Hôtel* comme il le faisait tous les soirs depuis dix jours, on lui répondit que Mme Texel avait quitté l'hôtel. Non, elle n'avait pas laissé de message à son intention ni dit où elle allait. Le téléphone raccroché, il resta quelques minutes sans réaction. Il ne comprenait pas. Régine lui avait pourtant bien dit qu'elle ne partirait pas avant les élections de dimanche.

Sans réfléchir, il sauta dans sa Renault et roula le plus vite qu'il pût jusqu'à Lille, où l'employé de nuit au *desk* du *Palace* ne put que lui confirmer ce qu'il savait déjà : Mme Texel avait quitté l'hôtel sans laisser de message pour quiconque.

Conduisant moins vite qu'à l'aller, incapable d'aligner la moindre pensée cohérente, Adrien revint à Bourg-d'Artois, se coucha, et passa une nuit blanche.

Le lendemain matin, il demanda à sa secrétaire de contacter toutes les compagnies de navigation. Quand il revint à son bureau, après sa tournée d'inspection dans la brasserie, Mme Durieux lui apprit qu'aucun bateau ne quittait la France pour le continent américain avant le mardi suivant.

De plus en plus perplexe, Adrien n'eut pas le temps de se perdre longuement en conjectures. Un individu hirsute, la cravate dénouée et le menton mal rasé, fit irruption dans le bureau, bousculant la secrétaire et brandissant un revolver.

— Te voilà, espèce de salaud!

Tandis que Mme Durieux s'enfuyait en hurlant, Adrien, ahuri, reconnut Georges Leroux.

— Leroux!? Qu'est-ce qu'il vous prend?

Se penchant par-dessus le bureau, Leroux brandit son arme sous le nez d'Adrien. Ses lunettes en demi-lunes laissaient voir ses yeux injectés de sang.

— Il me prend que j'ai tout compris, fumier! Rien ne t'arrête pour satisfaire tes ambitions, hein? Tu voulais ma brasserie et tu l'as eue, hein? Mais aujourd'hui, tu vas en payer le véritable prix, Steenfort.

Adrien retomba assis dans son fauteuil, sans cesser de fixer le canon du revolver qui le visait entre les deux yeux.

— Je ne saisis pas un mot de ce que vous me dites, Leroux. Calmez-vous et expliquez-vous.

— C'est moi qui n'avais rien saisi, espèce d'ordure. Dimanche, Mlle Lucie a tenté de se suicider. Ça t'aurait bien arrangé, hein? Mais grâce à Dieu, on l'a découverte à temps et on a pu la sauver. Elle est revenue à elle hier soir et m'a tout avoué.

— Avoué quoi, bon sang!? Qui est Mlle Lucie?

— Comme si tu ne le savais pas, salopard! Ma comptable. Une brave fille trop naïve que ton ignoble Garcin, obéissant à tes ordres, a séduite pour apprendre l'existence de mon registre secret et me dénoncer aux impôts.

— Moi?!? Attendez, Leroux, je ne...

— Oui, toi, le vaillant héros de la guerre, l'industriel exemplaire, le bon et généreux sauveur des brasseries en péril... Mais la comédie est terminée, Steenfort. J'irai en prison, mais le pays tout entier connaîtra ton vrai visage. Crève, charogne!

Adrien n'eut que le temps de faire basculer son fauteuil. La balle tirée par le forcené lui rasa l'oreille et se planta dans le mur derrière lui. Mais déjà Leroux avait contourné le bureau, repointant son arme dont le canon fumait légèrement.

— Qu'est-ce que tu espères, Steenfort? Une intervention du Ciel? Le Ciel ne se soucie pas de salauds dans ton genre. Tu vas...

Il ne put en dire plus, assommé net par la chaise que Garcin venait de lui fracasser sur le crâne. Il s'écroula comme une masse et Adrien se releva, fortement ébranlé.

Garcin laissa tomber à terre les débris de la chaise.

— Que s'est-il passé? Il est devenu fou, ou quoi?

Adrien sortit un mouchoir de sa poche et s'essuya le front.

— Apparemment. Merci de votre intervention, Garcin. Sans vous...

— C'est Mme Durieux qui m'a prévenu. Je vais appeler les gendarmes, ajouta-t-il en se dirigeant vers le téléphone.

Adrien regarda pensivement le jeune directeur commercial.

— C'est ça, Garcin, c'est ça, prévenez les gendarmes. Moi, je rentre chez moi, je suis fatigué.

Arrivé chez lui, Adrien décida de prendre sa voiture et d'aller voir Servais à l'hôpital.

Le soir de ce même jour, il rendit une autre visite. Il connaissait depuis toujours la brave vieille qui lui ouvrit la porte d'une petite maison derrière l'église.

— Bonsoir, madame Moulinot. Baptiste est là?

— Heu... oui, m'sieur Steenfort. Il travaille à son château, comme d'habitude quand il n'est pas au bistrot.

— Je peux entrer?

Dans l'unique pièce de séjour de la maison, le manchot s'escrimait à construire un grand château fort en allumettes. Il se leva à l'entrée d'Adrien, l'air à la fois surpris et gêné.

— M'sieur Steenfort?...

Adrien se tourna vers la vieille.

— Je voudrais parler à votre fils en tête à tête, madame Moulinot. C'est possible?

— Pour sûr, m'sieur Steenfort. De toute façon, j'allais monter me coucher.

Elle disparut dans l'étroit escalier, non sans avoir jeté un coup d'œil inquiet derrière elle. Si M. Steenfort était venu tout exprès pour parler à son fils, ça ne pouvait être que pour quelque chose de grave. Pourvu que Baptiste n'ait pas fait une bêtise...

Baptiste, la mine renfrognée, s'était rassis devant son œuvre d'art.

— Pas facile avec une seule main, hein, caporal?

— Rien n'est facile avec une seule main, mon capitaine.

Adrien avisa une photographie dans son cadre sur un meuble. Il la prit pour la regarder de plus près. C'était un cliché un peu jauni montrant Baptiste en capote d'uniforme avec son fusil au pied et tout son barda sur le dos.

— C'était devant Ypres, hein?

— Oui. J'avais encore mes deux bras, à ce moment-là.

Adrien reposa le cadre.

— Mais tu es vivant, Baptiste. Beaucoup de gars de notre section n'ont pas eu cette chance.

Le manchot évitait son regard, faisant mine de se concentrer sur sa construction.

— Qu'est-ce que vous me voulez, mon capitaine?

— Poser une question à un ancien compagnon d'armes, caporal.

Contournant la table, Adrien s'assit en face de Baptiste, le forçant à capter son regard.

— Qu'est-ce que M. Garcin a promis aux hommes s'ils votaient pour moi?

— Comme si vous ne le saviez pas..., murmura le manchot en détournant la tête.

— Justement, je ne le sais pas. Combien, Baptiste?

— Mille francs [1] par ménage si vous étiez élu.

— Je vois. Et si je ne l'étais pas?

— Des ennuis, évidemment. Qu'est-ce que vous voulez qu'on fasse, nous? On n'a plus de délégué syndical et on pourrait pas vivre avec le chômage. Et mille francs, c'est une somme, surtout pour les vieux.

Adrien tapa sur l'épaule de son ancien caporal et se remit debout.

— Merci, caporal. Mais j'ai encore quelque chose à te demander. Quelque chose de plus difficile...

---

1. Trois mille six cents francs actuels.

Le manchot baissa à nouveau le nez. Il savait ce qui allait suivre. Une larme perla au coin de son œil tandis qu'Adrien se penchait à son oreille.

– Je voudrais que tu me dises la vérité à propos de Julot Desmet et du vol de la caisse de la cantine.

En garant sa Talbot dans la cour de la brasserie le vendredi matin, deux jours avant les élections, Garcin eut la surprise de voir Adrien qui semblait l'attendre sur le quai de chargement.

– Bonjour, monsieur Steenfort. Vous m'attendiez?

– En effet, Garcin. Alors, comment se présentent nos affaires? Je parle des élections, bien entendu.

– Ma main au feu que vous serez élu, monsieur. Entre vous et ce brave Lemaître, vos futurs administrés n'hésiteront pas une seconde. Je vous donne au moins cent cinquante voix sur deux cent quarante-deux.

– Eh bien, tant mieux! Parce que je trouve que mes ouvriers me font la tête depuis quelque temps. Et je ne peux pas dire que votre fameux meeting ait arrangé les choses.

– Bah, une trentaine d'excités abrutis par la propagande des rouges, monsieur. La majorité de vos villageois se montreront plus raisonnables. Les choses iront beaucoup mieux après dimanche.

– Ça, j'en suis persuadé, Garcin. Venez, j'ai fait rassembler tout le personnel dans la salle de brassage, j'ai une communication à leur faire.

– Une communication?

– Hé oui! Vous n'avez pas le monopole de l'organisation des réunions préélectorales, mon garçon. Mais cette fois, c'est moi qui prononcerai le discours.

– Mes amis, je vous ai rassemblés pour vous annoncer trois bonnes nouvelles.

Garcin à côté de lui, Adrien s'était juché sur les marches de l'escalier à claire-voie menant aux bureaux. Tous les ouvriers et les employés de la brasserie l'écoutaient, disséminés entre les grandes cuves en cuivre. La plupart des visages étaient renfrognés, mais Adrien savait qu'ils retrouveraient bientôt tous le sourire.

— La première, poursuivit-il, c'est que Servais Laurembert est guéri. Il a quitté l'hôpital et reprendra ses fonctions parmi nous dès lundi prochain.

Un murmure de satisfaction parcourut l'assistance.

— La seconde, c'est que j'ai réengagé Julot Desmet, votre délégué syndical. Ce n'était pas lui qui avait volé l'argent de la cantine.

Le murmure s'amplifia et, comme il l'avait prévu, Adrien vit les rudes visages de ces hommes et de ces femmes s'éclairer d'un large sourire.

— Quoi!? ne put s'empêcher de s'exclamer Garcin. Mais...

— Taisez-vous, monsieur Garcin, je n'ai pas terminé. Quant à la troisième bonne nouvelle, et je voulais que vous en soyez les premiers informés, c'est que je retire ma candidature aux élections de dimanche prochain. Ce sera tout. Bonne journée à tous!

Après trois secondes de silence stupéfait, tous les ouvriers se mirent spontanément à applaudir. Quant à Garcin, devenu vert, il s'étranglait de stupeur.

— Mais!?!... ce... ce n'est pas possible, monsieur Steenfort, vous... vous ne pouvez pas faire ça...

— Oh, si, Garcin, je peux! Mais je n'en ai pas fini avec vous, venez!

Et l'empoignant rudement par le col de son veston, Adrien força le jeune homme à grimper les marches menant aux bureaux sous le regard ravi de l'assistance.

Le tenant toujours d'une poigne de fer, il l'entraîna dans le couloir en direction de la salle de réunion.

— Monsieur Steenfort!... Je ne comprends pas... Après tout ce que le Parti a fait pour vous!...

— Tout ce que votre satané parti a fait pour moi, c'est me transformer en dindon. Mais la farce est terminée, Garcin.

— Ils vont me massacrer...

— Ils ne seront pas les seuls. Entrez là-dedans!

Ouvrant d'une main la porte de la salle, il projeta de l'autre le jeune homme dans la pièce.

Ils étaient cinq autour de la grande table : Servais Laurembert, Julot Desmet, Baptiste Moulinot, Georges Leroux et Mlle Lucie qui, assise en bout de table, encore très pâle, semblait présider ce tribunal improvisé.

Garcin se pétrifia. Adrien le poussa en avant et le jeune homme dut s'accrocher à la table pour ne pas tomber. Adrien referma la porte et alla s'asseoir avec les autres.

— Nous pourrions vous faire arrêter, Garcin. Pour corruption, abus de confiance, fausse accusation, vol et complicité d'une tentative de meurtre. Mais cela ne ferait qu'ajouter aux ennuis de ceux dont vous avez déjà suffisamment gâché l'existence comme ça. Nous sommes donc tombés d'accord pour nous contenter de vous chasser. Pour votre propre sécurité, je vous conseillerais d'avoir quitté le village avant midi.

Son beau visage tordu de peur et de haine, Garcin parvenait difficilement à réaliser la portée des paroles qui venaient d'être prononcées. En moins de deux minutes, tous ses plans s'étaient écroulés, tout son avenir se trouvait compromis.

— Tu... tu ne t'en tireras pas comme ça, Steenfort, hoqueta-t-il. On ne bafoue pas impunément des gens comme nous. Tu vas...

Il s'interrompit car Servais et Julot Desmet s'étaient levés et marchaient sur lui d'un air plus que menaçant. Garcin s'empressa d'actionner la poignée de la porte derrière lui.

— Tu nous le paieras, Steenfort. Tu *me* le paieras. Je jure que je me vengerai dans ce que tu as de plus cher, de plus précieux, de plus...

Il n'acheva pas sa phrase et s'enfuit en courant dans le couloir.

Moins de trois heures plus tard, il avait achevé d'entasser ses affaires dans la Talbot garée devant la maison qu'il occupait à la lisière du village. L'écho des motifs ignominieux de son renvoi s'était répandu comme une traînée de poudre et une bonne partie des habitants de Bourg-d'Artois l'observait de loin en ricanant.

Soudain, Juliette fendit la foule et vint vers lui en courant, le visage défait, sans se soucier de la stupeur des villageois.

– Léopold! Léopold, mon amour, emmène-moi. Je veux partir avec toi!...

Garcin, chargeant une dernière valise à l'arrière de sa voiture, la repoussa brutalement.

– Et quoi encore!? Fiche-moi la paix, pauvre idiote!

Abasourdie, la pauvre fille mit quelques secondes à retrouver la parole.

– Mais... pourquoi!? Qu'est-ce que je t'ai fait? Je t'aime, Léopold, je t'aime!...

– Je t'ai dit de me foutre la paix.

À vingt mètres de là, les villageois commentaient avec animation l'événement extraordinaire auquel ils étaient en train d'assister. Décidément, on ne s'ennuyait pas à Bourg-d'Artois.

– C'est mon père, c'est ça? cria Juliette, désespérée. C'est mon père qui te force à partir? Je le déteste. Emmène-moi, je t'en supplie. Je ne veux plus rester ici. Tu m'avais dit que tu m'aimais... Emmène-moi avec toi, Léopold, mon amour...

– T'aimer, toi!? Ha!... comme si j'avais pu tomber amoureux d'une mocheté comme toi! Tu peux la garder, ta brasserie. Ou plutôt, ce qui en restera.

Il ouvrit la portière pour s'installer au volant. Juliette s'accrocha à lui, criant, pleurant, suppliant. Une fois de plus, il la repoussa méchamment et mit le moteur en route. La voiture s'ébranla. Juliette, aveuglée de larmes, se mit à courir à côté de la Talbot, criant encore, s'accrochant à la poignée de la portière. Garcin accéléra. Déséquilibrée, Juliette tomba rudement sur la chaussée. Se redressant sur ses genoux écorchés, tandis que l'auto s'éloignait du village, elle hurla longuement sa douleur, les deux mains serrées sur son ventre dans lequel elle savait qu'une nouvelle vie allait bientôt s'épanouir.

Le dimanche 23 septembre 1934, l'instituteur clôtura dès onze heures du matin les votes du bureau qu'il présidait dans l'école, tous les électeurs inscrits s'étant présentés. Triomphalement réélu, Florent Lemaître, le ventre ceint de son écharpe tricolore, tenait table ouverte *Chez Léon*. Il faisait un temps superbe et tout le village se pressait dans et autour du café.

— Allez les enfants! s'époumonait Florent, hilare. Profitez-en, c'est la maison qui régale.

— Vive Florent! lança une voix.

— Dommage que ce soit pas les élections tous les dimanches, vociféra une autre.

La belle Augustine, aidée de quelques volontaires, n'avait pas assez de ses deux mains pour satisfaire sa pratique assoiffée. Baptiste et Julot Desmet, réconciliés, étaient passés derrière le comptoir et actionnaient les pompes à bière négligées par le maître des lieux trop occupé à fêter sa victoire. Adrien se fraya un chemin à travers la foule pour venir serrer la main du héros du jour.

— Bravo, Florent! Toutes mes félicitations. Combien de voix avez-vous eues?

— Deux cent dix-huit sur deux cent quarante-deux, m'sieur Steenfort. Encore mieux que la dernière fois. Entre nous, vous m'avez fait une sacrée peur, vous savez, ajouta le maire-cafetier en se penchant à l'oreille d'Adrien.

— N'en parlons plus, mon ami. C'était une sottise de ma part et je suis rudement content que les choses se terminent ainsi.

— Ho, m'sieur l'maire! brailla une voix. À boire, nom de Dieu! Ça fait soif, ici!

— Voilà, voilà, j'arrive...

Adrien vit Margrit, Noël et la petite Marianne s'approcher de la terrasse, venant de leur maison distante d'une centaine de mètres. Il vint à leur rencontre.

— Alors, l'apprenti politicien, lança Noël. On a retrouvé le chemin de la sagesse?

– Oh, oui, papa. Tu avais raison, maman, je me suis conduit comme un crétin. Même si je continue à penser que la gauche au pouvoir est un échec.

– J'ai toujours raison, fit Margrit en souriant. Tu ne le savais pas encore ?

– Ce n'est pas la politique qui donnera meilleur goût à ta bière, fils, renchérit Noël. Au contraire. La bonne bière n'est ni de gauche ni de droite. Elle est juste au milieu.

Ils traversèrent la place de l'église, s'éloignant du tohu-bohu de *Chez Léon*.

– Comment va Juliette ? demanda Margrit.

– Toujours au lit. Je ne sais pas ce qu'elle a, sans doute un peu de grippe. Demain, je ferai venir le médecin.

– Elle est peut-être amoureuse d'un godelureau quelconque, décréta Margrit d'un air innocent. À propos, tu as des nouvelles de ta Régine ?

Le front d'Adrien se rembrunit, tandis qu'une secrète douleur lui crispait le ventre.

– Aucune. Elle est repartie sans même me laisser un mot. Je ne comprends pas. Je lui ai écrit une longue lettre, hier. Je voudrais qu'elle m'explique.

– Elle ne te répondra pas, déclara calmement Margrit. Et toi, tu l'oublieras. Ce n'était pas une femme pour toi, Adrien.

– Qu'est-ce que tu en sais ? Tu ne la connais même pas.

– Une mère sent ce genre de choses. Crois-moi, tu n'entendras plus jamais parler d'elle et c'est bien mieux ainsi. Qu'est-ce que c'est ?

Les cloches de l'église toute proche s'étaient mises à carillonner à toute volée. Surprise, la foule qui se pressait autour du café avait interrompu son brouhaha et toutes les têtes s'étaient tournées vers le clocher.

– Ce n'est tout de même pas pour fêter la victoire de Florent ?

– Ça m'étonnerait de la part du curé.

– Mon Dieu..., et si c'était le tocsin ?...

Confirmant cette sinistre supposition, un gamin arriva en courant.

– C'EST LA BRASSERIE ! C'EST LA BRASSERIE DE M'SIEUR STEENFORT QUI BRÛLE ! C'EST LA BRASSERIE QUI BRÛLE !...

Les têtes se tournèrent de quarante-cinq degrés. Effectivement, par-delà les toits du village, on voyait une lourde fumée
noire s'élever dans le ciel. Adrien empoigna Noël par le bras.

— Papa, tu es le seul au village à avoir le téléphone.
Appelle les pompiers de Barœul. Moi, je vais là-bas.

— J'y vais. Heureusement qu'on est dimanche et qu'il n'y a
personne dans...

Adrien se sentit blêmir.

— Dimanche ?!? Oh, mon Dieu... Charles ! Charles et Servais sont à la brasserie.

Et jetant sa canne, il se mit à courir de toutes ses forces,
claudiquant au milieu des hommes et des femmes qui
s'étaient élancés en direction de l'incendie.

Celui-ci faisait rage en une dizaine d'endroits des bâtiments. Un feu d'une telle étendue, d'une telle intensité, ne
pouvait qu'être d'origine criminelle. Adrien comprit immédiatement qui en étaient les auteurs : Garcin et les sinistres
sbires du PAN. L'ex-directeur commercial avait mis ses
menaces à exécution. Mais ce point était pour l'instant
secondaire. Ce qui comptait maintenant, c'était sauver
Charles. Charles, si heureux de retrouver Servais et le laboratoire de la brasserie qu'il n'avait pas voulu attendre une
semaine de plus pour s'y précipiter et y entraîner son vieux
mentor.

Une vingtaine d'hommes et de femmes étaient déjà sur
place, observant les flammes à distance respectueuse, quand
Adrien, essoufflé, arriva sur les lieux du drame. L'incendie
était d'une telle violence qu'on ne pouvait rien faire, rien tenter d'autre qu'attendre l'arrivée des pompiers. Adrien passa
de l'un à l'autre, le regard fou d'angoisse.

— Charles... Vous n'avez pas vu Charles ?...

Mais l'une après l'autre, les têtes faisaient tristement un
signe de dénégation.

Adrien s'avança aussi près qu'il le put des flammes géantes
qui atteignaient déjà les toits des bâtiments dont les vitres
explosaient sous l'effet de la terrible chaleur.

— CHARLES!... CHARLES, OÙ ES-TU?... CHARLES, RÉPONDS-MOI, JE T'EN SUPPLIE...

Mais rien dans cet enfer ne répondit à son appel désespéré. Adrien tomba à genoux en sanglotant. Charles... Ce n'était pas possible... Pas lui, pas Charles, si gentil, si intelligent, si passionné... Charles qui venait à peine d'avoir quatorze ans, son héritier, son amour chéri, son fils, SON FILS!...

Des mains vinrent le saisir aux épaules pour essayer de l'entraîner.

— Faut pas rester là, m'sieur Steenfort, c'est trop dangereux...

Il s'en débarrassa d'un brutal mouvement des bras.

— Foutez-moi la paix, il faut sauver Charles. IL FAUT SAUVER MON FILS!

Le toit des bureaux s'effondra dans un horrible craquement, projetant dans le ciel des millions d'étincelles, et la foule recula prudemment de quelques dizaines de mètres. Adrien, prostré, ne bougeait pas, indifférent aux débris brûlants qui tombaient autour de lui.

— LÀ!... REGARDEZ!...

Adrien releva la tête. Une silhouette de cauchemar émergeait des flammes en titubant, les cheveux et les vêtements grésillant, les mains et le visage horriblement brûlés.

— SERVAIS!... C'EST SERVAIS!... Une couverture, vite!...

Adrien se releva et ôta son veston. La terrible apparition venait vers lui en chancelant. Sans se soucier du danger et de l'épouvantable chaleur, Adrien se précipita vers lui et l'enveloppa de son veston. Servais s'écroula dans ses bras. Dans son visage qui semblait avoir affreusement fondu, ses yeux clairs injectés de sang hurlaient de douleur.

— Servais... où est Charles? OÙ EST CHARLES?

La bouche de Servais n'avait plus de lèvres. Quand il parla, sa voix n'était plus qu'un sifflement à peine perceptible.

— Adrien... rien pu faire... la fumée... pardon... pard...

Et il mourut. La tête penchée en arrière, le corps inerte de son vieux compagnon dans ses bras, Adrien poussa un long hurlement de bête prise au piège.

Dix heures plus tard, les pompiers étaient repartis. Ils n'avaient pas pu faire grand-chose pour juguler l'incendie. La brasserie était entièrement détruite. Les belles cuves de cuivre avaient fondu, la bière des bassins de fermentation s'était évaporée, les tonneaux en réserve avaient explosé et des hauts murs des bâtiments ne restaient que des moignons noircis et fumants se dressant dérisoirement dans la nuit éclairée par la pleine lune.

La foule s'était dispersée depuis longtemps, mais Adrien était toujours là, agenouillé dans la grande cour parsemée de débris, le corps vidé de ses larmes. À quelques mètres de lui, debout, un châle sur les épaules, Margrit, le cœur broyé, regardait la douleur de son fils.

Soudain, Adrien se releva et tendit son poing vers le ciel en hurlant.

– Je te tuerai, Garcin ! Même si ce doit être le dernier acte de ma vie, je te tuerai. JE TE TUERAI !

Deuxième partie

MARIANNE, 1950

1

Margrit prit sa décision la veille de son quatre-vingt-quatrième anniversaire. Après le déjeuner servi par la vieille Clotilde, elle aida Noël à prendre place dans son fauteuil habituel, près de la fenêtre donnant sur le jardin. Elle l'embrassa sur le front, peut-être un peu plus longuement que d'habitude, et lui dit qu'elle l'aimait. Ému, le vieillard, devenu presque aveugle à quatre-vingt-quinze ans, lui répondit que lui aussi l'aimait, comme au premier jour. Elle le regarda une dernière fois avant de quitter le salon et de prendre son manteau à la patère du vestibule, sans oublier son foulard rouge qu'elle se noua autour du cou.

Devant le perron de la maison, Arsène, le chauffeur-factotum, lustrait la grosse Peugeot qu'ils avaient achetée peu après la guerre, quand Noël avait commencé à éprouver des difficultés à se déplacer. Il lui demanda si elle voulait qu'il la conduise quelque part, mais elle lui répondit qu'elle avait envie de conduire elle-même pour faire une petite promenade en voiture dans la campagne, ce qui lui arrivait occasionnellement quoiqu'elle n'eût jamais passé son permis. Arsène, après l'avoir mise en garde contre les dangers de la route, lui ouvrit la grille et elle démarra doucement, non sans lui avoir recommandé de tailler les forsythias qui venaient de fleurir.

Il faisait beau mais encore frais en ce début de mars. Margrit prit une petite départementale qu'elle connaissait bien et sur laquelle il y avait fort peu de trafic. À quelques kilomètres de Bourg-d'Artois, dans un virage, se dressait un grand hêtre distant d'à peine un mètre de la route. Elle accéléra et l'aiguille du compteur franchit le cent, le cent dix, le cent vingt... L'arbre au tronc imposant se rapprochait rapidement. Margrit, qui n'avait jamais été très croyante, eut une pensée pour Dieu et ferma les yeux en appuyant encore sur la pédale de l'accélérateur.

— Passe en troisième... En troisième, nom d'une pipe !

Marianne s'escrima sur le changement de vitesse et les cardans protestèrent dans un affreux grincement d'engrenages.

— Double débrayage, nom d'un chien ! Double ! Tu débrayes, tu passes au point mort, tu débrayes de nouveau et tu passes en vitesse.

— Je n'y arriverai jamais, gémit Marianne.

La petite Triumph « sport » tressautait sur les mauvais pavés d'une route campagnarde des environs de Lille. Jacqueline, dite Jackie, l'heureuse propriétaire de l'engin, avait insisté pour décapoter et les cheveux des deux filles de vingt ans voletaient dans l'air frais de l'après-midi.

— Mais si, voilà, tu débrayes..., c'est ça..., tu débrayes encore..., voilà. Et je te rappelle qu'en France, depuis Napoléon, on roule à droite de la route.

Marianne, la sueur au front en dépit de la fraîcheur, s'accrocha au volant. C'était une jolie fille aux cheveux châtains et au teint clair, vive et gaie, dont la finesse piquante contrastait avec la beauté plus sombre, plus troublante de son amie, qui avait le teint mat et les cheveux noirs des Méditerranéennes.

Le léger cabriolet s'approchait à vive allure d'un virage à angle droit contournant un petit bois sur la droite.

— Hééé, ralentis ! s'inquiéta Jackie. Freine, bon sang, freine ! Non, ça, c'est l'accélérateur... Meeeeerde...

Émergeant du virage, un énorme tracteur barra soudain la route. Dans un geste-réflexe, Marianne braqua le volant à quatre-vingt-dix degrés sur la gauche et la Triumph bondit, fort heureusement pour ses passagères, dans un petit chemin qui s'enfonçait entre deux vastes champs fraîchement labourés. Les deux filles hurlèrent de peur tandis que la voiture ralentissait en cahotant sur une cinquantaine de mètres avant de s'arrêter net, moteur calé, les projetant en avant sans trop de dommages.

— Piouuuu..., souffla Jackie. Eh bien, ma vieille, on n'est pas passées loin, là. Bonjour la tremblote!... ajouta-t-elle en levant ses deux mains qui, effectivement, étaient agitées d'un tremblement nerveux.

Marianne, elle, avait conscience d'être pâle comme un drap.

— Je... je suis désolée, balbutia-t-elle. C'est de ma faute. Je... je jure de ne plus jamais toucher le volant d'une voiture.

— Désolée? Mais tu nous as sauvé la vie, ma chérie. Et ma voiture par la même occasion. Fangio n'aurait pas fait mieux.

Sur la route, le paysan avait arrêté son tracteur et les héla pour savoir si tout allait bien. Se retournant, Jackie lui fit signe que oui et le tracteur poursuivit son chemin. Les deux filles sortirent de la petite voiture pour changer de place et Jackie remarqua une vilaine écorchure que son amie s'était faite en se cognant le genou au tableau de bord.

— Dis donc, mais tu saignes, là. Assieds-toi, je vais te soigner ça.

Elle fit s'installer Marianne sur le siège passager, laissant la portière ouverte, et ouvrit une petite trousse de secours qui se trouvait dans la boîte à gants. Elle commença par éponger le sang avec un peu d'ouate hydrophile, puis désinfecta la plaie avec du mercurochrome avant d'y appliquer un pansement adhésif. Puis, sans transition, elle caressa l'intérieur de la cuisse de Marianne, qui tressaillit.

— Mmh... Ta peau est toujours aussi douce, ma biche.

— Arrête!

Au lieu d'obtempérer, Jackie accentua sa caresse, se penchant pour mordiller l'oreille de son amie.

— Tu pourrais au moins embrasser ton infirmière, non?

— Arrête, Jackie!

— Pourquoi? Tu ne disais pas ça, à l'internat.

– C'était... On avait quinze ans, ce n'était pas pareil.

Coincée entre le dossier de son siège et le tableau de bord, Marianne pouvait difficilement échapper à l'insistance de la belle fille aux cheveux noirs.

– Et maintenant que nous en avons vingt, tu n'aimes plus mes caresses, c'est ça ? Ah, quelle ingrate tu fais, Marianne ! Je t'apprends à conduire, je te soigne, et toi tu me repousses. Allez, rien qu'un baiser, un tout petit baiser...

– Non, Jackie, s'il te plaît...

Soupirant comiquement, Jackie se redressa.

– Quelle tristesse ! La plus jolie fille de la fac, et elle préfère les garçons ! Mais ils sont nuls, les garçons ! Ils sont grossiers, maladroits, avec des boutons plein la figure. Sans parler de cette chose ridicule qui leur pend entre les jambes et dont ils sont si fiers.

– Tais-toi. Pourquoi parles-tu comme ça ?

– Parce que moi, les garçons, je ne les aime pas. Désolée, mais c'est comme ça, je n'y peux rien. Tu as un petit ami à Lille, un que je ne connaîtrais pas ? Ou alors dans ton bled ? Un solide paysan bien rougeaud qui te fait danser la bourrée au bal du samedi soir ?

– Écoute, Jackie, il commence à se faire tard, je vais rater mon train.

Jackie contourna la voiture et vint s'asseoir au volant, tandis que Marianne refermait sa portière, sursautant une nouvelle fois quand son amie lui mit une main sur le genou.

– Tu peux me le dire, tu sais. Je ne t'en voudrai pas, je ne suis pas jalouse à ce point. Ou alors, attends..., le prof d'histoire de l'art, le beau Fabien Devallée..., tu le dévores des yeux à chacun de ses cours. Tu es amoureuse de Devallée, c'est ça ?

Marianne rougit en repoussant la main de Jackie qui la dévisageait ironiquement.

– La barbe, Jackie ! Tu me conduis à la gare, oui ou non ?

– Bon, bon, on y va. À quelle heure, ton train ?

– 17 h 35.

– Alors, tu l'as manqué. Tu veux venir dormir chez moi ? On téléphonera à ton père. Allô, monsieur Steenfort ? Ça ne vous ennuie pas si votre fille passe la nuit dans le grand lit douillet d'une de ses amies très, très dévergondée ?

– Arrête, ce n'est pas drôle. Je prendrai le train suivant, celui de 18 h 40.

Jackie lança le moteur de la Triumph.

– Je plaisantais, Marianne. Tu n'as rien à craindre de moi, tu sais. Je suis ton amie avant tout et je voudrais le rester, d'accord ?

– D'accord, mais vas-y, démarre.

À la gare de Barœul, Marianne récupéra sa bicyclette pour couvrir les quinze kilomètres qui la séparaient encore de Bourg-d'Artois. Avec le train, ça lui faisait chaque jour presque deux heures de trajet, à l'aller comme au retour, ce qui l'obligeait à se lever très tôt. Son père aurait pu la conduire et la ramener en voiture, puisque sa nouvelle brasserie se trouvait à Lille. Mais les horaires de la faculté d'histoire pouvant varier d'un jour à l'autre, la jeune fille préférait garder sa liberté de mouvement. Et comme Adrien refusait qu'elle loue une chambre d'étudiant à Lille...

Pour rentrer chez elle, Marianne devait passer devant les ruines noircies de l'ancienne brasserie qui se trouvaient seulement à quelques centaines de mètres de la grande maison où elle vivait avec son père et la vieille Delphine. Ces sinistres ruines qu'Adrien Steenfort refusait obstinément de faire raser et dans lesquelles il se rendait chaque soir sous prétexte de nourrir des chats errants que personne n'avait jamais vus. En réalité, Delphine et Marianne en étaient certaines, il allait se recueillir sur la « tombe » de Charles, ce grand frère dont la jeune fille n'avait gardé aucun souvenir, brûlé vif à l'âge de quatorze ans dans l'incendie criminel de 1934 et dont on n'avait jamais retrouvé la moindre trace, pas même des restes d'os carbonisés.

Marianne aurait préféré continuer à vivre chez Margrit et papy Noël, qu'elle adorait. Mais quand elle avait eu douze ans, son père avait demandé qu'elle vienne vivre chez lui et elle n'avait pas eu le choix.

Delphine lui avait expliqué qu'avant, du temps où sa mère vivait encore, Adrien était un homme gentil, souvent de bonne humeur et très aimé de ses ouvriers. Après la disparition de Joanna, morte en mettant Marianne au monde, quelque chose s'était cassé en lui et il s'était plongé à corps perdu dans le développement de ses affaires, mais n'en était pas moins resté un homme aimable. C'était après l'horrible fin de son fils Charles qu'il avait vraiment changé. Il était devenu sombre, froid, cassant, renfermé sur son chagrin qu'il nourrissait chaque soir en errant dans ces ruines à la recherche d'un impossible réconfort. Et c'était vrai que Marianne ne se souvenait pas d'avoir entendu rire une seule fois son père. Il s'intéressait à ses études, lui parlait de la brasserie et de ses projets et veillait à ce qu'elle ne manquât de rien, tout au moins sur le plan matériel. Mais il lui manquait cette chaleur, cette tendresse, cette complicité qu'une fille est en droit d'attendre de son père. Marianne l'aimait, le craignait et le plaignait tout à la fois, allant le plus souvent possible chercher auprès de ses grands-parents les marques d'affection qu'elle ne trouvait pas chez elle.

Quand elle rangea sa bicyclette dans la cour, contre le banc de pierre, il faisait déjà noir. Dans la cuisine, la vieille Delphine avait les yeux rouges.

– Que se passe-t-il, Delphine ? Tu as pleuré ?

La brave servante l'attira contre elle, la serrant de toute la force de ses bras maigres, tandis que de nouvelles larmes lui jaillissaient des yeux.

– Ma pauvre petite chérie, chevrota-t-elle. Ma pauvre petite chérie... Il est arrivé un grand malheur...

Margrit fut enterrée le samedi suivant devant une assistance si nombreuse que le petit cimetière de Bourg-d'Artois la contenait à peine. Marianne et Juliette, laquelle était venue avec son mari et ses trois enfants, entouraient leur père qui s'appuyait sur sa canne, le dos un peu voûté. Des confrères brasseurs étaient là également, par égard pour Adrien qui présidait leur corporation du Nord, ainsi que les principaux actionnaires et quelques cadres des Nouvelles Brasseries Steenfort SA. Mais le plus émouvant fut sans aucun doute la présence des anciens ouvriers de la première brasserie qui, en l'honneur de leur ancienne pasionaria, portaient tous leur foulard rouge autour du cou. Si Julot Desmet avait encore été là, il aurait sûrement fait chanter *l'Internationale* devant la tombe de cette grande dame qui avait tant fait pour la cause des travailleurs. Mais Julot Desmet, résistant de la première heure, avait été fusillé par les Allemands en 1943.

Le maire-cafetier, Florent Lemaître, épaissi par l'âge, tenta de dire quelques mots mais n'y parvint pas, vaincu par l'émotion et sans doute aussi par la dizaine de chopines qu'il avait probablement déjà bues. Il fallait dire que Florent buvait beaucoup depuis que sa femme, la belle Augustine, était partie avec un forain au boniment persuasif et à la moustache conquérante. Il n'y eut donc pas de discours ; seulement la brève homélie du jeune curé qui venait d'être nommé à la paroisse l'année précédente.

Puis chacun lança à tour de rôle une fleur sur le cercueil descendu au fond de sa fosse. Les anciens ouvriers, eux, jetèrent leur foulard. Ainsi disparut Margrit Feldhof, épouse Steenfort, l'ancienne petite courtisane de Munich au destin fabuleux, sous un linceul d'étoffe rouge.

Il faisait gris, ce jour-là, et les genêts du « chemin du Ciel » n'étaient pas encore en fleur.

Dans l'ancienne maison Chevalier, Clotilde et Delphine, aidées par Arsène, se démenaient pour passer les plateaux de sandwiches et les cruchons de bière aux nombreuses personnes qui, selon la tradition de tous les enterrements, devaient être abreuvées et nourries après le recueillement.

Adrien, en présence du docteur Chambot, le médecin de famille, s'efforçait de convaincre Noël de venir s'installer chez lui.

— Tu ne peux pas rester tout seul ici, papa. Chez moi, il y aura Marianne et Delphine pour s'occuper de toi.

Noël, qui n'avait pas eu la force de se rendre au cimetière, s'accrocha aux accoudoirs de son fauteuil.

– Je ne bougerai pas de cette maison. Et j'ai Clotilde et Arsène pour s'occuper de moi.

– Et s'il t'arrivait quelque chose ?

Noël, ses pauvres yeux rougis d'avoir trop pleuré, eut un petit rire sans joie.

– Que veux-tu qu'il m'arrive, à part mourir ? À quatre-vingt-quinze ans, c'est ce que j'ai encore de mieux à faire. Non, Adrien, je reste ici. Avec elle, ajouta-t-il en montrant du menton un grand portrait de Margrit accroché au mur du salon.

Adrien haussa les épaules.

– Comme tu voudras. Mais si tu changes d'avis...

Le docteur Chabot le prit par le bras.

– Pourrais-je vous parler un instant ?

Et il l'entraîna en direction du jardin où les deux plus jeunes enfants de Juliette, Robert et Denise, jouaient avec un ballon déniché Dieu savait où sous le regard sombre de Christian, leur frère aîné âgé de quinze ans, dont presque tout le monde savait qu'il n'était pas le fils de son père.

Marianne et sa sœur bavardaient dans la cuisine. À trente-deux ans, maigre et sèche, meurtrie par son aventure avec l'odieux Garcin, aigrie par son mariage forcé à dix-sept ans, Juliette n'avait certes pas embelli et sa peau, précocement fripée, contrastait avec le rayonnement de Marianne dans tout l'éclat de ses vingt ans. Séparées par une trop grande différence d'âge et n'ayant jamais vécu ensemble, les deux sœurs se connaissaient assez mal, ne se voyant qu'aux anniversaires, au réveillon de Noël et au déjeuner familial que Juliette organisait un dimanche par mois dans sa maison bourgeoise de la banlieue chic de Lille.

– Comment vont tes études ? demanda Juliette. Tu es en dernière année, c'est ça ?

– Avant-dernière. J'aurai ma licence d'histoire l'année prochaine.

– Et après ? L'agrégation ?

– Non, sans doute une licence spéciale en archéologie. Si papa accepte de continuer à me payer des études.

— Pourquoi ne le ferait-il pas? Tu as de la chance, petite sœur. Surtout, profites-en bien et ne fais pas comme j'ai dû le faire; ne te marie pas trop tôt.

— Qu'entends-je? lança joyeusement le mari de Juliette en pénétrant dans la cuisine, un morceau de tarte à la main. Qu'ouïs-je? On critique la noble institution du mariage?

Frédéric Lebrun était un bellâtre mollissant de quarante-cinq ans, bronzé en permanence et toujours la dernière bien bonne à la bouche, dont la seule véritable passion dans la vie était le tennis. Sans fortune personnelle, il n'avait pas hésité une seconde quand Adrien Steenfort, par l'intermédiaire d'une relation commune, lui avait proposé d'épouser Juliette, enceinte de quatre mois, en échange d'une place permanente de cadre supérieur aux brasseries Steenfort. Juste assez intelligent pour connaître ses limites intellectuelles, il savait qu'il n'aurait jamais de meilleure occasion de s'assurer une honorable position professionnelle. Et s'il ne produisait pas d'étincelles comme dirigeant d'entreprise, il faisait après tout un mari correct et un père de famille satisfaisant.

Marianne n'appréciait que modérément Frédéric, supportant mal les plaisanteries aussi vaseuses qu'éculées dont il parsemait ses conversations.

— Tu sais quoi? lui déclara-t-il la bouche pleine de tarte. Cette fois, ça y est : je n'ai plus qu'à battre Durban en deux sets et je suis en finale des inter-clubs. Et ça, je suis certain d'y arriver. Je suis en grande forme. Comme toi, ajouta-t-il en prenant la taille de Marianne. Sauf que chez toi, ça s'écrit au pluriel, ha! ha!

Marianne se dégagea, écœurée par la désinvolture de son beau-frère en ce jour de deuil.

— Excusez-moi, je vais aller voir si papy n'a besoin de rien.

Seuls quelques ouvriers de la Brasserie Chevalier entouraient Noël assis dans son fauteuil, un peu oublié par les autres invités qui bavardaient par petits groupes en différents endroits de la maison. Ils s'écartèrent pour laisser Marianne s'approcher. Elle se pencha pour presser sa joue contre celle, toute parcheminée, de son grand-père tant aimé.

— Oh, papy, tu dois être si malheureux. Et moi, je suis tellement triste. C'est comme si, d'un seul coup, on m'avait volé tous mes souvenirs d'enfance.

— Je sais, ma petite fille. C'est tellement injuste : c'est moi qui aurais dû partir le premier. Tu veux bien m'aider à me lever ? J'ai quelque chose à te donner.

À l'extérieur, le docteur Chabot avait pris Adrien par le bras pour l'emmener vers le fond du jardin.

— Le décès de votre mère me libère du secret médical, Adrien...

— Que voulez-vous dire ?

— Mme Steenfort était atteinte du cancer.

— Quoi ? ! ?

— Un cancer du foie qui allait entrer en phase terminale. Elle commençait à beaucoup souffrir.

— Mais elle n'a jamais...

— Rien dit à personne, je sais. Pas même à son mari. Elle a caché sa souffrance à tout le monde et a refusé de se faire soigner. De toute manière, au stade actuel des recherches, la médecine est encore quasiment impuissante devant ce fléau. Les traitements chimiques ne l'auraient qu'inutilement amoindrie.

— Un cancer, seigneur Dieu !... murmura Adrien, sincèrement effaré. Vous l'avez dit à mon père ?

— Non. Et je ne compte pas lui en parler, sauf si vous me le demandez.

Les deux hommes marchèrent quelques instants en silence, tandis qu'Adrien digérait cette nouvelle qui le remplissait d'anxiété rétrospective.

— Voyez-vous, Adrien, reprit le médecin, votre mère était une femme exceptionnelle. Une femme qui a toujours pris son destin en main et probablement jusqu'à sa fin.

— Je ne comprends pas...

— Ce n'est qu'une supposition, bien entendu. Mais les gendarmes ont dû vous dire qu'il n'y avait pas de traces de freinage sur le lieu de l'accident.

Troublé, Adrien avait du mal à coordonner ses pensées.

— Oui..., non..., je ne sais plus... Vous essayez de me dire qu'elle aurait pu ?...

— C'était dans son caractère. Et je vous l'ai dit, elle commençait à beaucoup souffrir. D'ici une ou deux semaines, elle n'aurait plus été capable de cacher sa douleur. Et elle était condamnée de toute façon. Vous m'en voulez de vous l'avoir dit ?

— Non, docteur, au contraire. Et je vous remercie. Mais vous avez raison : il est inutile que Noël le sache. Ni personne, d'ailleurs. Pour trop de gens encore, la mort doit rester la seule volonté de Dieu.

Sortant de la maison, Juliette vint vers eux.

— Papa..., téléphone pour toi.

— Qui est-ce ?

— Maître Gillard, le notaire de mamy.

Au-delà de la salle à manger, à l'opposé du salon, une petite pièce située en façade de la maison faisait office de bureau. Margrit et Noël y rangeaient leurs papiers personnels et autres documents administratifs. Soutenu par Marianne, Noël ouvrit le tiroir d'un secrétaire et y prit une petite clé qu'il donna à la jeune fille.

— L'armoire vitrée, souffla-t-il en s'asseyant sur l'unique chaise de la pièce. La porte du bas, cinq gros cahiers avec une couverture en cuir.

Marianne ouvrit la porte désignée et trouva facilement les cahiers.

— Qu'est-ce que c'est ?

— Le journal de Margrit.

— Mamy tenait un journal ?

— Depuis son arrivée ici, en 1888. Il est pour toi.

— Pour moi ! ? Mais...

— Elle voulait que ce soit toi qui l'aies le jour où... Il est écrit en allemand, bien sûr. Mais elle t'a appris l'allemand, n'est-ce pas ?

— Tu le sais bien, depuis que je suis toute petite. Pourquoi moi, papy ?

— Parce que tu es son héritière, ma petite fille. C'est ce que Margrit me disait toujours : « Je ne possède rien d'autre sur terre que ma volonté. Et cette volonté, c'est à Marianne que je la transmettrai, car elle est la seule en qui je me reconnais vraiment. » Oh, mon Dieu, Marianne, comme elle va me manquer !...

Les larmes coulant à nouveau sur ses joues, Marianne déposa les cahiers sur le secrétaire et serra la tête dodelinante de son vieux grand-père contre son cœur.

Adrien avait pris le téléphone au salon et les invités encore présents s'étaient écartés par discrétion. Il n'avait jamais rencontré le notaire de sa mère et la voix qui sortait du combiné lui était donc inconnue.

— Je suis confus de vous déranger en ces pénibles instants, monsieur Steenfort, mais je viens seulement d'être averti du décès de Mme votre mère. Je vous prie d'accepter toutes mes condoléances.

— Je vous remercie, maître. De quoi s'agit-il ?

— Mme Steenfort, comme vous le savez certainement, ne possédait aucun bien matériel. Elle n'a donc pas jugé utile de faire un testament. Mais il y a une quinzaine d'années, elle m'avait confié un dossier à vous remettre s'il lui arrivait quelque chose.

— Un dossier ? Quel genre de dossier ?

— Je l'ignore, monsieur Steenfort. Il est sous enveloppe scellée et je n'en suis que le dépositaire. Puis-je envoyer mon clerc vous l'apporter lundi matin à votre bureau ?

— Lundi, oui, ce sera très bien. Merci de votre appel, maître.

Pensif, il raccrocha. Qu'est-ce que Margrit-la-Rouge avait encore bien pu inventer ?

Dix mille kilomètres et neuf heures de décalage horaire séparent le nord de la France de la côte ouest du Canada. Au soir de l'enterrement de Margrit, lorsque Gérard Duponcet obtint, après une heure d'attente, Régine Texel au téléphone, il était dix heures du matin à Vancouver et la Québécoise, qui aimait se coucher et se lever tard, venait d'achever son petit déjeuner.

Leur conversation dura plus d'une demi-heure, au cours de laquelle Régine donna différentes instructions au banquier. Puis, après avoir raccroché, elle s'approcha de la grande baie vitrée qui, du sommet d'une des collines surplombant la ville, offrait une vue imprenable sur la plus belle baie du continent nord-américain.

— Enfin !... murmura-t-elle.

À vingt heures ce soir-là, Adrien, comme tous les soirs depuis quinze ans, s'avançait dans les ruines de son ancienne brasserie, une lampe électrique dans une main et dans l'autre un filet contenant quelques sandwiches récupérés à la réception de l'après-midi. « Pour mes chats », avait-il expliqué sans nécessité à Clotilde et Delphine. Il ne prenait jamais sa canne quand il venait ici, car elle l'aurait encombré, et il marchait donc en claudiquant un peu plus que d'habitude.

Au fond de ce qui avait été jadis la salle de brassage, il descendit par une échelle tordue jusqu'au deuxième sous-sol, là où se trouvaient les citernes de garde. La grande cave voûtée avait été relativement épargnée par les flammes mais pas par la chaleur terrible de l'incendie, et les grands tanks d'acier, tordus, mangés de rouille, ressemblaient dans l'obscurité à autant de vieux géants infirmes gardant une route perdue que plus personne n'empruntait.

Derrière l'une des citernes, Adrien déplaça une plaque de fer qui masquait une ouverture de moins de un mètre de côté. Il s'y glissa et se retrouva dans une sorte de réduit de deux mètres sur deux, limité dans le fond par un mur de moellons qui semblait n'avoir pas été atteint par le feu. Un tabouret se trouvait au centre de ce petit espace et sur la paroi latérale noircie, à droite du mur de moellons, était encastrée, comme un *ex-voto*, une plaque en pierre bleue sur laquelle étaient gravées deux courtes lignes :

Le destin des Steenfort

Dans ces ruines repose Charles Steenfort
brûlé vif à quatorze ans le 23 septembre 1934.

Adrien Steenfort avait atteint son sanctuaire.

Déposant son filet sur le sol, il s'assit sur le tabouret, face à la plaque en pierre bleue. Et là, lui qui avait gardé les yeux secs pendant l'enterrement de sa mère, il put enfin pleurer.

L'étude de maître Gillard était située dans le centre de Lille, rue de Tournai, non loin de la gare centrale, et Hubert, le deuxième clerc du notaire, décida de prendre son Solex tout neuf pour se rendre dans la zone industrielle où se trouvaient les brasseries Steenfort. Il cala sa serviette sur le porte-bagages et actionna vigoureusement les pédales afin de faire démarrer son engin. Il était ravi de cette acquisition qui, avec le vent dans le dos, lui permettait d'atteindre les vingt-cinq à l'heure.

Comme il passait sous le pont des Flandres, deux hommes à bicyclette surgirent sur sa droite et vinrent rouler à sa hauteur. L'un d'eux lui donna un violent coup d'épaule qui le déséquilibra, le faisant tomber rudement sur la chaussée tandis que son Solex glissait dans une gerbe d'étincelles sur plusieurs mètres de bitume. Au lieu de l'aider à se relever, les deux hommes se précipitèrent vers le vélomoteur et, tandis que l'un d'eux s'emparait de la serviette d'Hubert, l'autre crevait le pneu arrière d'un coup de canif. Puis, sautant sur leurs bécanes, ils disparurent par la rue Javary en laissant le pauvre clerc complètement ahuri.

Moins de dix minutes plus tard, les deux cyclistes s'arrêtèrent à hauteur d'une Mercedes garée le long du boulevard Lebas. La vitre arrière de la voiture s'ouvrit et l'un des hommes y fit glisser le porte-documents. Au bout de trente secondes, une main grasse au majeur orné d'une chevalière émergea de la vitre baissée et tendit une mince liasse de billets que les deux hommes s'empressèrent de se partager avant de ressauter en selle et de disparaître chacun de son côté.

Deux heures après ces événements, maître Gillard demanda M. Steenfort au téléphone.

— Comment ça, agressé ? fit la voix d'Adrien après que le notaire l'eut obtenu en ligne.

— Par deux hommes qui lui ont volé la serviette contenant le dossier qu'il devait vous remettre, dit le notaire en s'épongeant le front avec son mouchoir. Heureusement, le brave garçon n'a que des ecchymoses superficielles. Bien entendu, il est allé porter plainte à la police, mais il y a peu de chances qu'on retrouve ces voyous ; vous savez comment ça se passe. Excusez-moi de vous poser la question, monsieur Steenfort, mais qu'il y avait-il donc de si important dans ce dossier ?

— Je n'en ai pas la moindre idée, maître. Je n'en avais jamais entendu parler avant votre coup de téléphone d'avant-hier. Peut-être cela n'a-t-il rien à voir. Les malfrats qui ont attaqué votre clerc pensaient sans doute trouver des valeurs dans sa serviette.

— Peut-être, qui sait ? Enfin…, espérons que la police les retrouve, on ne sait jamais. Dès que j'aurai du neuf, je vous tiendrai au courant. Désolé de vous avoir dérangé, monsieur Steenfort.

Dans son bureau éclairé par de hautes fenêtres, desquelles on apercevait la ville au loin, Adrien raccrocha, perplexe. Puis, chassant l'incident de ses pensées, il revint à son visiteur assis en face de lui.

— Excusez-moi pour cette interruption, mister Fenton. Revenons à nos moutons.

Le lundi, le cours d'histoire de l'art se terminait à 15 h 45 et c'était le dernier cours de la journée. Libérée, la quarantaine d'étudiants descendit les marches du petit auditorium pour gagner la sortie. Comme Jackie et Marianne passaient à sa hauteur, le professeur, M. Devallée, héla cette dernière. C'était un assez bel homme d'une trentaine d'années à la mine ouverte et sympathique.

– Mademoiselle Steenfort...

– Oui, monsieur ?

– Pourriez-vous rester un moment, je vous prie ? J'ai à vous parler.

Rougissant légèrement, Marianne obtempéra tandis que Jackie, avant de sortir, lui lançait un regard ironique. Le professeur et l'étudiante attendirent que l'auditorium se soit vidé. Puis Fabien Devallée, empruntant le couloir, entraîna Marianne vers un bureau réservé au corps enseignant et qui était désert à ce moment de la journée. La porte à peine refermée, il la prit dans ses bras et l'embrassa longuement avant de l'écarter de lui pour la regarder.

– Que se passe-t-il, Marianne ? Tu as l'air désespéré.

Marianne sentit les larmes lui monter aux yeux et fit un effort pour les refouler.

– C'est... Ma grand-mère est morte. On l'a enterrée samedi.

– Oh, je suis désolé. C'est elle qui t'avait élevée, n'est-ce pas ?

– Jusqu'à mes douze ans, quand mon père m'a demandé de venir vivre avec lui.

– La fameuse Margrit Steenfort..., murmura Devallée, ému par la détresse de la jeune fille. Elle était devenue une véritable légende dans tout le Nord. Quel âge avait elle ?

– Elle allait avoir quatre-vingt-quatre ans. Elle est morte dans un accident de voiture. C'était elle qui conduisait. Oh, Fabien, je l'aimais tellement... Et mon pauvre papy qui va se retrouver tout seul...

Il la reprit dans ses bras et elle cessa de lutter contre ses larmes.

– Ne pleure pas, mon poussin. Attends, je vais sécher tes jolis yeux, ajouta-t-il en prenant un mouchoir dans sa poche.

Marianne eut un pauvre sourire.

– Tu as peur que je fasse des taches sur ton veston ?

– Ne dis pas de bêtises. Tu sais ce qu'on va faire ? On va aller passer le week-end à la mer. Ma tante a une bicoque à Wissant, où elle ne va presque jamais. Elle acceptera sûrement de me la prêter, ça te changera les idées.

Le visage de la jeune fille s'éclaira.

– Un week-end!? Oh, oui! Mais... qu'est-ce que je vais dire à mon père?

– Une demi-vérité, sourit Devallée. Que ton prof d'histoire de l'art organise un séminaire sur l'art antique près de Calais. Je te ferai une belle lettre d'invitation officielle. Il sera seulement inutile de préciser que tu seras la seule participante.

Elle sauta au cou du beau professeur qui devait mesurer une bonne tête de plus qu'elle.

– Oh, Fabien, tout un week-end rien qu'à nous deux!... Je t'aime, je t'aime, je t'aime...

Après un nouveau baiser passionné, Devallée la repoussa doucement.

– File, maintenant. Je ne tiens pas à ce que tes petits camarades se doutent de ce qu'il y a entre nous.

Docilement, Marianne reprit ses livres et s'apprêta à quitter le bureau.

– Marianne...

– Oui?

– Moi aussi, je t'aime.

Quelques étudiants bavardaient par petits groupes sur le trottoir devant la faculté. Jackie parlait avec un homme d'une soixantaine d'années, très gros et très laid, devant une conduite intérieure Mercedes garée le long du trottoir. Voyant Marianne sortir du bâtiment, les yeux encore rouges, son amie vint à sa rencontre.

– C'est le beau Devallée qui t'a fait pleurer comme ça?

Marianne haussa les épaules sans répondre et voulut s'éloigner, mais Jackie la retint par le bras.

– Viens, je voudrais te présenter à mon oncle. Il te connaît, paraît-il.

Marianne se laissa faire et l'obèse souleva son chapeau en tendant une main ornée d'une grosse chevalière.

– Mademoiselle Steenfort? Gérard Duponcet. Je suis un vieil ami de votre père.

— Heu... enchantée, monsieur.

— J'ai appris la terrible nouvelle pour votre grand-mère. C'était une femme remarquable. Je suppose que vous l'aimiez beaucoup ?

— Oui, beaucoup.

— J'étais venu inviter ma nièce à prendre le thé en ville. Accepteriez-vous de nous accompagner ?

— Je regrette, refusa Marianne. Mais mon père m'a demandé, exceptionnellement, de le rejoindre à sa brasserie après les cours. J'ignore pourquoi, d'ailleurs.

— Ah, quel dommage ! Ce sera donc pour une autre fois. Mais nous allons vous y conduire ; cela vous évitera de prendre le tramway.

— Je ne voudrais pas vous déranger...

Sur un geste imperceptible du banquier, le chauffeur en livrée qui était assis au volant sortit de la Mercedes et vint ouvrir la portière arrière en ôtant sa casquette. Duponcet prit le bras de Marianne, la poussant vers la voiture.

— Cela ne me dérange pas du tout, au contraire. À peine un petit détour de quelques minutes...

Assise à l'arrière entre le banquier et Marianne, Jackie caressait la cuisse de son amie sans que Duponcet puisse s'en apercevoir. Mal à l'aise, Marianne essayait en vain de repousser discrètement cette main qui la pétrissait tout en répondant au gros homme.

— Je connais bien les Brasseries Steenfort, mademoiselle. Pensez donc, j'en suis le principal actionnaire extérieur.

— Vraiment ? fit poliment Marianne, en espérant que sa voix ne trahisse pas le trouble dans lequel la mettait la caresse insidieuse de Jackie.

— Hé oui. Vous l'ignorez peut-être, mais la maison Duponcet est la banque de votre brasserie depuis 1890, date de sa création par Charles Steenfort, votre arrière-grand-père.

— Je l'ignorais, en effet. J'avoue ne pas fort m'intéresser aux affaires de mon père.

– Je vous comprends, opina Duponcet de tous ses mentons. Ce n'est pas un domaine pour une jolie jeune femme comme vous. Je suppose que vous vous destinez à l'enseignement comme notre petite Jackie ?

– Je préférerais devenir archéologue, si possible.

– Archéologue, quelle merveilleuse idée !... Exhumer du fond des sables les vestiges des civilisations disparues, quelle noble tâche ! Je vous admire d'avoir cette vocation-là, mademoiselle. Sincèrement. Ah, nous voici arrivés...

La grosse voiture s'arrêta en douceur devant la haute porte à double battant qui marquait l'entrée de la partie des bâtiments réservée aux bureaux des brasseries Steenfort. Le chauffeur se précipita pour venir ouvrir la portière de Marianne.

Duponcet se pencha péniblement, empêché par son énorme ventre, et tendit une main molle que la jeune fille fut bien forcée de prendre.

– Je vous remercie de m'avoir conduite jusqu'ici, monsieur Duponcet.

– C'était un plaisir, mademoiselle. Ne manquez pas de transmettre mes respects à M. votre père. Et si vous avez un jour besoin d'un quelconque conseil financier, on ne sait jamais, n'hésitez pas à venir me trouver.

Jackie embrassa son amie sur la joue.

– Ça t'a plu, j'espère ? lui souffla-t-elle insidieusement à l'oreille.

Marianne ne put que lui répondre par un regard noir avant de sortir de la Mercedes.

Dans la voiture qui regagnait le centre de Lille, Jackie se cala contre la vitre, le plus loin possible du gros banquier.

– Alors, monsieur mon oncle, satisfait ?

– Tout à fait, mademoiselle. Vous êtes une excellente comédienne.

– Ça tombe bien car j'aurais besoin d'une petite avance.

– Vous l'aurez, mademoiselle, vous l'aurez.

– Tout de suite.

Ils se jaugèrent du regard. Les petits yeux porcins de Duponcet étaient à peine visibles derrière les bourrelets de graisse qui lui boursouflaient le visage. Les yeux noirs de Jackie, eux, étaient durs comme la pierre. En soupirant, le banquier sortit un épais portefeuille de la poche intérieure de son veston.

— Très bien, mademoiselle. Mais n'oubliez pas que l'étape la plus délicate reste à franchir.

Après l'incendie de 1934, Adrien Steenfort décida de s'installer à Lille, centre d'affaires dynamique et plus commode qu'un village pour le développement d'une industrie de grande consommation. Suivant les conseils que lui avait précédemment donnés Régine Texel, il créa une société anonyme en surévaluant son apport au regard de celui de sa fille Juliette, partageant ainsi la majorité des parts de l'entreprise avec elle. Persuadant ses autres banquiers d'imiter Duponcet et de convertir leurs prêts en prises de participation minoritaires, il se retrouva à la tête d'un capital qui, ajouté à l'importante somme payée par l'assurance, lui permit de construire dans la zone industrielle de la métropole du Nord une énorme brasserie d'une capacité de six millions d'hectolitres ; ce qui était fort ambitieux pour l'époque. Il convainquit ensuite certains de ses anciens ouvriers de venir s'installer en ville, en engagea d'autres sur place, recruta également du personnel administratif et commercial, contracta de nouveaux emprunts auprès des banques et se lança à corps perdu dans le rachat de brasseries plus petites, en France comme à l'étranger, dont il fit autant de filiales pour le brassage et la vente de la Steenfort et de la *Joanne*.

Les Nouvelles Brasseries Steenfort SA furent évidemment réquisitionnées pendant la guerre pour abreuver les troupes d'occupation du Grand Reich et Adrien se vit contraint de continuer à la diriger ; ce qu'il fit sans jamais manifester d'états d'âme. Et il eut la chance qu'aucun de ses bâtiments ne fût touché par les bombardements alliés de 1943 et 1944. Après la Libération, en dépit de son passé de héros de l'Yser quatre fois décoré, il eut bien quelques ennuis avec les tribunaux jugeant les faits de collaboration. Mais les poursuites cessèrent lorsqu'il fut révélé qu'Adrien Steenfort, sous le nom de « commandant Charles », avait dirigé clandestinement une filière d'évasion d'aviateurs alliés et, à partir de début 1943, de Juifs traqués par la Gestapo. On lui décerna donc la médaille de la Résistance et Adrien put reprendre ses affaires en main sans être inquiété davantage.

Reprise à laquelle il s'attaqua avec un acharnement frisant l'obstination, empruntant toujours plus pour équiper ses brasseries du matériel le plus moderne, consacrant un budget important à la promotion de ses marques et poursuivant sa politique de rachat et de création de nouvelles filiales en Europe, au Maghreb et en Afrique-Équatoriale française. Le résultat de cette rage de conquêtes fut qu'en 1950, Steenfort, devenu le premier groupe brassicole français, occupait la septième place européenne derrière les Hollandais, les Danois et les Britanniques, juste devant les Belges et les Espagnols.

La réceptionniste salua Marianne et lui signala que son père ne se trouvait pas dans son bureau, mais dans la salle de brassage avec un visiteur étranger. Empruntant de longs couloirs carrelés du jaune crème qui était la mode de l'époque dans les bâtiments industriels, Marianne s'y rendit et trouva Adrien déambulant entre les cuves en cuivre avec un garçon d'environ vingt-cinq ans, roux à faire saliver toute une colonie de lapins et le visage criblé de taches de rousseur.

— Ah, te voilà ! fit Adrien en la voyant venir vers eux.

Il l'embrassa distraitement et la présenta au jeune inconnu.

— Mister Fenton, je vous présente Marianne, ma fille cadette. C'est elle qui s'occupera de vous le week-end prochain.

Marianne sursauta, tandis que le rouquin lui prenait la main qu'elle avait tendue machinalement.

— Echanté, mademouaselle, articula-t-il avec un accent à couper au tranchoir.

— Heu..., moi de même, monsieur. Écoute, papa, le week-end prochain, j'ai...

– Michaël Fenton est le fils de sir Roderick Fenton, la coupa son père. Le deuxième brasseur de Grande-Bretagne, avec lequel j'envisage de signer un accord de distribution réciproque. Michaël va passer une quinzaine de jours ici pour se familiariser avec notre brasserie et je compte sur toi pour lui faire visiter Lille et la région.

– Papa, le week-end prochain, j'ai un séminaire sur l'art antique et...

Agacé, Adrien l'interrompit une nouvelle fois.

– Eh bien, pour une fois, tu le manqueras, ton séminaire. C'est cette brasserie qui te fait vivre et qui te permet d'aller à l'université, Marianne. Tu pourrais au moins faire de temps en temps quelque chose pour elle. D'autant plus que je ne te demande pas d'accomplir une tâche bien désagréable, que je sache. Simplement t'occuper de notre hôte pendant un jour et demi.

Une jeune secrétaire s'approcha timidement du trio.

– Excusez-moi de vous déranger, monsieur Steenfort, mais Mme Latour m'a dit de vous informer que M. Janssenne vous attend dans votre bureau.

– Très bien, j'arrive. Je reviens tout de suite, mister Fenton. En attendant, voyez avec Galibier, notre directeur de fabrication, comment nous procédons à la garde en fermentation basse. Ah, oui, tant que j'y pense... Mercredi, nous tenons notre assemblée générale. Je suppose que vous aimeriez y assister ?

– Heu..., *yes*, naturellement.

– Parfait. Mais je vous préviens : cela risque d'être agité. À tout à l'heure.

Et plantant là les deux jeunes gens, il s'éloigna à grandes enjambées vers les bureaux, martelant le sol dallé de sa canne.

Fenton se tourna vers Marianne. Ni beau ni laid, il avait de grands yeux bleu pâle qui, pour l'instant, lui donnaient l'expression d'un cocker regardant sa maîtresse après avoir fait une bêtise.

– Je... je souis *very sorry*, mademouaselle. Je ne voulais pas...

– Que vous l'ayez voulu ou non, le résultat est le même, le coupa sèchement Marianne. Mon week-end est fichu.

– Vous savez, je peux très bien me débrouiller tout seul et...

– Rien du tout. Vous l'ignorez sans doute encore, mais une demande de M. Adrien Steenfort est un ordre qu'on ne discute pas. À samedi, monsieur l'Anglais.

– Écossais.

– Pardon ?

– Je souis Écossais, pas Anglais. D'Aberdeen.

– Eh bien, j'espère que vous n'oublierez pas de mettre votre petite jupe pendant notre week-end touristique. Comme ça, il y aura au moins une chose qui me fera rire.

Et sur cette réplique acerbe, Marianne tourna les talons et sortit de la salle.

Maxime Janssenne, comme la plupart des détectives privés, était un ancien inspecteur de police. Et comme la majorité de ses confrères, quatre-vingt-dix pour cent de ses activités consistaient à traquer des épouses ou des époux adultères. Le genre de mission que lui avait confiée Adrien Steenfort relevait des dix derniers pour cent ; à savoir retrouver une personne disparue. Dans le cas présent, il s'agissait d'un homme qui s'était évanoui dans la nature quinze ans auparavant.

– Cela fait des années que vous payez mon agence pour rien, monsieur Steenfort. Vous perdez votre temps et votre argent. Ou plutôt *mon* temps et votre argent.

C'était un homme au visage aussi fatigué que son trench-coat, qui s'efforçait visiblement de ressembler à Humphrey Bogart sans avoir aucune chance de jamais y parvenir.

– Ça, c'est mon problème, monsieur Janssenne, grogna Adrien assis dans son fauteuil directorial au dernier étage des brasseries Steenfort. Où en êtes-vous ?

– Nulle part, c'est ce que je me tue à vous dire. J'ai multiplié mes recherches dans les anciens et nouveaux milieux d'extrême droite, tant en France qu'à l'étranger. Aucune trace de Léopold Garcin depuis 1935. Je suis certain qu'il est mort depuis longtemps.

— Dans ce cas, vous auriez retrouvé sa tombe.

— S'il en a une. Des milliers de gens ont disparu sans laisser de trace pendant la guerre et après la Libération. Votre Garcin était de toute évidence un fieffé salopard et vous n'êtes certainement pas la seule personne qui avait de bonnes raisons de lui en vouloir. Quelqu'un a très bien pu lui régler discrètement son compte avant de le balancer à la flotte, les pieds dans un bloc de ciment.

— Ça, c'est vous qui le dites, monsieur Janssenne. Et moi, je veux que vous poursuiviez vos recherches.

— Très bien, soupira Janssenne en se levant. Après tout, c'est votre argent.

— Parfaitement, monsieur Janssenne, c'est mon argent. Et avec cet argent, je veux que vous retrouviez Léopold Garcin. Je veux que vous retrouviez l'homme qui a tué mon fils !

2

Isaac Wolff, comptable de formation, travaillait aux Brasseries Steenfort depuis 1938 et avait été un des premiers Juifs à bénéficier, avec son épouse et sa fille, de la filière du « commandant Charles » pendant l'Occupation. Il se souviendrait toujours de l'angoisse des trois jours qu'ils avaient passés, recroquevillés dans une cache aménagée sous le charbon d'un tender, tandis que des trains successifs les emmenaient, avec la complicité du réseau bien organisé des cheminots, du nord de la France jusqu'à la frontière espagnole. De là, avec l'argent et les faux papiers d'identité fournis par Adrien, ils avaient pu traverser la péninsule Ibérique et gagner l'Afrique du Nord où ils n'eurent plus qu'à attendre paisiblement la victoire alliée. De retour à Lille, Wolff avait retrouvé son emploi à la brasserie dont il était devenu depuis le directeur financier. Inutile de préciser qu'il vouait une reconnaissance aveugle à celui qui les avait sauvés, lui et les siens.

Wolff détestait ces assemblées générales où son patron affrontait l'hostilité croissante des actionnaires auxquels il ne payait plus de dividendes depuis des années. Il détestait surtout le principal d'entre eux, le banquier Duponcet, suant de graisse et de hargne, qui avait été un collaborateur et un antisémite notoire et n'avait dû qu'à sa fortune de ne pas se retrouver plus de quinze jours en prison à l'issue des jugements de 1945 et 1946. En soupirant, il vérifia que la grande salle de réunion était en ordre, que les portraits de Charles Steenfort et du président Vincent Auriol pendaient bien droit et que, devant chaque fauteuil autour de la longue table, se trouvaient une copie du dernier bilan ainsi qu'un bloc de papier vierge et un de ces nouveaux stylos-billes qui tachaient les doigts d'encre bleue. Tout était en place ; le cirque semestriel pouvait commencer.

Adrien, assis en bout de table, présidait. À sa droite, Mme Latour, sa secrétaire, stylo décapuchonné, s'apprêtait à faire le rapport de l'assemblée. Venait ensuite Galibier, le directeur de fabrication. Puis Frédéric Lebrun, gendre du patron et cadre permanent, dont personne ne savait au juste quelles étaient les fonctions exactes. Le président avait installé Michaël Fenton à sa gauche après l'avoir présenté à l'assistance. Isaac Wolff, dont c'était d'ordinaire la place attitrée, avait donc reculé d'un fauteuil.

Le reste des places était occupé par les actionnaires, banquiers pour la plupart, dont Bachelard et Deroisy, qui faisaient déjà partie du conseil de direction avant 1934. Ainsi, bien sûr, que Gérard Duponcet, lequel affichait sa mine des mauvais jours.

Après l'affaire des élections municipales de septembre 1934 et l'incendie qui en avait été la conséquence, Adrien avait rompu tout contact avec le gros banquier. Mais il n'avait pu empêcher que, selon une des clauses du contrat qu'il avait signé, les quinze millions empruntés à l'époque à la banque Duponcet soient automatiquement convertis en participation au capital de la société anonyme qu'il avait créée. Sans savoir que les cinq pour cent détenus à présent par Duponcet dans les Nouvelles Brasseries Steenfort SA appartenaient en réalité à une certaine Régine Texel.

— Messieurs, entama Adrien après avoir frappé le parquet de sa canne pour réclamer le silence, je vous remercie d'être venus assister à notre assemblée générale. M. Wolff, notre directeur financier, va vous donner lecture de notre rapport d'activité. Monsieur Wolff, s'il vous plaît...

Wolff se leva, quelques feuillets à la main, et toussota pour s'éclaircir la voix.

— Hem... ahem... Avec cinq millions deux cent mille hectos produits l'année dernière, filiales nationales comprises, les brasseries Steenfort ont conforté leur position de premier brasseur de France. En consolidant ces résultats avec ceux de nos brasseries de Belgique, d'Algérie, de Tunisie, et d'Afrique, ainsi que de notre nouvelle unité de Barcelone, nous arrivons à un chiffre d'affaires global de cinq milliards sept cents millions de francs [1].

Après quelques grognements divers dans le groupe des actionnaires, Wolff poursuivit.

— Le seul point négatif de ce bilan d'activité est l'échec de la *Joanne*, la bière de luxe créée par M. Steenfort avant la guerre, qui ne semble plus trouver les faveurs du public auquel elle était destinée.

Sans se lever, Adrien enchaîna.

— J'ai d'ailleurs chargé notre directeur de fabrication ici présent de développer un nouveau produit qui corresponde mieux aux goûts de la bourgeoisie actuelle. Par ailleurs, je suis sur le point de signer un accord de distribution réciproque avec les Fenton Breweries, un important brasseur écossais, dont les bières de fermentation haute pourraient trouver chez nous un marché qui...

— Tout ça, c'est bien joli, interrompit brutalement Duponcet. Mais quand toucherons-nous nos dividendes? Des dividendes auxquels nous n'avons plus eu droit depuis 1938; depuis douze ans!

— Monsieur Duponcet, répliqua calmement Adrien. Avez-vous vu la valeur qu'ont prises vos actions de notre SA depuis ces douze ans?

— Une valeur de bilan, monsieur Steenfort. Une valeur sur le papier. Mais nous aussi, nous avons des actionnaires, figurez-vous. Nous aussi, nous devons rendre des comptes. Quand vous avez créé votre société anonyme en 1935, nous avons accepté de transformer nos créances en participations dans votre entreprise. Mais c'était avec l'espoir légitime d'en

---

1. Anciens francs 1950; huit cents millions de francs actuels.

toucher notre part des profits. Or, il n'en est rien. Comment devons-nous expliquer à *nos* assemblées générales que nous laissons depuis tant d'années les titres Steenfort dormir dans notre portefeuille sans qu'ils ne nous rapportent un centime ?

– En leur parlant du plan Marshall, monsieur Duponcet. En leur parlant du traité de Paris qui vient de jeter les premières bases d'une Europe unifiée en instituant la Communauté économique du charbon et de l'acier. En leur expliquant que nous sommes à l'aube de la plus grande mutation économique que le monde ait jamais connue et que c'est maintenant, *maintenant*, qu'il faut semer pour récolter plus tard. Vous ne touchez pas vos dividendes parce que je les *investis*, monsieur Duponcet. Je les investis dans l'avenir. Je les investis pour moi comme pour vous. Dans cinq ans, les actions des Nouvelles Brasseries Steenfort vaudront le double de ce qu'elles valent aujourd'hui.

– Vous oubliez que nous sommes des banquiers, intervint Bachelard. Pas des gérants de maisons de jeu. Êtes-vous certain de ne pas voir trop grand ? Si j'en crois votre bilan, vous êtes sur le point de dépasser la limite de vos possibilités financières. Parce qu'en plus des profits que vous investissez dans l'avenir, comme vous dites, vous nous avez, à tous ici présents, emprunté de fortes sommes pour racheter ou construire je ne sais combien de brasseries en Europe et en Afrique.

– Emprunts sur lesquels je vous paie des intérêts, monsieur Bachelard, rappela Adrien.

– Certes. Mais pendant combien de temps en serez-vous encore capable si vous vous obstinez de la sorte à poursuivre vos rêves de grandeur, monsieur Steenfort ?

Duponcet se mit à taper du pied en scandant sur l'air des lampions :

– Nos-divi-dendes ! Nos-divi-dendes ! Nos-divi-dendes !

Aussitôt imité par les autres actionnaires qui semblaient être revenus sur leurs bancs d'écoliers tandis que Mme Latour, un peu affolée, interrogeait son patron du regard pour savoir ce qu'elle devait noter de cette manifestation. Quant à Michaël Fenton, il se demandait visiblement dans quel *happening* il était tombé.

— Nos-divi-dendes! Nos-divi-dendes! Nos-divi-dendes!

Adrien frappa violemment le plancher de sa canne.

— Un peu de tenue, messieurs, s'il vous plaît! Vous voulez vos dividendes? Soit. L'assemblée générale est souveraine, passons au vote.

Duponcet extirpa sa lourde masse de son fauteuil pour se mettre debout.

— Ce vote serait une comédie, Steenfort, et vous le savez fort bien. Avec les procurations de vos filles, vous gardez la majorité de décision, quoi qu'il arrive et au mépris de la loi sur les sociétés anonymes. Vos assemblées générales sont des farces, votre conseil d'administration n'est qu'une farce, et je ne supporterai pas une minute de plus d'en être le dindon.

« Tu en as pourtant l'allure, gros bouffi », songea Adrien tandis que les autres actionnaires se levaient à leur tour. Duponcet se retourna sur le seuil de la porte, tendant un doigt tremblant d'une colère savamment étudiée en direction d'Adrien.

— Seulement, je vous préviens, cracha-t-il haineusement. L'heure de votre chute va bientôt sonner. Adieu, Steenfort, je vous aurai prévenu!

Et il sortit le plus dignement que sa corpulence le lui permettait, aussitôt suivi par ses confrères en file indienne.

Michaël Fenton tourna vers Adrien un regard intrigué.

— Ça se passe toujours comme ça?

— Toujours, sourit Adrien en s'efforçant d'avoir l'air rassurant. C'est sans importance. J'ai le contrôle de l'entreprise et je sais ce que je fais.

— Je l'espère, marmonna Wolff entre ses dents.

— Je vous demande pardon, monsieur Wolff?

— Rien, monsieur, rien, s'empressa de dire le directeur financier en rassemblant ses papiers.

Adrien se leva à son tour en prenant appui sur sa canne.

— Parfait. Notre petite réunion est terminée. Galibier, venez avec moi, j'ai à vous parler. Wolff, vous voudrez bien vous occuper de M. Fenton. Et... ah, oui, Frédéric, tant que j'y pense...

Son gendre se leva d'un bond, son visage bronzé barré d'un sourire de bonne composition.

– Oui, monsieur ?

– Demain, l'Union des brasseurs hollandais organise un symposium à Rotterdam. Je voudrais que vous y assistiez.

– C'est que... demain, j'avais pris congé, monsieur.

– Encore un de vos tournois de tennis, je suppose ? Je ne vous paie pas pour jouer à la balle, mon ami, même si vous vous débrouillez mieux avec une raquette qu'avec un plan comptable. J'ai dit : demain. Et je veux votre rapport sur mon bureau samedi matin à la première heure.

Puis il quitta la salle de réunion, laissant Frédéric grimacer d'amertume.

Le salaire de Fabien Devallée n'était pas mirobolant et il devait se contenter d'un deux-pièces-cuisine près du centre-ville, non loin de l'église de Notre-Dame-de-la-Treille, au quatrième étage sans ascenseur. Les murs de la pièce princi-pale et de la petite chambre à coucher étaient décorés d'affiches d'expositions, de reproductions d'impressionnistes et de masques africains, le tout dans un grand désordre de livres d'art ou d'histoire empilés un peu partout. Marianne aimait ce petit appartement. Pas seulement parce que c'était celui de Fabien, mais aussi parce qu'il était à l'opposé de la maison trop bien tenue de son père et symbolisait donc, en quelque sorte, l'évasion hors des règles strictes du carcan bourgeois.

Comme beaucoup d'hommes après l'amour, Fabien fumait une cigarette au lit, allongé sur le dos, tandis que Marianne caressait les poils de sa poitrine. La jeune fille ado-rait ces poils, pas trop abondants, qui ajoutaient à l'allure virile de son amant. Quoique, ce jour-là, elle fût de fort méchante humeur.

– Ce n'est pas la fin du monde, mon poussin, tenta de la calmer Devallée. On remettra ça à un autre week-end, c'est tout.

– Et tu vas en inventer combien, comme ça, des sémi-naires d'art antique ? C'est maintenant que je voulais passer ce week-end avec toi. Maintenant. Si au moins ce maudit Écossais pouvait s'étouffer dans son kilt...

De sa main libre, Devallée la prit par les épaules et la serra contre lui en souriant.

— Calme-toi, voyons. Ça ne sert à rien de t'énerver.

— Si, Fabien, ça sert à quelque chose. Dans moins de quatre mois, le 5 juillet, j'aurai vingt et un ans. Je serai majeure et mon père n'aura plus rien à me dire.

— Tant qu'il t'entretiendra et te paiera tes études, il aura toujours quelque chose à te dire, mon poussin. Qu'est-ce qu'il t'a fait, ton père, pour que tu lui en veuilles à ce point? Ce n'est tout de même pas cette histoire de week-end?

— Ce qu'il m'a fait!? explosa Marianne en se redressant. Rien, justement. Il n'a jamais rien fait pour moi... Je ne suis pas son fils, tu comprends? Son cher petit garçon, l'héritier du nom, qu'il n'arrête pas de pleurer depuis seize ans. Je ne suis qu'une fille, une quasi-servante à qui on veut bien laisser faire des études parce que, de toute façon, on ne peut pas compter sur elle pour reprendre les affaires de papa. Et tant mieux, d'ailleurs. Car sa maudite brasserie, je n'en ai rien à foutre! Rien à foutre!

Les larmes aux yeux, elle serrait les poings de rage. Puis, d'un seul coup, elle se laissa retomber contre le torse de Devallée. Celui-ci se hâta d'écraser sa cigarette dans le cendrier de sa table de nuit.

— Ne te mets pas dans des états pareils, mon poussin, ça n'en vaut pas la peine. L'année prochaine, tu auras ta licence. Puis, tu feras archéo. Et j'essaierai de nous trouver une mission en Syrie ou ailleurs.

— Nous?...

— Oui, nous. Je connais quelqu'un, à Paris, qui pourrait m'introduire auprès du professeur Mortier. Tu sais, le grand archéologue. En étant persuasif, je pourrais peut-être le convaincre de nous prendre dans une de ses équipes dès que tu auras ton diplôme.

Sa colère subitement envolée, Marianne le couvrit de baisers.

— Tu pourrais faire ça? Oh, Fabien, ce serait merveilleux!... Je t'aime, mon chéri, je t'aime, je... Oh, mon Dieu, six heures moins le quart! Je vais rater mon dernier train...

S'arrachant aux bras de son amant, elle bondit hors du lit et s'habilla à la hâte sans cesser de parler.

— On se revoit quand? Demain? Ah, non, demain il y a la conférence de Verdière. Impossible de la sécher, celle-là. Vendredi?

— Vendredi, j'ai cours toute la journée, tu le sais bien.

— Zut, c'est vrai. Alors, après le week-end, mardi. Mardi, ici, à 13 heures, d'accord?

— Évidemment que je suis d'accord, mon poussin. Viens m'embrasser avant de t'enfuir.

Elle obtempéra fougueusement, puis ramassa ses livres de cours et marcha vers la porte.

— Et fais attention en sortant, ajouta Devallée sans bouger de son lit. Un prof qui couche avec une de ses étudiantes, mineure de surcroît, c'est plutôt mal vu en province.

— Tu me dis ça chaque fois. D'accord, je ferai attention. Adieu, mon amour.

— Adieu, ma petite fée. Et bon courage avec ton Écossais.

— Salaud!

Mais en sortant de l'immeuble, Marianne ne fit pas attention. Pas assez en tout cas pour voir Jackie qui l'observait du trottoir d'en face, dissimulée dans l'encoignure d'une porte cochère.

Assis sur son tabouret, dans l'obscurité du réduit au deuxième sous-sol de l'ancienne brasserie en ruines, Adrien soliloquait face à la plaque de pierre bleue scellée dans le mur.

— Tu aurais dû les voir, acharnés à réclamer leurs dividendes..., pires que des enfants réclamant leurs bonbons. Avec Duponcet, le plus excité de tous. Ce cher Duponcet... Tu te souviens de lui, naturellement. Se racheter une vertu après la Libération lui a coûté cher, très cher. Et sa banque est en difficulté. C'est pour ça qu'il a besoin de l'argent des dividendes. Je n'ai pas pu l'empêcher de devenir actionnaire et il voudrait bien avoir ma peau, je le sais. Mais c'est moi qui aurai la sienne, à ce sale collabo. Ah, c'est vrai, tu ne sais pas ce que c'est qu'un collabo. Tu n'as pas connu la guerre, l'Occupation, avec les Allemands chantant *heili heilo* au pas cadencé dans nos rues... Je t'ai raconté tout ça chaque soir, bien sûr, mais tu ne l'as pas connu, tu ne l'as pas vu de tes yeux...

Il se baissa pour ramasser la gamelle et la bouteille d'eau qu'il avait apportées. Elles étaient vides et il les remit dans son filet.

— Heureusement, tout cela est fini, à présent. C'est passé, c'est loin. Aujourd'hui, il faut penser à demain, à l'Europe de demain, au monde de demain. Et dans ce monde-là, je serai le plus fort. C'est tout ce qu'il me reste, à présent : la rage d'être le plus fort. Adrien Steenfort, le premier brasseur d'Europe ! Tu verras, tu seras fier de moi...

Son filet à la main, il se leva et actionna sa lampe électrique.

— À demain.

Dans le bureau du directeur financier, Michaël Fenton s'efforçait de comprendre quelque chose aux livres comptables que Wolff lui avait donnés. Celui-ci observait en souriant le jeune Écossais suivre du doigt les colonnes de chiffres en remuant silencieusement les lèvres.

— C'est vrai que votre société semble pas mal endettée, remarqua Michaël en redressant la tête. Ça ne vous inquiète pas ?

— Un bon directeur financier doit toujours être inquiet, monsieur Fenton. C'est son rôle. Mais M. Steenfort a raison : la conjoncture est particulièrement favorable pour investir dans le développement.

— Ce qui n'a pas l'air de faire plaisir à vos actionnaires. Mais je n'ai pas bien compris cette histoire de procuration des filles de M. Steenfort. Il n'a pas la majorité à lui tout seul ?

Wolff se leva et se dirigea vers un tableau noir qui occupait un des murs du bureau.

– Je vais vous expliquer, c'est très simple...

Il prit une craie et traça quelques lignes sur le tableau :

Juliette S.	*30 %*
Adrien S.	*25 %*
Marianne S.	*5 %*
Autres actionnaires	*40 %*

– Juliette, la fille aînée, qui était propriétaire de l'ancienne brasserie, s'est retrouvée avec trente pour cent de la société créée en 1935 et M. Steenfort avec trente autres pour cent ; le reste étant réparti en une quinzaine d'actionnaires tiers.

– Mais pourquoi M. Steenfort a-t-il donné cinq de ses trente pour cent à son autre fille ? interrogea Michaël, le front plissé pour mieux se concentrer.

– Parce que la loi sur les sociétés anonymes interdit à tout actionnaire de disposer de plus de vingt-cinq pour cent des voix à l'assemblée générale, quel que soit le nombre de ses parts [1]. En donnant ces cinq pour cent à Marianne, et en ayant la procuration de ses deux filles, M. Steenfort, qui dispose de cinquante-cinq pour cent des voix, est donc assuré d'avoir toujours la majorité en cas de vote. Ce qui est une pratique assez courante dans les sociétés créées par les grandes familles d'industriels.

– Je crois que j'ai compris, sourit le jeune Écossais. À propos de Marianne, est-ce que vous sauriez, par hasard, si elle a un fiancé ?

Le directeur financier sourit à son tour.

– Pas à ma connaissance, monsieur Fenton. Pourquoi ? Vous seriez candidat ?

---

1. En 1950. Pour éviter, précisément, que le pouvoir de décision dans une SA puisse être détenu par une seule personne. Cette restriction, qui était de toute façon détournée de la manière décrite ci-dessus, a été modifiée depuis.

Adrien avait mis une Renault avec chauffeur à la disposition de Marianne et de Michaël Fenton pour le week-end. Après une assez brève visite de Lille, la jeune fille avait emmené son « client » à Bourg-d'Artois, berceau de la famille Steenfort. Peu désireuse de passer devant les ruines qui lui faisaient horreur, elle fit arrêter la voiture devant la brasserie de son grand-père.

— La brasserie Chevalier a été fondée en 1770, sous le règne de Louis XV, par un certain Émile Chevalier, qui était cabaretier. À l'époque, pratiquement chaque village du nord de la France et des Ardennes avait sa brasserie, et même parfois plusieurs.

Le jeune Écossais buvait ses paroles comme il l'eût fait des Évangiles.

Ils pénétrèrent dans le bâtiment par l'entrée principale. Quoiqu'on fût samedi après-midi, la petite salle de brassage bruissait d'activité car, dès l'annonce du printemps, on y travaillait sept jours sur sept par roulements.

Marianne continuait à retracer l'historique de la brasserie presque deux fois centenaire, quand un grand bonhomme à casquette bleue et favoris touffus s'approcha d'eux en souriant.

— Heureusement qu'on a une historienne dans la famille, lança-t-il joyeusement. Bonjour, Marianne. C'est gentil de nous faire une petite visite.

La jeune fille lui rendit son sourire.

— Bonjour, Marcel. Je voulais montrer votre brasserie à M. Fenton, un futur associé de mon père.

— Le fils d'un futur associé, rectifia Michaël en serrant la main du contremaître. Vous avez une bien belle brasserie, monsieur Marcel.

Le bonhomme lui tapa familièrement sur l'épaule et l'entraîna vers un petit comptoir soutenu par des tonneaux aménagés près de l'entrée, tandis que Marianne allait saluer quelques ouvriers et ouvrières qu'elle connaissait depuis toujours.

— Venez donc goûter notre Spéciale Bourg, monsieur Fenton. Vous m'en direz des nouvelles.

Passant derrière le comptoir, il remplit à un tonnelet en perce deux verres à anse d'une bière brune aux reflets légèrement orangés.

— Au milieu du dix-neuvième siècle, reprit-il, Chevalier produisait jusqu'à soixante mille hectos par an ; ce qui était énorme compte tenu du nombre élevé de brasseries à l'époque.

— Et aujourd'hui ? interrogea Michaël en prenant le verre qu'on lui tendait.

— Quarante mille, ce qui n'est déjà pas si mal pour une brasserie restée artisanale. Allez, à votre santé !

Les deux hommes burent quelques gorgées.

— Mmh..., elle est bonne, apprécia le jeune Écossais. Elle ressemble à nos Old Ales. Combien de degrés ?

— Cinq et demi. C'est pour ça que nous avons droit à l'appellation de « spéciale ». On pourrait faire plus, mais le patron ne veut pas.

— Le patron ?

— Mon grand-père, Noël Steenfort, répondit Marianne à la place du contremaître en revenant vers eux. Albert Chevalier, le petit-fils d'Émile, n'avait qu'une fille, Élise. Et Élise a épousé mon arrière-grand-père, Charles Steenfort, qui était revenu ici, dans son village natal, après avoir été novice dans une abbaye des Ardennes, à Saint-Arnould.

— Un moine défroqué, rit Marcel. Vous vous rendez compte ?

— Arrêtez, Marcel ! Charles n'était pas moine, il n'avait pas prononcé ses vœux.

— Bah, c'est la même chose...

— Non, ce n'est pas la même chose. Toujours est-il que Charles et Élise ne pouvaient pas avoir d'enfants et qu'ils avaient adopté un neveu de Charles, Noël, à la mort de ses parents.

— Et c'est comme ça que M. Noël est toujours propriétaire de la brasserie, compléta Marcel, qui avait déjà vidé son verre de Spéciale Bourg. Même si c'est M. Adrien qui s'occupe des comptes. Je vous sers une chopine, Marianne ?

— Non merci, Marcel. Je voudrais aller embrasser mon papy. Je suppose qu'il est sur le quai de chargement ?

— Comme tous les après-midi. Pauvre M. Noël... Il n'est plus le même depuis la..., depuis le décès de Mme Margrit.

— Aucun de nous n'est resté le même, Marcel, fit tristement la jeune fille. Aucun de nous.

Michaël s'empressant de la suivre, Marianne passa sur le quai de chargement. Noël s'y trouvait à sa place habituelle, assis dans un fauteuil pliant contre le mur ouest de la brasserie, une couverture sur les genoux. Mais le vieillard s'était endormi. Elle l'embrassa doucement sur le front, sans le réveiller.

Les deux jeunes gens allèrent à pied jusque *Chez Léon,* distant de quelques centaines de mètres.

— Vous avez toujours vécu ici, miss Steenfort ?

— Oui, répliqua sèchement Marianne.

Depuis qu'elle l'avait pris en charge à Lille, elle ne lui avait pas accordé l'aumône d'un seul sourire, et le jeune Écossais se demandait comment se racheter aux yeux de cette jeune fille dont il était tombé amoureux dès le premier regard.

— Avec votre père ? insista-t-il.

— À partir de mes douze ans, oui. Avant, j'habitais chez mes grands-parents, juste à côté de la Brasserie Chevalier.

— Ça ne doit pas être facile tous les jours. M. Steenfort me paraît être un homme très... *how do you say that ?*... exigeant, très exigeant.

— Non, ce n'est pas facile tous les jours. Mais ça ne vous regarde pas, monsieur Fenton.

Combiné à ses cheveux carotte, le fard qu'il piqua offrait un assortiment de couleurs assez surprenant.

— *I... I am sorry...,* je ne voulais pas...

— Alors, ne le faites pas.

En dépit de la fraîcheur de cette après-midi des premiers jours du printemps, quatre vieux jouaient aux cartes à l'une des tables de la terrasse du café. Ils saluèrent vaguement Marianne de la main tandis qu'elle et Michaël prenaient place à l'une des autres tables. Averti par son sixième sens professionnel, Florent Lemaître apparut aussitôt, son gros ventre ceint d'un tablier.

— Tiens, des amoureux! Ça va me changer de mes retraités. C'est ton nouveau fiancé, Marianne?

— Perdu, Florent. M. Fenton est une relation d'affaires de mon père à qui je fais découvrir la région.

— Tant pis pour vous, jeune homme. Cette demoiselle est le plus beau parti du département. Si j'avais quarante ans et quarante kilos de moins... Bon, qu'est-ce que je vous sers? Une Steenfort?

— Je goûterais bien une *Joanne*, si c'est possible, fit Michaël.

— Mais c'est possible, jeune homme, c'est possible, il doit m'en rester quelques bouteilles. Ici, vous comprenez, la bière de luxe en bouteilles, ça ne se vend pas fort. Et toi, Marianne?

— Un Coca-Cola. Avec une rondelle de citron.

— Ah, cette nouvelle mode des boissons américaines!...Tu n'aimes toujours pas la bière?

— Tu sais très bien que je n'en raffole pas.

Le patron du café disparut à l'intérieur et Michaël toussota pour s'éclaircir la voix.

— Vous... ahem... vous avez un fiancé, miss Steenfort?

— Mais non, voyons, fit Marianne avec agacement. Florent plaisantait.

— Ah, oui, l'esprit français. L'amour, toujours l'amour...

— C'est ça, oui, l'esprit français.

Marianne regarda discrètement son bracelet-montre. Encore une heure et demie à tirer avant de retourner à Lille où son père les avait invités à dîner au restaurant. Quelle barbe! Toute une après-midi à traîner cet empoté de rouquin, et ce soir on ne parlerait que de brasseries, de bières et de marché. Demain dimanche, rebelotte. Avec en prime le déjeuner mensuel chez sa sœur. Dire qu'elle aurait pu passer le week-end à se promener la main dans la main avec Fabien sur les plages de Wissant et passer une nuit entière avec lui. Que Dieu foudroie l'Écosse et tous les Écossais!

Florent revenait avec les consommations.

— Et voilà ! À votre santé, les enfants !

Tandis que la jeune fille faisait mousser son Coca-Cola avec le citron, Michaël versa le liquide ambré de sa bouteille de *Joanne* dans son verre. Il en but une gorgée et fit semblant d'être enthousiasmé.

— Mmh... délicieuse. Elle est encore plus forte que la Spéciale Bourg, non ?

— Six degrés et demi. C'est marqué sur l'étiquette.

Un ange passa. Et repassa.

— Heu... miss Steenfort...

— Oui ?

— Je... j'ai un aveu à vous faire.

— Vous n'avez pas voulu mettre votre kilt. Je sais, j'ai vu.

— Non, ce n'est pas... Voilà, je... C'est comme vous : je n'aime pas la bière.

Elle le regarda, étonnée, le sourcil levé.

— Et je déteste tout ce qui touche à la brasserie et au business en général, acheva-t-il d'un ton d'adolescent à confesse.

— Dans ce cas, qu'est-ce que vous êtes venu faire chez nous ?

— La même chose que vous, miss Steenfort : obéir à mon père. C'est notre deuxième point commun, *isn't it* ?

Ils se dirigèrent lentement vers la voiture qui les attendait sur la place devant l'église.

— Votre père m'a dit que vous faisiez une licence en histoire. Vous voulez être professeur ?

— Non, archéologue. Et vous ?

— Oh, moi... Si je vous le dis, vous promettez de ne pas vous fouter de moi ?

Marianne lui sourit pour la première fois.

— Je jure solennellement de ne pas me « fouter » de vous, monsieur Fenton.

— Voilà, je... je voudrais écrire des *musicals*, des comédies musicales. Vous ne riez pas ?

— Pas le moins du monde. Je trouve ça formidable, au contraire. Et je pense que vous devriez vous y mettre sans attendre d'avoir quarante ou cinquante ans.

Le jeune Écossais fit la grimace.

— On voit que vous ne connaissez pas sir Roderick, miss Steenfort. Je suis son seul héritier, vous savez. Et il compte sur moi pour reprendre les Fenton Breweries.

— Envoyez-le promener, voyons. Vous êtes majeur, vous. Vous avez le droit de faire ce que vous voulez de votre vie.

— C'est plus facile à dire qu'à faire. On n'envoie pas promener sir Roderick comme ça. Et puis, je n'ai pas de quoi vivre.

Marianne s'arrêta pour le regarder gravement.

— Je ne sais plus quel philosophe a dit : « À la fin de sa vie, l'homme qu'on sera devenu devra rendre des comptes à l'homme qu'on aurait pu être. » Il ne faut pas que l'addition soit trop lourde, Michaël.

— Oh...

— Quoi ?

— Vous m'avez appelé Michaël.

— Vraiment ?

— Je vous assure... Marianne.

— Alors, allons-y pour Michaël, puisque je l'ai dit. Bon, il est temps de rentrer à Lille, mon père nous attend à 19 h 30. Il vous a dit pour demain midi ?

— Non, quoi ?

— Vous êtes invité à déjeuner chez ma sœur. Comme ça, vous connaîtrez toute la famille. Vous aimez le tennis ?

— Je préfère le cricket. Pourquoi ?

— Parce que vous devrez probablement écouter les exploits tennistiques de mon beau-frère. Et c'est encore pire que de parler de bière et de brasseries.

Marianne avait raison, songea Michaël en écoutant Frédéric Lebrun lui raconter pour la deuxième fois en un quart d'heure comment il avait atteint le niveau B15 vingt ans auparavant. Ravi d'avoir un nouvel auditeur, le mari de Juliette était intarissable sur ses exploits, ponctuant son récit de coups droits liftés, de lobs, de revers slicés et autres reprises de volée. C'était encore pire que la brasserie, par saint Georges !

La famille Steenfort au grand complet prenait l'apéritif au salon en attendant de passer à table, tandis que les deux plus jeunes enfants de Juliette, qui avaient déjà mangé à la cuisine, jouaient dans le jardin de la belle villa à deux étages. Leur verre de vin cuit à la main (une horreur, estima Michaël), Adrien parlait avec Noël assis dans le canapé, Marianne bavardait avec sa sœur et Michaël écoutait Frédéric. Quant à Christian, le fils aîné de la maison, il se tenait seul dans son coin, à son habitude, regardant sombrement autour de lui sous ses épais sourcils noirs qui se rejoignaient au-dessus de son nez.

Christian Lebrun, âgé de quinze ans, savait depuis longtemps que Frédéric n'était pas son père. Ses camarades d'école, instruits par leurs parents, s'étaient comme il se doit empressés de le lui apprendre, ricanant tandis qu'ils le montraient du doigt. Le garçon, en larmes, avait alors interrogé sa mère sur ce Léopold Garcin que la rumeur lui attribuait comme père. Mais Juliette, tout en reconnaissant à regret un fait qu'elle aurait préféré oublier, était restée plus qu'évasive sur la personnalité de l'homme qui l'avait séduite à dix-sept ans. Quant à savoir ce qu'il était devenu, elle lui dit, ce qui était la vérité, qu'elle n'en avait pas la moindre idée. Depuis, Christian en voulait au monde entier de ne pas être comme les autres. À sa mère pour la faute dont il était le fruit. À Frédéric, qui l'avait pourtant élevé comme s'il était son fils. À son frère et à sa sœur d'avoir, eux, un vrai père. À Marianne, qui semblait toujours l'ignorer. Et surtout à Adrien, ce grand-père qui n'avait jamais caché son mépris pour « le bâtard ». Seul le vieux Noël échappait à sa vindicte silencieuse, sans doute parce qu'à ses yeux, le vieillard était déjà mort.

La bonne des Lebrun vint avertir Madame qu'on pouvait passer à table.

Au cours du repas, Adrien parla de ses projets avec les Fenton Breweries, Juliette aborda les problèmes scolaires des enfants, Marianne fit parler Michaël de l'Écosse et, surtout, on évoqua Margrit disparue depuis moins de quinze jours, ce qui fit pleurer silencieusement Noël dans son assiette. Comme la bonne apportait la traditionnelle compote de fruits du dessert, Adrien se leva.

– Tu ne prends pas de dessert, papa? s'étonna Juliette.

– Non. Je me sens un peu fatigué, je vais aller faire une petite sieste en haut. Inutile de m'attendre pour le café.

Il s'apprêtait à quitter la salle à manger quand la voix de Frédéric le retint.

– Ahem... monsieur Steenfort...

– Oui?

– Je voulais vous demander... à propos de votre accord avec les Fenton Breweries...

– Quoi donc?

– Qui va s'occuper de la commercialisation des bières Fenton en France?

– Delacroix, le directeur commercial. Pourquoi?

– Pourquoi pas moi? Delacroix est déjà surchargé de travail et...

– Vous!? le coupa Adrien avec un reniflement dédaigneux.

Frédéric se leva, sa serviette à la main, et contourna la table, son habituel sourire bon enfant éclairant son visage bronzé.

– Oui, moi, pourquoi pas? Ne me payez-vous finalement que pour assister à des symposiums à Rotterdam ou ailleurs?

Adrien eut un sourire de mépris.

– Je vous paie pour assurer un train de vie décent à ma fille, c'est tout. Et à propos de Rotterdam, j'ai le regret de vous dire que j'ai trouvé votre rapport parfaitement inconsistant.

Et il sortit de la pièce, plantant là Frédéric qui, après un moment de stupeur, jeta rageusement sa serviette par terre.

Pâle de colère, Juliette se leva brusquement, faisant tomber sa chaise, et courut derrière son père qu'elle rattrapa dans le vestibule comme il s'apprêtait à grimper les marches de l'escalier.

– Papa!...

– Quoi encore? maugréa Adrien en se retournant.

– Tu me le demandes!? Comment peux-tu nous humilier ainsi? Et devant un étranger, encore! Qu'est-ce que tu lui reproches, à la fin, à Frédéric?

— Rien d'autre que d'être ce qu'il est.

— Mais c'est mon mari! Le mari de ta fille!

— Je sais, laissa froidement tomber Adrien. Ça me coûte assez cher.

Juliette, le cœur battant d'indignation contenue, prit appui sur la rampe d'escalier.

— Tu as pourtant été bien content de le trouver quand tu m'as forcée à me marier pour éviter le scandale.

— Il est vrai que tu ne m'as pas laissé beaucoup de temps pour en trouver un meilleur.

Elle dut se retenir pour ne pas crier.

— Tu pourrais au moins faire l'effort d'accepter Frédéric tel qu'il est, avec ses qualités et ses défauts. Il n'est peut-être pas aussi brillant que toi, mais lui, au moins, il est gentil. Lui, au moins, il s'occupe de ses enfants et il les aime, Christian comme les deux autres. Et ça, tu ne peux pas en dire autant. Parce que toi, tu n'aimes personne. Pas plus tes filles que n'importe qui d'autre. À l'exception, bien sûr, de ce cher petit Charles dont tu portes toujours le deuil après seize ans. Charles, le garçon, l'héritier de ton nom, ce sale petit hypocrite qui faisait semblant de s'intéresser à ta maudite bière pour se mettre en valeur à tes yeux...

Paf! la gifle avait claqué.

Stupéfaite, Juliette se tint la joue tandis qu'Adrien, lui tournant le dos, montait les premières marches. La seconde d'après, hurlante, elle le retint par le pan de son veston.

— Espèce de salaud! Si tu ne m'avais pas volé ma brasserie avec tes magouilles de société anonyme, il y a longtemps que je t'aurais mis à la porte, Adrien Steenfort!

Les yeux fulgurants de colère, Adrien se retourna, le bras levé, prêt à frapper de nouveau, quand quelqu'un le plaqua comme au rugby, lui faisant perdre l'équilibre. C'était Christian. Durant deux secondes, le sexagénaire et l'adolescent se fixèrent avec autant de haine chez l'un que chez l'autre. Puis Adrien se releva en s'aidant de sa canne.

— Toi, le bâtard, ne t'avise plus jamais de me toucher!

Et il reprit sa montée. Christian voulut se précipiter derrière lui, mais Juliette parvint à le retenir.

Du seuil de la salle à manger, Marianne, Frédéric et Michaël avaient assisté à toute la scène. Noël, heureusement pour lui, s'était endormi sur sa chaise.

Le soir de ce même dimanche, Adrien, assis sur son tabouret dans le réduit du deuxième sous-sol de l'ancienne brasserie, soliloquait comme à l'accoutumée devant la plaque de pierre bleue.

— Je me suis une fois de plus disputé avec Juliette à cause de son empoté de mari. Ce n'est pas un cadeau, celui-là, mais je suppose que cela fait partie de la croix que je dois porter. Le jeune Fenton n'est pas mal, par contre. Un peu timide, sans doute, et peut-être pas aussi doué que son père, mais poli et bien élevé. Je me demande s'il a plu à Marianne. Elle avait l'air contrarié de devoir s'occuper de lui, probablement à cause de ce séminaire que je lui ai fait manquer. Il serait temps qu'elle s'intéresse un peu plus à mes affaires, ou alors qu'elle se trouve un mari qui s'y intéresse, sinon je ne vois vraiment pas qui va pouvoir me succéder. Toi, tu l'aurais bien voulu, n'est-ce pas? Mais tes mauvais anges en ont décidé autrement.

Il se leva et, prenant un moellon déposé sur le sol, l'encastra avec précision dans le trou noir ouvert dans le mur qui lui faisait face avant de se tourner d'un quart de tour vers l'épitaphe de son fils.

— Ah, Charles, mon Charles, si tu étais toujours là...

Puis il ramassa la gamelle et la bouteille vides et les remit dans son filet.

— À demain.

Marianne ne revit Michaël que le jeudi suivant. Il devait repartir pour Aberdeen le lendemain matin et l'avait suppliée de lui accorder cette dernière après-midi. Comme elle n'avait pas cours et que, somme toute, elle le trouvait attendrissant, elle avait accepté.

Plutôt que de visiter les musées et les monuments de Lille, ils se promenèrent dans le parc entourant la citadelle, qu'on

appelait et appelle toujours le bois de Boulogne. Ils y par-
lèrent de choses et d'autres qui leur tenaient à cœur. De leurs
pères respectifs. De leurs mères, qu'ils avaient tous deux per-
dues trop tôt. Des projets de Michaël dans le domaine de la
comédie musicale. Des espoirs de Marianne de faire un jour
partie d'une mission archéologique. Le jeune Écossais ne
parla pas de la secrétaire de son père, femme d'expérience
aux appas plantureux, qui le déniaisait régulièrement depuis
quelques années. Marianne ne fit pas mention de Fabien
Devallée.

Ne voulant pas manquer son train, Marianne raccompagna Michaël à son hôtel sur le coup de 17 heures, à
l'heure où les trottoirs s'encombraient d'employés pressés de
rentrer chez eux. Devant la porte de l'établissement, ils se
serrèrent la main.

— *Well*, fit le jeune homme. J'espère que nous nous reverrons quand nos chers papas auront signé leur fameux accord.

Marianne sourit.

— Sans doute. Et cette fois-là, n'oubliez pas d'amener
votre kilt.

— Promis, Marianne. Je...

— Oui ?

— Je ne sais pas comment...

Et là, sans avertissement, il la prit par les épaules, la serra
fort contre lui et lui plaqua un baiser goulu et maladroit sur
la bouche. C'était si inattendu que Marianne ne songea pas à
résister, se contentant d'ouvrir de grands yeux étonnés tandis
que le rouquin fermait les siens.

Puis, aussi soudainement, il s'écarta, rouge comme une
pivoine.

— Je... *I... I am sorry...*

Et il s'enfuit dans l'hôtel tandis que sa victime éclatait de
rire.

3

L'affaire débuta trois semaines plus tard, le mardi 18 avril, à 15 h 35 très exactement. Dans son vaste bureau du dernier étage, Adrien était au téléphone avec son détective privé.

– Comment ça, vous laissez tomber!? Qu'est-ce que ça signifie, monsieur Janssenne? (...) Ah, vous en avez assez de perdre votre temps. Mais je vous paie pour ça, monsieur Janssenne. (...) Bon, très bien, faites à votre guise, je trouverai un autre détective, ce n'est pas ça qui manque. (...) Non, monsieur Janssenne, je ne renonce pas. Je ne renoncerai jamais.

Il raccrocha rageusement. Mme Latour, sa secrétaire, entra dans le bureau après avoir frappé à la porte.

– Oui, qu'est-ce que c'est? aboya-t-il, encore furieux.

– Excusez-moi de vous déranger, monsieur, mais il y a M. Deroisy qui voudrait vous voir.

Deroisy. Un autre de ses banquiers de la première heure. Il venait sans doute, lui aussi, réclamer ses dividendes. Adrien se leva de mauvaise grâce pour l'accueillir.

Alfred Deroisy avait la corpulence et la barbiche d'Alain Bombard, ce médecin français qui allait se rendre mondialement célèbre deux ans plus tard en traversant l'Atlantique sur un canot pneumatique sans eau ni vivres, se nourrissant exclusivement de plancton et d'eau de mer filtrée. Adrien lui tendit la main en s'efforçant d'afficher un sourire cordial.

– Bonjour, cher ami. Ne me dites pas que vous venez une fois de plus me réclamer vos dividendes.

Le banquier prit la main tendue mais ne rendit pas le sourire.

– Je n'aurai bientôt plus ce souci, Steenfort.

– Ah... Que voulez-vous dire ?

– Que je vends.

– Ah... À qui ?

– Je l'ignore. L'offre m'a été faite par un courtier.

– Combien ?

– En valeur de bilan, mes titres Steenfort valent environ soixante-cinq millions. On m'en offre quatre-vingts [1].

Adrien retourna s'asseoir derrière son bureau, priant son visiteur d'en faire autant.

– Cela prouve que vous avez affaire à quelqu'un qui a du flair. Ne vendez pas, Deroisy.

– Je vends.

– Pourquoi ?

– Parce que j'en ai assez d'attendre. Et que quinze millions représentent un bénéfice nominal non négligeable. Si je suis venu vous en avertir, c'est parce que, conformément aux statuts, vous avez soixante-quinze jours pour exercer votre droit de préemption, votre droit d'achat prioritaire. À prix égal, bien entendu.

– Je vois, fit pensivement Adrien. C'est parfaitement correct de votre part, Deroisy. Mais je n'ai pas quatre-vingts millions à consacrer au rachat de quelques actions minoritaires de ma propre société. Comme vous le savez, j'ai d'autres projets en vue. Excusez-moi...

Le téléphone venait de sonner. Adrien décrocha.

– Oui ? (...) Qu'est-ce que c'est que cette histoire !? (...) Bon, passez-la-moi. Allô ? (...) Un instant, mademoiselle, qui êtes-vous ? (...) Non, je refuse de... (...) Quoi !? Mais qui êtes-vous, nom d'un chien !? Allô, mademoiselle ?...

Sa correspondante inconnue venait de lui raccrocher au nez. Pendant quelques secondes, Adrien regarda le téléphone

---

1. Neuf et onze millions deux cent mille francs actuels.

d'un air stupide. Puis, se levant d'un bond, il alla prendre son manteau et son chapeau qui pendaient à une patère près de la porte. Toujours assis, Deroisy le regardait sans comprendre.

— Que se passe-t-il, Steenfort ? Un problème ?

Sans répondre, Adrien ouvrit la porte.

— Hé, Steenfort, une seconde ! Alors ?...

Adrien se retourna sur le seuil de la porte ouverte, reprenant conscience de la présence de son visiteur.

— Hein ? Ah, oui... Vendez, Deroisy. Vendez, si ça vous chante, je m'en moque.

Et il le planta là, filant dans le couloir comme si sa vie en dépendait.

Dans l'encoignure de la porte cochère, Jackie sourit en voyant Adrien Steenfort sortir de sa voiture en face de l'immeuble de Devallée. Tout se déroulait comme prévu. Mais la partie la plus délicate restait à jouer.

Sa canne martelant les marches, Adrien escalada les quatre étages sans prendre le temps d'une halte, et il était fort essoufflé quand il sonna à la porte sur laquelle était écrit le nom de Fabien Devallée. Comme on ne venait pas lui ouvrir tout de suite, il appuya à nouveau sur la sonnette, y maintenant son doigt.

— Bon, bon, ça va, j'arrive, grommela une voix d'homme.

Devallée, en peignoir, ouvrit la porte et se trouva face à un inconnu en manteau et chapeau qui le fusillait du regard.

— Qu'est-ce que c'est ?...

Sans prendre la peine de répondre, Adrien bouscula le jeune professeur, traversa au pas de charge la salle de séjour en désordre et s'immobilisa sur le seuil de la petite chambre à coucher.

Nue sous le drap, Marianne, les yeux écarquillés de stupeur, le regardait sans comprendre.

— Je t'attends en bas dans la voiture, laissa sèchement tomber son père. Tu as trois minutes.

Et il ressortit de l'appartement sans un regard pour l'homme en peignoir.

— C'est comme ça que tu suis tes cours ? Bravo, ma fille ! Ça dure depuis combien de temps, cette cochonnerie avec ce débauché ?

Assise très droite dans le canapé du salon, Marianne, le visage fermé, se doutait bien que la discussion avec son père n'aurait rien de très agréable.

Sans prononcer une parole, Adrien l'avait d'abord emmenée à la brasserie où il l'avait enfermée à clé dans un petit bureau inoccupé pendant qu'il passait quelques coups de téléphone. Puis ils étaient rentrés à Bourg-d'Artois, toujours sans qu'un seul mot ne soit échangé durant tout le trajet. Arrivés chez eux, tandis que Delphine s'occupait du dîner à la cuisine, Adrien s'était assis dans son fauteuil, s'était servi un verre de porto, ce qui ne lui arrivait que très rarement, et avait prié sa fille de prendre place en face de lui.

— Débauché ? répliqua agressivement Marianne. Pourquoi pas satyre, tant que tu y es. J'ai vingt ans, papa, au cas où tu l'aurais oublié.

— Et lui presque le double. Depuis combien de temps, Marianne ?

— Trois mois. Et ce n'est pas une cochonnerie, comme tu dis. J'aime Fabien. Et il m'aime.

Adrien ricana.

— Bien sûr, qu'il t'aime. Il aime tes fesses et ton argent, voilà ce qu'il aime, ton minable petit professeur sans le sou. Je suppose que tu vas me dire que tu voudrais l'épouser ? Comme si je n'avais pas assez d'un coureur de dot dans la famille.

— Je n'ai jamais dit que je voulais l'épouser. En tout cas, pas tout de suite. Mais vivre avec lui, ça oui.

— Vraiment. Et tu espères ma bénédiction, sans doute ?

— Avec ou sans ta bénédiction, ça m'est égal. Dans deux mois et demi, je serai majeure et je ferai tout ce que je voudrai.

— Ah, oui? Et de quoi vivras-tu? Qui te paiera la fin de tes études?

Marianne se leva, le menton en bataille.

— Fabien gagne sa vie. Contrairement à ce que tu crois, c'est un professeur estimé dans sa discipline. Nous nous débrouillerons. Et maintenant, si tu n'as pas d'autres méchancetés à me dire, j'aimerais monter dans ma chambre pour me changer.

— Attends...

Le ton d'Adrien s'était radouci. Indécise, Marianne se rassit tandis que son père se servait un autre porto.

— Tu en veux?

— Non, merci. Qu'as-tu encore à me dire, papa? Que tu m'interdis de revoir Fabien, c'est ça?

Surprise, elle vit Adrien lui sourire, ce qui ne lui était plus arrivé depuis longtemps.

— Écoute, ma petite fille. Tu es jolie, intelligente, ce serait dommage de te tromper de route à cause d'une amourette d'étudiante. Ta pauvre sœur a gâché sa vie parce qu'elle s'était laissé séduire par un intrigant. Je ne voudrais pas qu'il t'arrive la même chose.

— Tu compares Fabien Devallée à ce Garcin au nom de qui tu remues ciel et terre afin de le retrouver? Tu te trompes, papa. Et de beaucoup. Fabien n'est ni un intrigant ni un coureur de dot.

— Admettons. Mais je voudrais que tu m'écoutes.

— Bien, je t'écoute.

— Que penses-tu de Michaël Fenton?

Marianne fronça les sourcils. Que venait faire le jeune Écossais dans cette histoire?

— Qu'il est gentil et bien élevé. Pourquoi?

— Parce que je voudrais que tu l'épouses.

Elle crut avoir mal entendu.

— Qu'est-ce que tu as dit?

— Que je voudrais que tu épouses ce garçon. Pas tout de suite, bien sûr. Après tes études. Mais vous pourriez vous fiancer dès maintenant, par exemple.

Ébahie, Marianne se laissa aller contre le dossier du canapé.

— Je rêve ou quoi ? Qu'est-ce que c'est que cette histoire ?

— Je vais t'expliquer, ma petite fille. Une fusion avec les Fenton Breweries ferait de nous le troisième groupe européen, immédiatement derrière les Hollandais et les Danois. J'en ai parlé avec sir Roderick qui verrait la chose d'un assez bon œil. Mais il estime, comme moi d'ailleurs, que des petits-enfants communs seraient la meilleure garantie d'une union solide. Après tout, Michaël est son unique héritier. Et moi, j'ai besoin de quelqu'un pour me succéder. Ce n'est pas ta sœur ou ce crétin de Frédéric qui seraient capables de prendre ma suite.

— Attends... Nous sommes en plein Moyen Âge, là. Tu ne parles pas sérieusement, j'espère ?

— Je parle très sérieusement, au contraire. Ce genre de mariage est tout à fait courant dans le milieu des grandes entreprises familiales. Et les mariages de raison ne font pas les plus mauvais ménages, bien au contraire.

Marianne se leva d'un bond et, un peu haletante, fit quelques pas dans le salon pour se forcer au calme. Puis elle se planta devant son père resté assis, son verre de porto à la main.

— Écoute, papa. Écoute-moi bien... Il y a des tas de choses que je pourrais te dire. Sur toi, sur ton manque de tendresse à l'égard de tes enfants. Sur l'atmosphère sinistre de cette maison. Sur ces horribles ruines que tu refuses de faire raser. Sur tes maudites affaires auxquelles tu consacres tout ton temps et toutes tes pensées. Mais j'y renonce car cela ne servirait à rien. Il y a cependant un point sur lequel je veux être très claire : je ne suis pas une de tes brasseries que tu peux acheter, vendre ou échanger au gré de tes ambitions.

Au fil du discours de sa fille, le visage d'Adrien s'était refroidi. Et quand il se leva à son tour pour lui faire face, ses yeux avaient repris la dureté du métal.

— Très bien, grinça-t-il. Dans ces conditions, tu ne remettras plus les pieds à la faculté. Tu viendras dès demain travailler avec moi à la brasserie. Il est grand temps que tu apprennes le sens des réalités de l'existence, ma petite fille.

Ils se toisèrent de longues secondes, les yeux dans les yeux, mâchoires serrées. Puis Marianne se détourna et alla ouvrir la porte donnant sur le vestibule, se retournant sur le seuil.

– Je monte dans ma chambre. Inutile de m'attendre pour le dîner, je n'ai aucune envie de partager le repas d'un marchand d'esclaves. Et d'ailleurs, tu m'as coupé l'appétit pour un bon moment. Bonsoir.

À deux heures du matin, Marianne se glissa hors de sa chambre, une petite valise à la main. Elle descendit l'escalier sans faire de bruit et se retrouva dans la cour de l'ancienne ferme. La Renault de son père était garée, comme d'habitude, à quelques mètres de la porte d'entrée. Comme Adrien ne verrouillait jamais la portière, elle espérait qu'il laissait aussi les clés sur le tableau de bord. Elles y étaient. La jeune fille alla ouvrir la double grille de la cour le plus silencieusement qu'elle put, puis revint s'asseoir derrière le volant, prenant bien soin de ne pas claquer la portière. Ensuite, après avoir allumé le plafonnier, elle essaya de se remémorer les rudiments de conduite que Jackie lui avait appris. Prenant son courage à deux mains, elle tourna la clé de contact.

Dans le silence de la nuit, le rugissement du moteur lui fit l'effet d'un coup de tonnerre. Se penchant, elle regarda les fenêtres du premier étage, s'attendant à voir s'éclairer celle de la chambre de son père. Mais rien ne se produisit. Elle passa en première, lâcha trop brutalement la pédale de débrayage et la grosse conduite intérieure quitta la cour en hoquetant.

Le front en sueur, roulant à trente à l'heure sur la nationale, Marianne n'osa jamais dépasser la seconde. Puis elle tomba en panne d'essence à quinze kilomètres de Lille.

Adrien ne s'aperçut de la disparition de sa fille et de sa voiture que le lendemain matin, après le petit déjeuner. Se demandant où Marianne avait bien pu apprendre à conduire, il téléphona à la gendarmerie.

Fabien la trouva en rentrant chez lui vers 16 heures. Elle était assise sur le palier du quatrième étage, adossée à sa valise, les yeux gonflés de fatigue.

– Marianne!? Mais...

Elle se leva d'un bond et lui jeta ses bras autour du cou.

– Fabien, enfin tu es là!... Je t'ai attendu toute la journée.

Il se dégagea doucement.

– Tu es folle. Vite, filons d'ici!

– Pourquoi?

– La police te recherche. Ton père a signalé ta disparition. Ils sont venus à la fac.

– Ils sont venus ici aussi. Je me suis cachée sur le palier du cinquième quand je les ai vus monter. Ils ne reviendront plus.

– Bien sûr que si, ils reviendront. Viens...

Il prit sa valise et l'entraîna dans l'escalier.

Assise sur la banquette du fond d'un café de quartier peu achalandé à cette heure-là, Marianne dévorait à pleines dents un énorme sandwich au jambon arrosé de Coca-Cola.

– Excuse-moi, se justifia-t-elle la bouche pleine. Je n'ai rien mangé depuis hier midi.

Assis en face d'elle, un bock de bière blonde devant lui, Devallée la regardait d'un air perplexe.

– Comment es-tu venue à Lille?

– J'ai chipé la voiture de mon père la nuit dernière.

– Tu sais conduire?

– Jackie m'a appris. Enfin, un peu. L'ennui, c'est que je suis tombée en panne d'essence à quinze kilomètres d'ici. J'ai laissé la voiture au bord de la route et j'ai attendu le premier car. Quand je suis arrivée chez toi, tu étais déjà parti à la fac. Alors, je t'ai attendu. C'est décidé, Fabien, je veux vivre avec toi. Vivre notre amour au grand jour sans nous cacher.

Devallée grimaça.

– Je crains que ce beau projet ne doive attendre quelque peu, mon poussin.

Surprise, Marianne interrompit sa mastication.

— Pourquoi? Tu ne veux pas de moi? Tu ne m'aimes plus?

— J'ai été remercié.

— Remercié? Qu'est-ce que tu veux dire?

— Viré, si tu préfères. De la faculté. Ton cher papa a des relations haut placées, Marianne. La première chose qu'il a faite après son petit numéro d'hier après-midi a été de passer quelques coups de fil. Alors, tu vois, ça n'a pas traîné. J'ai été balancé, sans préavis ni indemnités.

Sous le coup de la stupéfaction, la jeune fille en oublia son sandwich.

— Mais ils n'ont pas le droit! Tu as ton agrégation... Tu as été nommé par le ministère...

— D'abord, je n'étais pas encore nommé, je n'étais que chargé de cours. Ensuite..., poursuivit-il en lui caressant la joue avec un sourire triste, coucher avec une étudiante mineure est une faute grave à notre époque. Encore heureux que tu aies plus de dix-huit ans sinon, en prime, j'étais bon pour le tribunal.

— Ah, les salauds!... les salauds!... Et mon père est le plus salaud de tous! Que vas-tu faire, Fabien?

— Que veux-tu que je fasse? Partir d'ici, forcément. À Lille, je ne trouverai plus rien. Toutes les portes me seront fermées.

— Mais pour aller où?

— À Paris, pour commencer. Essayer de trouver quelque chose là-bas, ou obtenir un poste dans une autre ville de province.

— Emmène-moi avec toi, implora Marianne en lui saisissant les mains par-dessus la table. Je t'en prie. Je ne veux plus rester ici.

— Et tes examens? Ils commencent le mois prochain.

— Je me fiche de mes examens. De toute façon, mon père m'a interdit de retourner à la fac. Et en plus, ce fumier voudrait que j'épouse le fils d'un de ses futurs associés, tu te rends compte? Je *dois* partir avec toi, mon amour. Je ne *peux* plus rester ici, c'est impossible.

Devallée eut un petit rire sans joie.

— Et de quoi vivrons-nous, ma pauvre chérie? Je n'ai pas un sou devant moi. Être prof n'est pas le meilleur moyen de faire fortune, tu sais.

— On se débrouillera.

— En vivant d'amour, de dettes et d'eau fraîche, comme Mimi et Rodolphe dans *La Bohème*? La vie n'est pas un roman, mon poussin. D'ailleurs, *La Bohème* finit mal.

Marianne reprit son sandwich, qu'elle termina rageusement, essayant de mettre de l'ordre dans les pensées confuses qui se télescopaient sous son crâne.

— Tout ça, c'est de la faute de mon père, pesta-t-elle. Je voudrais qu'il meure, tiens! Comme ça, je serais libre. Libre et riche.

— Ne dis pas des choses pareilles. D'ailleurs, tu ne les penses pas. Écoute, mon poussin, le mieux que tu puisses faire, c'est de rentrer chez toi. Je t'écrirai dès que j'aurai trouvé quelque chose.

— Non. Je veux rester avec toi.

— C'est impossible, tu le sais bien. Tu dois être raisonnable.

Marianne se leva si brutalement qu'elle renversa son verre de Coca-Cola. Les quelques autres clients du café tournèrent la tête, pensant assister à une querelle d'amoureux.

— Raisonnable, raisonnable... Tout le monde est raisonnable. Je suis entourée de gens raisonnables. *Je* suis raisonnable. Eh bien, j'en ai assez d'être raisonnable. Je t'aime, Fabien. Et je te le prouverai!

Elle empoigna sa valise et traversa le bistrot d'un pas nerveux. Devallée n'eut que le temps de la rattraper juste avant qu'elle n'atteigne la porte.

— Marianne!... qu'est-ce que tu vas faire?

Les yeux brillants, elle se dégagea.

— Tu verras bien. N'oublie pas de m'envoyer ta nouvelle adresse.

Les parents de Jackie, propriétaires de chantiers navals à Dunkerque, étaient fort riches. Après que leur fille fut sortie de l'internat, ils lui avaient loué un petit appartement cossu dans le centre de Lille pour la durée de ses études universitaires. Marianne y était déjà venue plusieurs fois et enviait, sans le lui dire, l'indépendance dont jouissait son amie.

Jackie, bien entendu, l'avait accueillie à bras ouverts.

– Tu as bien fait de venir ici, ma chérie. Les flics ne penseront jamais à venir te chercher chez moi.

– Je ne veux pas retourner chez mon père, Jackie. Jamais ! Ni aller m'installer chez ma sœur. Et maintenant que ma mamy est morte, je ne sais pas où aller.

– Tu peux rester ici aussi longtemps que tu veux. Tu l'aimes tant que ça, ce Devallée ?

– Oui.

– Note que je m'en doutais un peu, mais pourquoi ne m'en avais-tu jamais parlé ? Tu n'avais pas confiance en moi ?

– Si, mais... Fabien m'avait fait jurer de n'en parler à personne. Il avait peur de... de ce qui est arrivé, justement.

– Ma pauvre chérie... Ça doit être beau de souffrir par amour.

Marianne soupira.

– Dans les romans, peut-être. Mais pas dans la réalité, crois-moi.

– Ma pauvre chérie... Il doit me rester un demi-poulet froid. Ça te dit, un poulet-mayonnaise avec un peu de salade verte et une bouteille de rosé ?

– Je suis crevée, Jackie. Je ne sais pas si j'aurai la force de manger quoi que ce soit.

– Installe-toi dans ma chambre, je m'occupe de tout.

Et comme son amie hésitait, la belle fille aux cheveux noirs précisa en souriant :

– Ne t'inquiète pas. Cette nuit, je dormirai sur le canapé.

Après avoir mangé du bout des lèvres, Marianne se coucha dans le grand lit de Jackie. Moins d'une heure après, en dépit de sa promesse, celle-ci s'y glissa à son tour. Marianne, à demi endormie, ne la repoussa pas.

Le lendemain matin, les yeux cernés, Marianne dévora les croissants que Jackie était allée chercher.

— Tu ne vas pas au cours? s'étonna-t-elle.

— Ce matin est un matin de fête, ma chérie. Tant pis pour les cours, on ne vit qu'une fois. Tu sais, j'ai réfléchi à ton problème et j'ai peut-être une solution.

— Ah...

— Tu te souviens de mon oncle?

Marianne se remémora le gros homme antipathique que Jackie lui avait présenté.

— Oui. Et alors?

— Je suis certaine qu'il pourrait t'aider.

Le bureau sans fenêtre du banquier Duponcet, cerné de bibliothèques et de lambris de chêne, était toujours aussi oppressant, et Marianne s'y sentait mal à l'aise. Jackie, assise à côté d'elle, lui tenait la main. Le gros homme, dégoulinant de triples mentons, se pencha par-dessus son bureau en esquissant ce qui ressemblait à un sourire paternel.

— Vous prêter de l'argent? Cela me paraît difficile, mademoiselle Steenfort. Vous êtes mineure et, de plus, vous n'avez aucune garantie à m'offrir. Mais j'ai peut-être une meilleure idée...

Il s'interrompit, le temps de laisser mijoter quelques secondes l'esprit enfiévré de Marianne.

— Quand serez-vous majeure?

— J'aurai vingt et un ans le 5 juillet prochain.

— C'est-à-dire dans deux mois et demi. Parfait. Vous possédez, je crois, cinq pour cent de la société de votre père?

— Il a mis des titres à mon nom, c'est vrai.

— Je pourrais peut-être vous trouver un acheteur pour ces titres.

— Ah. Et... combien vaudraient-ils, à votre avis?

Duponcet sortit d'un tiroir de son bureau un mince dossier qu'il fit mine de compulser.

— Voyons..., en valeur de bilan..., cinq pour cent..., cela devrait faire... environ quatre-vingt-dix millions [1].

— Tant que ça! s'exclama Marianne, sincèrement ahurie.

Déposant le dossier, le banquier croisa les doigts par-dessus son bureau avec des mines d'archevêque.

— Hé oui! mademoiselle. La brasserie de votre père est une affaire prospère.

— Mais... si je les vends..., cela ne va pas le mettre en difficulté?

— Je croyais que tu voulais lui faire la peau, à ce vieux salaud, souffla Jackie à l'oreille de son amie.

— En difficulté? sourit Duponcet. Allons donc. Avec les trente pour cent de votre sœur et ses propres vingt-cinq pour cent, M. Steenfort est assuré de conserver une confortable majorité. Mais ce n'était, bien sûr, qu'une simple proposition.

Marianne, le front plissé, réfléchissait intensément. Avec quatre-vingt-dix millions, Fabien et elle seraient à l'abri de tout souci matériel. Elle pourrait poursuivre ses études à Paris et, même, plus tard, contribuer financièrement aux missions archéologiques auxquelles elle rêvait de participer. Quatre-vingt-dix millions... Aucun professeur d'université ne gagnait une telle somme durant toute sa carrière!

— Ai-je... ai-je le droit de vendre ces titres, monsieur Duponcet?

— En tant que mineure, certainement pas. Mais si vous me signez aujourd'hui une promesse de vente ferme et irrévocable postdatée au 6 juillet, c'est-à-dire au lendemain de votre majorité, et si j'ai pu vendre vos titres entre-temps, ce dont je ne doute pas, vous aurez l'argent ce même 6 juillet à midi.

Les pensées les plus folles s'entrechoquaient dans le cerveau de Marianne. Quatre-vingt-dix millions... Fabien... Un bel appartement à Paris, loin de Bourg-d'Artois... Une licence spéciale en archéologie... De bons restaurants... Une voiture... Des voyages... Quatre-vingt-dix-millions...

---

1. Douze millions cinq cent mille francs actuels.

– Je... je ne sais pas..., bredouilla-t-elle.

Jackie la poussa discrètement du coude, lui reparlant à l'oreille.

– Tu crois que tu auras une seule fois dans ta vie une occasion pareille ? Merde, Marianne, pense à tout ce que tu pourras faire avec ce fric.

Marianne se redressa sur son siège.

– Je suis d'accord.

Le sourire paternel de Duponcet s'élargit. Il sortit d'un autre tiroir un formulaire imprimé qui, comme par hasard, s'y trouvait à portée de main et sortit un stylo de la poche intérieure de son veston.

– À la bonne heure, mademoiselle. J'ai ici une formule de promesse de vente que je remplis devant vous. *Je soussignée Marianne Steenfort...* gngngngnnn... *cinq mille titres des Nouvelles Brasseries Steenfort SA...* gngngngnnn... *vente ferme et irrévocable pour la somme de quatre-vingt-dix millions...* gngngngnnn... *en date du 6 juillet 1950...* gngngngnnn..., et voilà ! Mademoiselle Steenfort, il ne vous reste plus qu'à signer. Bien entendu, le fait de signer un document postdaté n'étant pas très, comment dire, orthodoxe, je vous prierais de ne parler de tout cela à personne.

Il lui tendit son stylo. Pendant que Marianne se penchait pour signer le document, Jackie et Duponcet échangèrent un clin d'œil.

La mission de la pseudo-nièce du gros banquier était terminée.

Le jeudi matin, Galibier, le directeur de fabrication, discutait avec un homme en blouse blanche dans la grande salle de brassage quand il eut la surprise de voir Marianne, la plus jeune des filles du patron, venir droit vers lui en souriant. Chose peu courante dans l'habillement féminin de l'époque, sauf chez les ouvrières au travail, elle était en pantalon avec un simple pull-over par-dessus.

– Bonjour, monsieur Galibier, lança-t-elle joyeusement. Bonjour, monsieur.

— Bonjour, mademoiselle Steenfort. Que puis-je faire pour vous ?

— Me donner du travail.

— Pardon ?

— J'ai entendu dire qu'il vous manquait quelqu'un au service de recherche. Je viens me présenter. Bien sûr, je n'ai aucune expérience en matière de bière, mais j'apprends rapidement.

Galibier, perplexe, se gratta la joue.

— Heu... votre père est au courant ?

— C'est lui qui veut me voir travailler à la brasserie. Et comme je suis une fille obéissante, me voici. Bien sûr, il faudra d'abord m'expliquer comment tout cela fonctionne.

— Heu... oui, bien entendu... heu... Eh bien, M. Defrenne que voici dirige précisément le service de recherche. Il va... heu... s'occuper de vous.

Marianne serra la main de l'homme en blouse blanche. Defrenne devait être âgé d'une quarantaine d'années, un visage sympathique et la curieuse particularité d'avoir des yeux vairons, l'un bleu, l'autre brun, ce qui rendait son regard assez troublant.

Galibier toussota.

— Ahem..., si vous voulez bien m'excuser, je vous verrai plus tard, mademoiselle. À tout à l'heure, Defrenne.

Et il s'éloigna à grands pas en direction des bureaux, laissant la jeune fille en tête à tête avec le responsable du service de recherche.

Dans son bureau, Adrien était en grande discussion avec Isaac Wolff, le directeur financier. Celui-ci, très agité, tenait une douzaine de lettres à la main, qu'il déposait sur le bureau de son patron au fil de sa litanie.

— Boursault... Martin... Bachelard... Jacobs... Bosquet... Wilmotte... Legrand..., ils ont tous reçu une offre de vingt à vingt-cinq pour cent supérieure à la valeur de bilan de leurs titres Steenfort. Et tous, naturellement, vous le notifient par lettre recommandée pour vous permettre d'exercer à prix égal votre droit de préemption dans les soixante-quinze jours.

— Et Duponcet?

— C'est le seul qui manque à l'appel.

— Ce pourrait donc être lui qui se trouve derrière tout ça, fit rêveusement Adrien. Il m'en avait clairement menacé, d'ailleurs. Mais dans quel but, au nom du Ciel? C'est ça que je ne comprends pas. Pourquoi payer au-dessus du cours des actions qui, de toute façon, resteront minoritaires?

— Vous devriez aller le voir, risqua Wolff en s'épongeant le front avec son mouchoir.

— Aller voir ce rat!? Jamais! Allez-y vous-même si ça vous chante, Wolff.

— À moi, il ne dira rien, monsieur. Vous, vous avez une chance de le faire parler.

— Et le voir ricaner comme un furet dans sa tanière? Non, merci. Qu'est-ce que c'est, madame Latour?

— M. Galibier demande à vous voir, monsieur.

— Pas maintenant, je suis occupé.

— Il dit que c'est urgent.

— Bon, qu'il entre. Mais pas plus de cinq minutes.

Circulant entre les cuves avec son « élève », Defrenne lui expliquait le B.A.-BA du processus de brassage quand, du coin de l'œil, Marianne vit Adrien surgir à l'autre bout de la salle en frappant furieusement les dalles du bout de sa canne. Elle fit mine de ne pas l'avoir aperçu.

— Marianne!...

— Tiens, bonjour, papa.

— Tu peux m'expliquer ce que tu fais là?

— Mais... comme tu vois, je suis venue travailler dans ta brasserie. C'est ce que tu m'avais demandé de faire, non? Pourquoi? Tu n'es pas content?

— Laissez-nous, Defrenne, aboya Adrien en direction de l'homme en blouse blanche.

Celui-ci s'empressa de s'éloigner, rejoignant Galibier qui suivait la scène de loin. De même, d'ailleurs, que les quelques ouvriers qui vaquaient dans la salle.

Adrien revint à sa fille, la prenant par le bras pour l'entraîner loin de tous ces regards fixés sur eux.

— Quand je te parlais de travailler à la brasserie, je pensais à un travail de bureau, nom d'un chien. Pas... pas avec les ouvriers.

Marianne afficha un sourire angélique.

— Eh bien non, tu vois. J'estime que quand on doit apprendre un métier, il faut commencer par la base. Tu cherches à créer une nouvelle bière, paraît-il ? Je vais t'en trouver une, moi. Je veux travailler au service de recherche.

— Ce n'est pas un jeu, Marianne.

— Qui te parle de jouer ? Je suis venue apprendre le sens des réalités de l'existence. La formule est de toi, si j'ai bonne mémoire.

Adrien soupira, conscient d'affronter une personnalité au moins aussi forte, aussi obstinée que l'était celle de sa mère. Marianne était bien l'héritière de Margrit.

— Très bien, si c'est ton choix... Où étais-tu passée pendant ces deux jours ?

— J'ai fait mes adieux à Fabien Devallée que tu as fait renvoyer et qui doit quitter Lille pour retrouver un poste ailleurs. C'était assez ignoble de ta part, mon cher papa.

— C'était pour ton bien, Marianne. Tu as encore couché avec lui, je suppose ?

— J'ai logé chez une amie.

— Soit. Et maintenant, j'espère que tu es rentrée à la maison ?

— Non. Je me suis installée chez papy Noël. Là, au moins, je me sens chez moi. Tu peux donc dire à tes gendarmes de cesser leurs recherches puisque que je n'ai plus disparu.

Marianne soutint fermement le regard furieux d'Adrien dont la bouche se pinçait jusqu'à n'être plus qu'une mince ligne blanche. Il voulut encore dire quelque chose, mais se retint.

— Très bien, conclut-il entre ses dents. On en reparlera.

Et, pivotant sur lui-même, il s'éloigna d'un pas rageur.

Outre le filet contenant la gamelle et la bouteille d'eau, Adrien avait apporté un vieux havresac rempli de quelques vêtements usagés. Il ôta du mur devant lui le moellon descellé au ras du sol et déposa ce qu'il avait amené devant l'ouverture ainsi dégagée. Puis il s'assit sur le tabouret, à côté de la pierre bleue où était gravée l'épitaphe de son fils.

— Aujourd'hui, c'est notre anniversaire, Garcin. Et comme chaque année à cette date, je t'ai apporté tes vêtements pour les douze prochains mois.

Une main décharnée émergea de l'ouverture libérée par le moellon et s'empara des vêtements, de la gamelle et de la bouteille. Une main d'une blancheur maladive, tavelée de nodosités purulentes et prolongée d'interminables ongles jaunâtres cassés par endroits.

— Notre quinzième anniversaire, Garcin, poursuivit joyeusement Adrien, les yeux fixés sur cette main de cauchemar. 5 479 jours exactement, au cours desquels je suis venu te nourrir chaque soir sans exception. Cent quatre-vingts mois durant lesquels j'ai payé des détectives pour retrouver quelqu'un qu'ils ne pouvaient pas trouver. Même les Allemands pendant l'Occupation n'ont jamais soupçonné qu'il pouvait y avoir quelqu'un de vivant sous ces ruines.

La main avait disparu. Tendant l'oreille, Adrien pouvait entendre des bruits étouffés de mastication et de déglutition.

— Car tu es vivant, Garcin! Vivant, ha! ha! ha! Et pour conserver cette vie à laquelle tu t'accroches, tu attends ma venue soir après soir. Moi, ton unique compagnon de désespoir, ton seul ami...

Les bruits avaient cessé. Adrien savait, sentait que « l'autre » l'écoutait. Comme il l'écoutait tous les soirs.

— Mais moi aussi, vois-tu, j'ai fini par avoir besoin de toi. Jour après jour, j'attends avec de plus en plus d'impatience le moment de venir te parler, de venir me libérer dans ce trou noir des démons qui me hantent le cœur. Toi, l'être que j'ai le plus haï au monde, tu es devenu ma pipe d'opium. Et c'est bien là l'ironie de nos tristes destins, Garcin : j'ai sur toi un droit absolu de vie ou de mort, et je suis devenu l'esclave de ce droit. Continue à manger, Garcin, je vais bientôt reprendre ta gamelle et ta bouteille.

Les bruits étouffés reprirent.

– Voilà, c'est bien. Au début, tu te souviens, tu criais, tu suppliais. J'aimais t'entendre crier, Garcin, comme Charles a dû crier au milieu des flammes que tu avais allumées. Et puis, un jour, plus rien. Plus un mot, même plus un gémissement. Le silence d'une tombe. Ta tombe, Garcin. Ta tombe pour la vie, ha! ha! ha! Pour la vie!

L'horrible main réapparut, repoussant la gamelle et la bouteille vides hors de l'ouverture. Adrien se leva, les remit dans le filet et replaça le gros moellon dans son alvéole.

– À demain.

Gérard Duponcet ressemblait plus que jamais à un répugnant matou hypertrophié s'apprêtant à croquer une souris. Ses petits yeux, presque invisibles derrière les bourrelets de graisse qui les cernaient de toutes parts, brillaient de jubilation anticipée.

Assis en face du banquier dans le bureau sans fenêtre, Adrien avait conservé son manteau et son chapeau pour bien marquer qu'il n'était pas ici en visite amicale. Il n'avait pas eu le choix. Wolff avait fini par le convaincre qu'il *devait* aller voir son vieil ennemi s'il voulait avoir une chance de comprendre ce qui se tramait dans l'actionnariat des brasseries Steenfort. Et la mort dans l'âme, Adrien avait bien dû s'y résoudre.

– À quel jeu jouez-vous, Duponcet?

– De quoi parlez-vous, cher ami?

– Laissez tomber le « cher ami » et répondez-moi, grogna Adrien. C'est vous qui êtes derrière tout ça?

Les coudes sur son bureau, le banquier croisa ses doigts boudinés en prenant un air innocent, faisant briller sa lourde chevalière à la lumière électrique du plafonnier.

– Tout ça?...

– Le rachat des titres Steenfort aux autres actionnaires.

– Ah, oui... Eh bien, disons que c'est possible. Mais que vous importe? Vous pouvez toujours exercer votre droit de préemption pour les racheter.

– À vingt-cinq pour cent au-dessus de leur valeur? Vous savez très bien que je n'en ai pas les moyens.

Le sourire de Duponcet s'accentua, déclenchant un séisme de vaguelettes tremblotantes dans ses monstrueuses bajoues.

– J'ai cru comprendre, en effet, que vous aviez souscrit quelques emprunts auprès de mes confrères. Pour environ un milliard [1], si je suis bien renseigné.

– Mais vous non plus n'en avez pas les moyens, rétorqua sèchement Adrien. Je connais la situation de votre banque, Duponcet. Vous acheter une nouvelle virginité à la Libération vous a coûté cher. Très cher. Pour le compte de qui faites-vous ces offres de rachat?

– Mais cela ne vous regarde pas, mon cher. Secret professionnel.

Adrien se leva, excédé. Cette visite désagréable n'avait abouti à rien.

– Oh, et après tout, je m'en moque. Quel que soit votre acheteur, je conserverai toujours ma majorité à l'assemblée générale.

Pour autant que ce fût possible, les petits yeux du banquier se plissèrent encore davantage. C'était le moment pour lui de placer sa botte de Nevers et il en salivait de plaisir par avance.

– Avec vos filles, Steenfort, avec vos filles. Et nous vivons malheureusement à une époque où le respect filial n'est plus ce qu'il était.

Adrien blêmit, soudain saisi d'une indéfinissable angoisse.

– Madame Latour, savez-vous où est M. Frédéric? Son bureau est fermé à clé.

Assise derrière sa machine à écrire, la secrétaire regardait avec une inquiétude mêlée de crainte son employeur penché au-dessus de son petit bureau, en manteau et chapeau, le regard fébrile. Adrien Steenfort n'était pas un patron facile, mais elle l'avait rarement vu dans cet état de nervosité.

– Je... je ne l'ai plus vu depuis avant-hier, monsieur.

– Vous avez la clé de son bureau?

---

1. Cent quarante millions de francs actuels.

— Je dois en avoir un double. Attendez, je vais le chercher...

— Dépêchez-vous !

Rongeant son frein, Adrien marchait de long en large dans le couloir devant la porte marquée au nom de Frédéric Lebrun, tapant nerveusement le sol de sa canne, les sourcils profondément froncés, indifférent aux salutations que lui adressaient les employés passant à sa hauteur en rasant prudemment le mur. La secrétaire arriva en trottinant, une clé à la main.

— Ah, tout de même... Ouvrez !

Mme Latour obéit... et poussa un cri d'horreur. Le petit bureau du gendre d'Adrien était dans un état indescriptible. Armoires et tiroirs ouverts, dossiers éparpillés sur le sol, fauteuils renversés et, tracé à la peinture rouge sur un mur, un énorme « MERDE » en guise de mot d'adieu.

La Renault se gara dans un crissement de freins devant la villa des Lebrun. Adrien n'attendit même pas qu'elle se soit immobilisée pour en jaillir et traverser la partie de jardin qui séparait la maison de la rue. Il actionna la poignée de la porte d'entrée. Celle-ci était ouverte. Il se retrouva dans une maison vide.

Entièrement vide. De la cave au grenier.

Plus le moindre meuble, plus de tableaux aux murs, plus de tapis, plus rien.

Bouche bée, menton pendant, Adrien ne parvenait pas à en croire ses yeux. C'était impossible ! Sa fille n'avait pas pu lui faire ça ! Mais quand ?... comment ?...

— Le camion est parti hier matin, fit une voix de femme dans son dos. Ils ont embarqué au Havre ce midi.

Adrien pivota d'un bloc, pensant être victime d'une hallucination. En contre-jour, dans l'encadrement d'une porte-fenêtre donnant sur le jardin, se tenait une silhouette féminine mince et élégante dont les cheveux très noirs luisaient comme des ailes de corbeau.

Régine Texel était de retour en France.

Il restait dans le jardin un banc aux pieds scellés dans une dalle de béton que les Lebrun n'avaient pu ou voulu enlever.

Ils s'y assirent côte à côte, pas trop près l'un de l'autre. Adrien, figé, comme assommé, se tenait très droit. Régine se tourna à demi, un coude appuyé sur le dossier du banc, pour regarder son ancien amant.

— Tu as changé, Adrien.

— Je sais. Toi pas, tu es toujours aussi sûre de toi.

— J'ai appris, à l'époque, pour ton fils et l'incendie de ta brasserie. Je suis désolée.

— Tu es désolée, mais tu ne m'as pas écrit. Tu ne m'as jamais écrit. Tu es partie il y a seize ans sans un mot d'explication et tu n'as jamais répondu à mes lettres.

— Ta mère me l'avait interdit. C'est elle qui m'a forcée à partir.

— Quoi!?

Sursautant, Adrien pivota sur le banc pour faire face à la Canadienne. À quarante-cinq ans, elle était restée extraordinairement belle. Plus belle encore, si c'était possible, que lorsque Adrien l'avait tenue dans ses bras seize ans auparavant.

— Qu'est-ce que ma mère vient faire là-dedans?

— Elle avait constitué un dossier contre moi. Elle ne t'en a jamais parlé?

Adrien sentit ses yeux s'écarquiller.

— Un dossier... C'était donc ça, ce fameux dossier... Non, elle ne m'en a jamais parlé. Son notaire a voulu me le remettre après sa mort, mais son clerc s'est fait attaquer par deux malfrats qui le lui ont volé.

— Je sais, fit calmement Régine. C'est moi qui l'ai fait voler.

Adrien eut soudain besoin de se lever pour reprendre sa respiration. Tout allait trop vite. Trop d'événements se bousculaient en l'espace de quelques jours. Marianne..., les banquiers..., la disparition de Juliette et de son mari... et à présent Régine, réapparue après seize ans d'absence.

— Ce dossier contenait donc des choses si compromettantes ? Suffisamment compromettantes pour que tu te sois enfuie comme une voleuse après tout ce que nous nous étions dit ? Tout ce que nous nous étions promis ?

— Une erreur de jeunesse, répondit doucement Régine. Une faute ancienne que le détective engagé par ta mère avait fini par découvrir. Mais cela n'a plus d'importance, à présent. Le passé est enterré et personne ne pourra plus jamais m'en menacer. Viens te rasseoir près de moi, Adrien. Tu m'as tellement manqué durant toutes ces années.

Adrien faillit répondre « Et toi donc ! ». Mais il se retint. Après un moment d'hésitation, il se rassit à côté de la Canadienne.

— Qu'est-ce que ça veut dire, tout ça ? interrogea-t-il en désignant du geste la maison vide. Et d'abord, que fais-tu ici ?

— Je t'attendais. Je savais que tu te précipiterais ici après ta visite chez Duponcet.

Adrien ferma les yeux, portant une main à sa poitrine pour comprimer les battements de son cœur. Régine et Duponcet. Duponcet et Régine. La femme qu'il avait aimée et l'homme qu'il haïssait. Depuis combien de temps étaient-ils de mèche, ces deux-là ? Depuis combien d'années le manipulaient-ils ?

— Ainsi, souffla-t-il, c'est donc bien toi qui es derrière lui ? C'est toi qui l'as chargé de racheter les parts de mes actionnaires ?

— Bien sûr. Je n'ai jamais renoncé à reprendre la brasserie Steenfort, que j'estime toujours faire partie de mon groupe. Si nous avions pu nous marier à l'époque, les choses se seraient déroulées différemment. Mais ta mère nous en a empêchés et j'ai dû attendre sa mort pour pouvoir réapparaître.

— Et... — Adrien eut du mal à trouver ses mots — c'est... c'est toi qui as racheté les parts de Juliette ?

— Exact. Pour cinq cents millions [1]. Plus un billet de paquebot de première classe pour toute la famille, une place de directeur dans le groupe Texel pour ton gendre et une

1. Soixante-dix millions de francs actuels.

belle villa sur les hauteurs, dans le quartier chic de Vancouver.

Hébété, Adrien encaissa le choc. Il desserra sa cravate pour aspirer un peu d'air.

— Cinq cents millions !... hoqueta-t-il. Trente pour cent des brasseries Steenfort pour cinq cents millions !... Oh, mon Dieu... Mais ça en vaut au moins le triple !

— Je sais, rétorqua calmement Régine. Mais eux, manifestement, ne le savaient pas.

Se penchant, Régine lui prit la main. Le regard fixe, Adrien n'eut aucune réaction.

— Je ne veux pas la guerre, Adrien. Nous nous sommes aimés, autrefois. Nous pourrions essayer encore..., recommencer..., apprendre à nous connaître de nouveau...

Revenant à lui, Adrien se dégagea brusquement et se mit debout. Tout son corps était agité d'un spasme nerveux tandis que ses yeux flamboyaient de colère.

— Jamais ! Tu m'entends, Régine Texel : JAMAIS ! Tu m'as déclaré la guerre, eh bien, ce sera la guerre. Adieu !

Claudiquant plus que de coutume, il rentra dans la maison vide pour la traverser et regagner la rue. Régine le suivit du regard. Ses yeux étaient secs mais ses mains, posées sur ses genoux, tremblaient légèrement.

— Cinq cents millions ! Vous vous rendez compte !? Cinq cents millions, les trente deniers de Judas. Même dans la trahison, cet imbécile de Frédéric aura magistralement réussi à démontrer son incapacité. Pas étonnant que Mme Régine Texel puisse se permettre de faire la généreuse avec les autres actionnaires. Le tiers des brasseries Steenfort pour cinq cents millions !...

Adrien marchait de long en large dans le salon de l'ancienne maison Chevalier, sous le regard effaré de Noël et de Marianne. Dans la cuisine, Clotilde et Arsène avaient laissé la porte entrouverte pour mieux écouter, sans bien comprendre d'ailleurs de quoi il s'agissait exactement.

— Papa, calme-toi, voyons..., risqua Marianne assise à côté de son grand-père.

Adrien la fusilla du regard.

— Me calmer!? Tu me demandes de me calmer!? Je suppose que si tu avais été majeure, tu aurais été bien contente, toi aussi, de vendre à cette intrigante les parts que j'ai eu la sottise de mettre à ton nom. Je sais que tu me détestes, Marianne. Comme ça, tu aurais enfin pu quitter ce village qui t'étouffe et aller mener la grande vie avec ton traîne-misère de petit professeur, hein?

La main de la jeune fille se crispa sur celle de Noël, qui tressaillit.

— Que vas-tu chercher là? protesta le vieillard. Tu sais très bien que Marianne n'aurait jamais...

— Elles sont capables de tout, le coupa brutalement Adrien au comble de la nervosité. De tout. Mais vous ne m'aurez pas, filles ingrates. On n'abat pas comme ça Adrien Steenfort. Je vais me battre, vous m'entendez!? ME BATTRE!

Marianne ne réussit pas à dormir cette nuit-là. Le journal de Margrit sur ses genoux, elle revoyait le repoussant visage de l'oncle de Jackie, cet horrible banquier, lui susurrant que quoi qu'il arrive, son père garderait sa majorité de décision dans sa société. Mais qui aurait pu prévoir que Juliette et Frédéric?...

Qu'avait-elle fait, Seigneur?... qu'avait-elle fait!?

4

Dès le lundi suivant, Adrien réunit son état-major dans le bureau de Wolff, le seul de l'étage à disposer d'un tableau noir. Le directeur financier y avait inscrit à la craie trois colonnes :

A. Steenfort	25 %	R. Texel	30 %	Bachelard	
M. Steenfort	5 %	Duponcet	5 %	Deroisy, etc.	
	30 %		35 %		35 %

Galibier et Delacroix, le directeur des ventes, s'étaient assis sur deux chaises, les yeux fixés sur le tableau. Adrien, appuyé sur sa canne, était resté debout près de la fenêtre par laquelle on voyait au loin les toits de Lille.

— Le calcul est d'une simplicité biblique, commenta Wolff. Pour conserver sa majorité, monsieur Steenfort doit racheter au moins vingt et un pour cent de parts aux autres actionnaires, et ce en moins de soixante-quinze jours.

— Quelles sont nos possibilités, monsieur Wolff? interrogea Adrien.

— Nulles. Nous avons atteint le plafond de notre crédit auprès des banques.

— Alors, il faut vendre. Tout ce qui peut générer du cash à court terme. Nos brasseries les moins rentables en France et en Belgique, notre nouvelle unité de Barcelone...

— Barcelone!? s'exclama Galibier en sursautant sur sa chaise. Mais elle vient à peine de démarrer!

— Je m'en moque! Il me faut de l'argent, Galibier! Beaucoup d'argent et tout de suite.

— Nous allons vendre à perte, monsieur.

— La seule véritable perte serait celle de ma majorité. Vendez, Galibier. Vendez tout ce que vous pouvez.

— Il y a un autre problème, intervint Wolff, toujours debout à côté de son tableau noir.

— Quoi donc?

— Si nous générons du cash en vendant tout cela, nos banquiers vont réclamer en priorité le remboursement de leurs prêts. Banquiers qui sont tous nos futurs ex-actionnaires, souligna-t-il en indiquant la troisième colonne.

— Tant pis pour eux, rétorqua sèchement Adrien. Ils n'avaient qu'à ne pas accepter les offres de ce rat de Duponcet. Les parts d'abord, les remboursements ensuite. À vous de vous débrouiller avec eux, monsieur Wolff, c'est pour ça que je vous paie.

Les trois directeurs baissèrent le nez. Les prochaines semaines allaient être dures, très dures.

— Galibier!...

Le directeur de fabrication tressaillit.

— Monsieur?

— Ma fille travaille toujours chez vous?

— Oui, monsieur. Avec Defrenne, à la recherche. Elle... elle apprend vite et semble s'intéresser à ce qu'elle fait.

— Mmh... Allez me la chercher, je vous prie.

— C'est que... heu... elle n'est pas venue ce matin, monsieur.

— Comment cela, elle n'est pas venue!? Où est-elle?

— Je ne sais pas, monsieur. Votre fille n'ayant pas chez nous un véritable statut d'employée, je ne me sens pas responsable de ses faits et gestes en dehors de la brasserie.

Assis derrière son bureau, Duponcet se frotta les mains avec un large sourire. Régine lui trouva plus que jamais l'air d'un vieux marchand levantin venant de fourguer à prix d'or un tapis invendable à un riche touriste américain.

— Seize pour cent, chère madame Texel. Seize petits pour cent et vous contrôlez tout le groupe Steenfort.

— Vous oubliez son droit de préemption.

— Il n'en a pas les moyens, rassurez-vous. Pas dans un délai aussi court. Et comme vous avez mis la barre très haut... Quand me transférez-vous les fonds ?

— Après.

La masse de chair rosâtre qui tenait lieu de sourcils au banquier se souleva d'un cran.

— Après quoi ?

— Après que vous aurez obtenu cinquante et un pour cent de la SA Steenfort. D'ici là, vous ferez offre sur vos fonds propres, monsieur Duponcet.

Le sourire de ce dernier s'effaça, gommé net.

— Mais...

— En compensation, quand vous aurez ces cinquante et un pour cent, je vous les rachèterai sept pour cent au-dessus du prix que vous les aurez payés.

— Quinze.

— Huit.

— Douze.

— Dix, et c'est mon dernier mot, trancha Régine. Au vu des sommes impliquées, cela vous permettra largement de vous refaire, monsieur Duponcet. Si vous réussissez, naturellement. Mais si vous échouez, tant pis pour vous.

Le sourire du banquier revint.

— Marchons pour dix, madame Texel. Et ne vous en faites pas, je réussirai. Si j'osais...

Régine se leva et Duponcet s'empressa d'en faire autant.

— Quoi donc ?

— Pourrions-nous dîner ensemble ce soir à mon cercle ? Pour sceller notre nouvelle association.

Sur le seuil de la porte du bureau, Régine toisa le gros homme avec une lueur amusée dans ses superbes yeux bleu outremer.

— Vous m'excuserez, mais je n'ai pas pour habitude de dîner avec mes employés. À plus tard, monsieur Duponcet.

Dans le hall de l'hôtel particulier qui abritait le siège social de la banque Duponcet, Régine croisa une jolie fille d'une vingtaine d'années qui semblait assez anxieuse. Elle n'y prêta qu'une attention distraite tandis que Marianne, en dépit de ses préoccupations, ne put s'empêcher d'admirer la beauté et l'élégance de cette inconnue aux cheveux d'un noir de jais.

Restée debout dans le bureau du banquier, la jeune fille crut avoir mal entendu.

— Vous rendre votre promesse de vente? Quelle promesse de vente, ma chère petite?

— Mais... celle que j'ai signée l'autre jour! Mes cinq pour cent des brasseries Steenfort! Et en plus, vous m'avez roulée. Ces cinq pour cent valent bien plus que quatre-vingt-dix millions.

Assis dans son large fauteuil fait sur mesure, Duponcet s'appuya contre le dossier pour mieux fixer la jeune fille de ses petits yeux soudain durcis.

— Soyons clairs, mademoiselle Steenfort. Vous avez signé un document postdaté, ce qui est illégal. Donc, je nierai son existence. En tout cas jusqu'au 6 juillet, date à laquelle j'aurai entre les mains un document parfaitement valable, à savoir une promesse de vente ferme et irrévocable, signée par vous le jour même et immédiatement exécutoire. Il n'est donc pas question que je vous rende quelque chose qui n'existe pas encore.

La tête de Marianne bourdonnait et elle dut s'appuyer sur le dossier du fauteuil devant elle pour ne pas tomber, tant ses jambes s'étaient mises à trembler.

— Mais c'est... c'est ignoble..., c'est honteux! Vous saviez déjà, à ce moment-là, que ma sœur avait vendu ses parts...

— C'est possible, mademoiselle. Mais ce n'est pas moi qui suis venu vous chercher, n'est-ce pas?

— Non, c'est Jackie, votre nièce. Ma chère amie Jackie. Je parie que c'est vous qui lui avez demandé de le faire.

– Vous pariez mieux que vous ne traitez les affaires, mademoiselle Steenfort. Ah, j'oubliais un détail : je suis fils unique, célibataire et je n'ai jamais eu de nièce.

Marianne ferma les yeux, les mains crispées sur le dossier du fauteuil. Ce n'était pas possible ! Elle s'était laissé manipuler de bout en bout.

– Vous... vous êtes un escroc..., une ordure..., un fumier...

Duponcet afficha un sourire ravi. Il se délectait visiblement de cette scène qu'il avait prévue depuis longtemps.

– Non, ma chère petite, je suis un banquier.

Marianne se redressa, la mâchoire crispée, les yeux crépitant de colère.

– Très bien, monsieur Duponcet. J'irai voir un avocat et je déposerai plainte au tribunal. J'avouerai avoir signé une promesse de vente postdatée, nous forcerons Jackie à témoigner et vous aurez de gros ennuis.

– Vous aussi, mademoiselle. Et votre père n'appréciera certainement pas votre geste.

– Tant pis. Au moins, vous serez forcé d'annuler cette promesse de vente.

Soupirant profondément, le gros homme s'extirpa de son fauteuil et se dirigea vers un imposant coffre-fort qui trônait dans un coin du bureau.

– Bon, d'accord, vous gagnez.

Il prit une chemise dans le coffre, dont il sortit deux feuillets agrafés qu'il donna à Marianne.

– La voilà, votre promesse de vente. Vous reconnaissez votre signature, je suppose...

Le cœur battant, Marianne parcourut le document. C'était bien ça.

– Elle est à vous. Déchirez-la.

N'osant croire à sa chance, la jeune fille déchira les feuillets en autant de fragments qu'elle le put, avant de jeter le tout dans la corbeille à papiers que lui tendait obligeamment le banquier.

– Eh bien, voilà, ronronna celui-ci. Plus de promesse de vente, fini, terminé. Vous vous sentez mieux ainsi ?

— Beaucoup mieux, en effet. Mais je suppose que vous allez continuer à racheter les titres Steenfort aux actionnaires de mon père ?

— Pour autant que M. Steenfort n'exerce pas son droit prioritaire de rachat dans les délais prévus. C'est mon métier, mademoiselle. J'exécute les ordres de ma cliente ; ainsi vont les affaires. Bien entendu, ajouta-t-il en la prenant par le bras pour la guider vers la porte, je ne parlerai pas de... de nos entretiens à M. votre père. Après la mauvaise surprise que lui a déjà causée votre sœur, il pourrait vous en vouloir.

— Je vous remercie, monsieur Duponcet. Et je... je vous prie de m'excuser pour ce que je vous ai dit tout à l'heure.

— Bah, n'y pensez plus. Se faire insulter par une aussi jolie bouche est presque une gourmandise pour un vieux barbon comme moi.

En descendant le grand escalier menant au hall, Marianne se sentait presque des ailes. Elle avait eu chaud. En le menaçant d'avocat et de tribunal, elle avait fait peur à ce gros porc et il avait cédé. Quant à cette salope de Jackie, elle ne perdait rien pour attendre.

Le nom de Fabien Devallée avait disparu de la porte. Marianne insista quand même, sonnant à plusieurs reprises. Mais personne ne vint lui ouvrir. Le sentiment de délivrance qu'elle avait ressenti en quittant la banque Duponcet s'était envolé. Elle redescendit tristement les quatre étages.

La concierge de l'immeuble lavait le trottoir à grande eau.

— Excusez-moi, madame, est-ce que M. Devallée a déménagé ? Il n'y a personne chez lui.

La robuste femme s'interrompit.

— Il est parti samedi dernier, ma petite. Avec toutes ses affaires dans une vieille camionnette.

— Ah... Vous connaissez sa nouvelle adresse ?

— Ben, non. Il m'a dit qu'il enverrait quelqu'un prendre son courrier le mois prochain. Vous êtes Mlle Steenfort, comme la bière ?

– Oui, c'est moi.

– M. Devallée m'a laissé une lettre pour vous. Attendez, je vais vous la chercher.

L'enveloppe serrée sur sa poitrine, Marianne courut presque jusqu'à un petit square tout proche et s'assit sur un banc, faisant fuir une escouade de pigeons.

La lettre ne contenait qu'une dizaine de lignes manuscrites.

« Mon gentil poussin,

Je devine ce que tu pourrais projeter de faire et je t'en remercie. Mais je ne veux pas de cet argent. Je ne veux rien devoir à ton père, même à travers toi. Tu as vingt ans et tous tes rêves devant toi. À moi aussi, il me reste quelques rêves, mais ce ne sont plus les mêmes. Nous nous sommes aimés, Marianne, avec sincérité et passion, mais la roue du destin a tourné et nos chemins se séparent. Je ne te laisse pas mon adresse à Paris (d'ailleurs, je n'en ai pas encore), cela vaut mieux pour nous deux, crois-moi. Adieu, ma petite fée, tes baisers me manqueront et le souvenir de tes yeux me rappellera, dans les périodes de doute, que je n'ai pas entièrement manqué ma vie.

Fabien »

– C'est sur ton beau prof que tu pleures? Je t'ai vue sortir de chez lui. Il est parti, hein?

Tressaillant, Marianne leva son visage sur lequel coulaient deux grosses larmes. Jackie se tenait debout devant elle, un sourire ironique aux lèvres. Sans réfléchir, Marianne bondit sur ses pieds et assena une solide gifle à la fille aux cheveux noirs. Sous le choc, Jackie tomba assise sur le banc, tenant d'un air stupide sa joue brûlante.

– Sale garce! Combien t'a-t-il payée, Duponcet, pour jouer ton ignoble comédie et m'attirer chez lui, hein? Combien?

– Écoute, Marianne, je ne...

– Pourquoi, Jackie, pourquoi?

L'autre baissa piteusement le nez.

— J'avais besoin d'argent. Et toi, tu vas toucher quatre-vingt-dix millions; une fortune!

— En trahissant mon père.

— Et alors? Tu m'as dit que tu le détestais.

— Pas au point de le ruiner. Tu savais que ma sœur avait déjà vendu ses parts quand ton prétendu oncle m'a fait signer cette promesse de vente?

— Non, Marianne, je te jure que non. J'ai juste fait ce qu'il m'avait dit de faire. Je ne savais pas, pour ta sœur, je te le jure. Je ne pensais pas que cela pouvait faire du tort à ton père.

Elle avait l'air sincère.

— En tout cas, votre plan est raté. Duponcet m'a rendu ma promesse et je l'ai déchirée.

— Ah... Alors, tu n'auras pas l'argent?

— Non, et je m'en moque. Dis donc, Jackie, tant que j'y pense... Ce ne serait pas toi aussi qui m'as dénoncée à mon père pour Fabien Devallée, par hasard?

La fille assise sur le banc détourna la tête. Une chape de chagrin lui étreignant le cœur, Marianne se laissa retomber sur le banc.

— Pourquoi, Jakie, pourquoi? répéta-t-elle avec accablement.

— Parce que je t'aime, murmura la fille aux cheveux noirs d'une toute petite voix.

— Quoi?

Pivotant sur elle-même, Jackie agrippa à deux mains le bras de son amie, ses beaux yeux noirs noyés de larmes, criant tout à coup si fort que les quelques passants qui traversaient le square tournèrent la tête vers les deux jeunes filles, intrigués.

— Je t'aime, Marianne! Je suis amoureuse de toi, tu ne l'avais pas encore compris? Je ne supportais plus d'imaginer ce bellâtre de Devallée en train de t'embrasser, de te caresser... Je t'aime. Je t'ai toujours aimée, depuis le début, depuis l'internat... Est-ce donc un crime que d'aimer?

— Oui, fit tristement Marianne. Parfois, c'est un crime.

— Je savais que ton père ferait chasser Devallée de la fac et qu'il devrait quitter Lille. Tu aurais eu l'argent et nous aurions pu mener la belle vie. Nous serions parties toutes les deux pendant les vacances. Descendre en voiture sur la Côte d'Azur, louer une belle chambre dans un palace, nous promener sur la plage, aller au casino...

— Arrête...

Marianne se dégagea doucement et se leva, regardant avec accablement le visage en larmes et suppliant que celle qu'elle avait cru être son amie levait vers elle.

— Nous ne nous reverrons plus, Jackie. Plus jamais. Adieu.

Tandis qu'elle quittait le square sans se retourner, Jackie s'effondra sur le banc en sanglotant.

Six semaines plus tard, Adrien faisait le point avec Wolff dans le bureau de ce dernier. Sur le tableau noir, quelques noms de banquiers avaient glissé de la colonne de droite vers celle de gauche, portant le total du camp Steenfort à quarante-deux pour cent.

— Ça progresse, monsieur Wolff, ça progresse, lança joyeusement Adrien en regardant les chiffres.

Le directeur financier avait la mine défaite de quelqu'un qui n'a plus dormi depuis des siècles.

— Nous sommes encore loin du compte, monsieur. Et nos banquiers réclament avec insistance le remboursement de leurs prêts.

— Qu'ils attendent, monsieur Wolff, qu'ils attendent. Où sont Galibier et Delacroix ?

— Ils courent à travers l'Europe pour essayer de vendre tout ce qu'on veut bien leur acheter au comptant. Quelle misère, monsieur, quelle misère !...

— Je vois un gros brasseur belge, cet après-midi. Il est intéressé par Abidjan.

— Oh non, gémit Wolff. Pas Abidjan. C'est notre brasserie d'Afrique la plus rentable.

— Justement, j'en obtiendrai un bon prix. Et cessez de geindre comme ça, monsieur Wolff. Sur les débris de mon royaume, je rebâtirai un empire. Vous m'entendez ? Un empire !

Le cercle des Trente avait survécu à deux conflits mondiaux sans qu'une seule vitre de ses buffets Chippendale ne subisse ne fût-ce qu'une égratignure. Ses profonds fauteuils Chesterfield avaient indifféremment accueilli les postérieurs des officiers allemands pendant l'occupation de 14-18, ceux de la haute société lilloise durant l'entre-deux-guerres, à nouveau ceux des Allemands entre 1940 et 1944, immédiatement suivis par les fesses kaki des officiers britanniques et américains en 1945, pour retrouver enfin les arrière-trains rebondis des financiers, industriels, politiciens et autres grands bourgeois de la métropole du Nord.

La plupart des actionnaires des Nouvelles Brasseries Steenfort SA en étaient membres. Confortablement vautrés, cigare et ballon de cognac à la main, les banquiers commentaient les titres qui coiffaient la financière de la dernière édition des quotidiens.

— « *Match-poursuite Texel / Steenfort* », lut Bachelard à haute voix à l'intention de ses voisins. « *Le Goliath canadien réussira-t-il à dévorer le David français ?* » Eh bien, messieurs, enchaîna-t-il en repliant le journal, nous voici au cœur de l'actualité. Ces journalistes ont des oreilles partout.

— Bah, quelle importance ? Quelle que soit l'issue du match, nous, nous serons gagnants.

— J'en serais moins certain si Steenfort l'emporte.

— Vous préféreriez que le groupe Steenfort passe sous contrôle étranger ?

— Peut-être pas. Mais Steenfort me doit plus de cent millions et je vois mal comment il va pouvoir honorer ses échéances. Au moins, si Texel prend le contrôle, suis-je assuré d'être remboursé.

— C'est vrai, ça. Il a raison.

— Moi, c'est soixante-dix millions qu'il me doit.

— Et moi, cent cinquante.

— Et moi, cent vingt.

— Il est en train de vendre tout ce qu'il a.

— Sauf sa brasserie principale, heureusement.

– S'il continue ainsi, que nous restera-t-il comme garanties ?

Un peu à l'écart, tétant un énorme Monte-Cristo n° 1, Duponcet ricanait silencieusement en écoutant les commentaires de ses confrères. Il savait bien, lui, qui serait le vrai gagnant.

– Tu devrais les voir, Garcin... Des vautours, des charognards qui se jettent sur les dépouilles que je leur abandonne. Mes chers confrères s'arrachent mes brasseries à vil prix, les banques m'envoient leurs huissiers, les journaux tuent mon crédit sur les places financières et tous attendent le signal de la curée. Mais ils ne m'auront pas, Garcin. Je gagnerai encore, tu verras. Et ceux qui me tournent le dos aujourd'hui seront les premiers à se bousculer pour venir me lécher les mains demain. Tu verras...

Adrien remit la gamelle et la bouteille vides dans son filet et redisposa le moellon dans son logement.

– À demain.

Le laboratoire de recherche, au niveau du premier étage, occupait un vaste plateau à claire-voie surplombant directement la grande salle de brassage dont il n'était séparé que par une large baie vitrée. Cette situation lui avait valu le surnom de « cage aux cygnes », espace au travers duquel les ouvriers de la salle pouvaient voir chaque jour Defrenne et Marianne, en blouse blanche, manipuler leurs éprouvettes, leurs mortiers et leurs becs Bunsen. Ils savaient que du fruit de ces manipulations pouvait dépendre la prospérité ou le déclin de la brasserie dans laquelle ils travaillaient. Ils avaient donc pour les « cygnes » un respect qu'ils n'éprouvaient pas forcément pour les autres « cols blancs » de l'entreprise.

Ce jour-là, Adrien fit une visite impromptue au laboratoire et pria Defrenne de le laisser quelques instants en tête à tête avec sa fille.

– Alors ? demanda Adrien dès que le responsable de la recherche fut sorti. Vous trouvez quelque chose ? Nous sommes presque en été et les gens vont avoir soif.

– J'ai peut-être quelque chose qui pourrait te plaire, fit Marianne en prenant un verre propre sur une étagère.

Elle le remplit au bec verseur d'un petit tonnelet posé sur un support.

– C'est une bière de fermentation haute à laquelle nous travaillons depuis que je suis arrivée ici. Elle pourrait remplacer les bières Fenton que tu voulais commercialiser en France. Tiens, goûte.

Adrien s'exécuta, fit claquer sa langue d'un air appréciateur, examina à la lumière le liquide très foncé, presque noir, but encore une gorgée...

– Mmh..., pas mal. Pas mal du tout. Qu'est-ce que c'est ?

– Une recette que j'ai trouvée dans le journal de ma grand-mère. Une bière à base de mûres que ton grand-père, Charles Steenfort, avait inventée au milieu du siècle dernier et avec laquelle il avait gagné le concours de la meilleure bière du département. Il l'appelait la Noire. En diminuant le degré d'alcool, cela pourrait être un bon produit pour ce marché des jeunes que tu essaies de conquérir.

– En effet, oui, tu as peut-être raison... Hé, attends, qu'est-ce que tu viens de me dire ? Ma mère tenait un journal ?

– Depuis son arrivée à Bourg-d'Artois, en 1888. Elle voulait que ce soit moi qui en hérite après sa mort. Papy me l'a donné le jour de son enterrement.

Adrien prit appui contre le rebord de la table où s'alignaient les flacons, éprouvettes et autres cornues.

– Un journal..., murmura-t-il. Elle tenait un journal ! Et... tu l'as lu, ce journal ?

– Bien sûr. Il est écrit en allemand, que je parle et lit couramment. Comme toi, d'ailleurs.

– Et... elle parle de...

– Elle raconte tout, papa. Sa jeunesse de prostituée à Munich, comment elle s'est fait épouser par papy Noël, comment elle a quitté son mari pour vivre avec Charles, ton enlèvement par Élise quand tu étais bébé, ce qu'elle a dû faire pendant la première guerre pour sauver la brasserie de Bourg, ce qu'elle a dû subir pour éviter que Servais Laurembert ne soit fusillé par les Allemands, la reprise de sa vie commune avec Noël, ta candidature aux municipales de 34, tout.

Adrien en resta sans voix, regardant fixement sa fille. Le ton de celle-ci se fit plus doux.

— Elle explique aussi comment tu as découvert la vérité sur son passé et combien tu en as souffert. Comme tu as souffert de la mort de maman à ma naissance et de la disparition de mon frère Charles dans cet horrible incendie. Pauvre papa..., tu n'as vraiment pas eu une vie heureuse.

Une boule d'émotion lui enserrant la gorge, Adrien fit deux pas en avant et ouvrit les bras. Marianne s'y précipita. Ils restèrent ainsi une longue minute sans parler, serrés l'un contre l'autre, indifférents aux regards curieux que leur lançaient les ouvriers en contrebas de la « cage ». Et quand Adrien réussit enfin à parler, il ne reconnut pas sa propre voix.

— Toi non plus, tu n'as pas eu une vie heureuse, ma chérie. Je... je n'ai pas été un bon père. Pas celui que tu aurais voulu que je sois, en tout cas. Je... je regrette tout ce qui s'est passé. Si tu veux, tu peux retourner à tes cours. Dès demain..., dès aujourd'hui...

S'écartant de lui, Marianne eut un petit rire sans joie.

— Mais papa, nous sommes le 15 juin. Les cours sont pratiquement terminés. Et de toute manière, j'ai raté mon année puisque je ne me suis pas présentée à mes examens.

— Ah... C'est... c'est de ma faute. Je t'en voulais à cause de... cette aventure...

Marianne n'avait jamais vu son père aussi désemparé, tout étonné qu'il semblait être de se redécouvrir en être humain, avec des sentiments autres que la rage, l'ambition ou l'amertume. Elle ignorait, parce que Margrit l'avait ignoré aussi et qu'il n'en avait jamais parlé, ce qu'Adrien avait fait pendant la première guerre ainsi que durant la seconde. Pour elle, il n'avait été qu'un père triste et sévère, qui avait accompli son devoir en l'élevant et en la nourrissant, mais oublié qu'un enfant a autant besoin de chaleur et d'amour que de pain.

Et voilà qu'il venait, tardivement il est vrai, de lui dire son remords. Sans encore aller jusqu'au mot « aimer », mais c'était un début. Peut-être qu'un jour, la fille et le père se trouveraient-ils enfin ?

— Rassure-toi, papa, je n'ai pas tout perdu. J'ai au moins découvert ceci, expliqua-t-elle en balayant le laboratoire du geste. J'ai découvert que la brasserie m'intéressait. Pas les affaires ni le commerce, mais la recherche. Créer des produits nouveaux, améliorer la qualité, offrir aux gens ce qu'ils sont en droit d'attendre d'un grand brasseur...

L'œuvre la plus grandiose de Mozart n'aurait pas résonné plus agréablement aux oreilles d'Adrien dont le visage ascétique s'éclaira d'un sourire. Un vrai, un grand et beau sourire.

— C'est vrai ? Mais c'est merveilleux, ça, ma petite fille. Là, tu viens de me donner une raison supplémentaire... ; non, la vraie raison de me battre contre cette Régine Texel qui veut ma peau. *Notre* peau. Mais je gagnerai, ne t'en fais pas. *Nous* gagnerons, Marianne !

— Je l'espère de tout mon cœur, papa.

Adrien la reprit dans ses bras. Elle se laissa aller, sentant le cœur de son père battre fort à son oreille.

— Ah, ma chérie, ma chérie, quel bonheur tu me donnes. Tu sais ce qu'on va faire ? ajouta-t-il gaiement. Dans trois semaines, c'est ton anniversaire. Et moi, dans trois semaines, j'aurai récupéré ma majorité. Alors, pour nos majorités à tous les deux, nous allons faire une fête. Une grande fête. Avec tous tes amis, tout le village, qui tu voudras. Une grande fête, et c'est toi qui en seras la reine. D'accord ?

— D'accord, papa.

Marianne n'y croyait pas trop. Elle avait tort. La fête aurait bien lieu, quoique un peu plus tard qu'à la date prévue. Et elle en serait la reine. Mais cet événement marquerait aussi l'un des jours les plus tristes de son existence.

« *Chère Marianne,*

« *Voici près de trois mois que je vous ai quittée et il ne s'est pas passé un seul jour sans que je ne pense à vous. À vous, à votre joie de vivre et à cet unique baiser que je vous ai pris comme un voleur. Hélas, en raison de ce qui se passe chez vous, mon père ne parle plus de ses projets d'accord avec le vôtre et j'ignore quand il me sera possible de revenir vous voir. L'acharnement mis par M. Steenfort à liquider une partie de ses avoirs en Europe et en Afrique est évidemment le principal sujet de conversation dans le milieu des brasseurs. Je voudrais tant être à vos côtés pour vous soutenir dans ces moments difficiles.*

« *Je crois que je vous aime.*

« *Michaël*

« Post-scriptum. *J'ai commencé à écrire mon premier* musical. *J'espère pouvoir vous le faire lire quand je l'aurai terminé.* »

Bercée par le balancement du train, Marianne revit la bonne bouille de gentil garçon du jeune Écossais, ses cheveux roux, son visage mangé de taches de rousseur. Puis, haussant les épaules, elle roula la lettre en boule et la jeta par la fenêtre entrouverte du compartiment. La déclaration d'amour de Michaël Fenton acheva son parcours devant le museau d'une brave vache qui, conformément à la tradition chez les bovidés, regardait passer le convoi.

La jeune fille récupéra son vélo à la gare de Barœul et, comme chaque jour sauf le dimanche, attaqua les quinze kilomètres qui la séparaient encore de Bourg-d'Artois. En dépit du fait qu'elle devait à présent respecter des horaires fixes, Marianne préférait continuer à prendre le train plutôt que d'accompagner son père en voiture. D'abord, Adrien avait des horaires plus variables que les siens, se rendant souvent à l'un ou l'autre rendez-vous avant de gagner son bureau. Mais surtout, elle n'aimait pas l'idée de sortir chaque matin de la voiture de M. Steenfort sous les regards de tout le personnel.

Elle avait à présent un statut officiel d'employée stagiaire, avec une période d'essai légale de trois mois et un salaire mensuel brut de trente mille francs [1] par mois. Et elle se rendait parfaitement compte que si elle avait dû se loger, se vêtir et se nourrir avec ce seul salaire, elle n'aurait pas vécu dans le luxe et aurait eu bien du mal à économiser quoi que ce soit pour des vacances ou des distractions. Cette prise de conscience faisait sans doute partie de ce que son père appelait l'apprentissage des dures réalités de l'existence, et c'était une première leçon qu'elle n'oublierait pas de sitôt.

Marianne n'était plus jamais retournée à la faculté d'histoire et n'avait plus revu Jackie. Son ex-amie lui avait écrit plusieurs fois, mais elle avait jeté les lettres sans les lire. Quant à Fabien Devallée, pour qui son cœur saignait encore, il n'avait jamais donné de ses nouvelles et elle n'avait pas essayé d'en avoir.

Adrien et ses directeurs continuaient à se démener pour réaliser le plus de liquidités possibles et, à deux semaines du terme des fameux soixante-quinze jours de son droit de préemption, ils avaient réussi à racheter dix-sept pour cent de parts aux autres actionnaires, portant le total de la colonne Steenfort à quarante-sept. Il ne restait donc plus que quatre petits pour cent à trouver. Mais cette barre de quatre pour cent, comme les derniers quatre cents mètres de l'Everest, risquait d'être la plus difficile à franchir.

Le problème, prévisible, était que tout le milieu brassicole européen connaissait l'enjeu de la bataille opposant Steenfort à Texel. Étrange combat, d'ailleurs, puisque seul Adrien bataillait; l'équipe Texel-Duponcet se contentant d'attendre l'échéance des soixante-quinze jours. Il n'en demeurait pas moins que les acheteurs potentiels des brasseries proposées à la vente par Galibier et Delacroix profitaient de la situation pour faire des offres de plus en plus inférieures à la valeur réelle des entreprises en question. Pour Abidjan, par exemple, le brasseur belge intéressé avait cité un montant si bas que même Adrien n'avait pu se résoudre à l'accepter. Un brasseur espagnol avait pris la relève, mais le prix qu'il offrait était plus bas encore que celui proposé par le Belge. Les malheureux directeurs des brasseries Steenfort, épuisés, étaient à

1. Quatre mille deux cents francs actuels.

la limite de la dépression nerveuse. Quant à Adrien, Marianne ne l'avait pour ainsi dire plus vu depuis leur entretien dans le laboratoire.

Aujourd'hui, c'était samedi et Marianne avait donc congé l'après-midi, comme tous les salariés depuis l'adoption par le gouvernement français de cette merveilleuse invention anglaise qu'est le week-end. Il faisait beau en ces tout derniers jours de juin; la petite départementale reliant Barœul à Bourg-d'Artois avait été macadamisée deux ans auparavant et la bicyclette de la jeune fille filait comme un vent léger dans la campagne en fleurs.

Il était quatorze heures pile à l'horloge de l'église quand la stagiaire du service de recherche des brasseries Steenfort atteignit le village.

Elle remarqua tout de suite la mine consternée d'Arsène qui était en train de tailler la haie devant la maison.

— Que se passe-t-il, Arsène? Il y a un problème?

Le brave homme hésita, faillit parler, se ravisa, puis finit par dire :

— M. Noël vous expliquera. Il est dans le salon.

Laissant tomber son vélo sur le gravier, Marianne se précipita dans la maison. Noël était tassé dans son fauteuil habituel. Le vieillard avait l'air presque aussi accablé que le jour de l'enterrement de Margrit. Marianne s'agenouilla à ses côtés.

— Papy, que se passe-t-il? Tu es malade?

Noël ne répondit pas, se contentant de renifler en essuyant les larmes qui perlaient au coin de ses yeux rougis.

— Papy, mon vieux papy, dis-moi ce qu'il y a...

— Il l'a vendue, souffla Noël d'une voix presque inaudible.

— Quoi? Qu'est-ce qui est vendu? Qui a vendu quoi?

— Ma brasserie. Il l'a vendue. Comme les autres.

Marianne bondit sur ses pieds, incrédule.

— La brasserie Chevalier!? Papa a vendu la brasserie Chevalier!?

Son grand-père opina tristement du menton.

— Mais il n'a pas le droit de faire ça ! C'est *ta* brasserie. Elle ne fait pas partie de la société. Il n'a pas le droit !

— Il... il a ma procuration. Pour tout. Je... je suis trop vieux pour discuter, Marianne. Beaucoup trop vieux.

— Où est-il ? Où est papa ? À la brasserie ?

— Oui. Il attend son acheteur avec les papiers.

— J'y vais.

Elle débloula comme une fusée dans la petite salle de brassage. Figés, le visage fermé, Marcel et les ouvriers, massés dans le fond de la salle, regardaient Adrien faire les cent pas devant le comptoir de dégustation sur lequel était posé un porte-documents. Le regard du contremaître exprimait à lui seul toute l'amertume ressentie par ceux et celles qui l'entouraient.

— Papa, ne fais pas ça !...

Adrien arrêta son va-et-vient et regarda sa fille en souriant. Marianne s'était arrêtée à deux mètres de lui, haletante, les yeux flambants d'indignation.

— C'est déjà fait, ma chérie. Enfin, presque, ajouta-t-il en tapotant le porte-documents sur le comptoir. Il ne manque plus que la signature de l'acheteur.

— Qui est-ce ? Qui a acheté ?

Adrien haussa les épaules.

— Je n'en sais rien et ça n'a pas beaucoup d'importance. J'ai eu affaire à un courtier qui m'a donné rendez-vous ici pour la signature.

— Papa, tu sais pourtant bien ce que papy voulait faire de cette brasserie : une coopérative qu'il aurait léguée à ses ouvriers.

— Je sais, Marianne, je sais. Mais j'en ai besoin. On m'en a offert un bon prix, pour une fois. Et cela m'évitera sans doute de devoir vendre à perte la brasserie d'Abidjan.

— Mais on s'en fout d'Abidjan ! cria Marianne, échevelée. C'est loin, Abidjan ! Tandis qu'ici, c'est chez nous. Cette brasserie, c'est ton grand-père, c'est toute la vie de ton père, c'est toi, c'est moi, c'est nous tous ! C'est l'âme de tout notre village que tu vends, papa! Tu vends notre âme à tes démons!

Les murmures qui montaient des rangs des ouvriers montraient bien qu'ils approuvaient à cent pour cent le point de vue de la jeune fille. Adrien leur lança un regard torve avant de revenir à sa fille que l'indignation mettait hors d'haleine.

— Ça suffit, Marianne, laissa-t-il sèchement tomber. Calme-toi. Je sais ce que je fais.

Mais sa fille était lancée.

— Non, tu ne sais pas ce que tu fais! Tu ne sais plus ce que tu fais! Tu deviens fou, papa! Et moi aussi, je deviens folle à te voir démolir ce que tu as mis toute ta vie à construire. Il faut que cette folie s'arrête, papa! Il faut que ça s'arrête, que ça s'arrête...

Elle se tut brusquement, comme une radio dont on coupe le contact. Dans le silence lourd qui suivit, on entendit par la porte grande ouverte le bruit d'une voiture qui s'arrête. Puis celui de deux portières qui claquent. Et un *staccato* de talons hauts sur le pavé de la cour.

Suivie par un petit homme court sur pattes portant une serviette sous le bras, Régine Texel fit son entrée dans la brasserie Chevalier.

Un grondement réprobateur l'accueillit, émanant des ouvriers groupés au fond de la salle de brassage. Et tandis qu'Adrien ouvrait de grands yeux, Marianne reconnut la très belle femme qu'elle avait croisée dans le hall de la banque Duponcet.

— Toi!? s'étrangla Adrien.

La Canadienne affichait son plus charmant sourire.

— Bonjour, Adrien. Bonjour, mademoiselle. Bonjour, messieurs.

— C'est... c'est toi qui achètes la brasserie Chevalier!?

— Mais oui. N'est-ce pas une bonne idée? Je suppose que les actes sont prêts?

Tandis que le petit homme s'avançait en ouvrant sa serviette, Adrien plaqua une main sur le porte-documents posé sur le comptoir.

— Une minute!... Pourquoi fais-tu ça, Régine?

Celle-ci parcourait d'un regard appréciateur les belles cuves de cuivre qui l'entouraient.

– Eh bien, pour ajouter une brasserie de tradition presque deux fois centenaire au groupe européen que je vais bientôt contrôler. La Spéciale Bourg jouit d'une excellente réputation dans la région, ajouta-t-elle en se tournant vers Marcel et les ouvriers. Je vous félicite, mes amis. Et croyez bien que je ferai en sorte que votre art du brassage puisse faire longtemps encore la joie des connaisseurs.

– Non !

La voix d'Adrien avait claqué comme un coup de pistolet.

– Il n'en est pas question !

Régine tourna vers lui un regard faussement étonné.

– Tiens donc. Je croyais que tu t'étais mis d'accord avec M. Dumortier ici présent ?

Le petit homme opina vigoureusement du chef.

– Je ne savais pas que c'était toi.

– Qu'est-ce que ça change ?

– Tout.

Ouvrant le porte-documents, Adrien déchira théâtralement les actes de vente qu'il contenait.

– Je vends Abidjan !

– Bravo, papa ! s'exclama Marianne, tandis que les ouvriers éclataient en vivats et applaudissements.

Le courtier regarda sa cliente d'un air égaré. Dans quelle histoire de fous s'était-il fourvoyé ?

– Venez, monsieur Dumortier, sourit Régine. Je crois que nous n'avons plus rien à faire ici. À bientôt, Adrien, lança-t-elle encore avant de sortir de sa démarche élégante, suivie par le trottinement de son porteur de serviette.

Rompant les rangs, les ouvriers et ouvrières entourèrent Adrien, qui lui serrant la main, qui lui tapant familièrement sur l'épaule. Marcel, comme il le faisait quand elle était encore une petite fille, embrassa Marianne sur la joue.

– Venez, allons vite annoncer la bonne nouvelle à M. Noël.

Le jour même, Marianne fit son enquête par téléphone. Elle apprit facilement que la célèbre Mme Texel était descendue au *Palace Hôtel* de Lille. Le lendemain matin, dimanche, elle s'y rendit sans se faire annoncer. Régine, qui était en train de prendre son petit déjeuner dans sa suite, ne fit aucune difficulté pour la recevoir.

— Entrez, Marianne, je vous attendais.

— Comment ça, vous m'attendiez ?

— Bien sûr. Vous faites exactement ce que j'aurais fait à votre place. Voulez-vous un peu de café ?

— Non, merci.

— Du thé ?

— Non.

— Asseyez-vous, alors. À moins que vous ne soyez venue pour me tuer d'un coup de revolver et vous enfuir tout de suite après.

Marianne s'assit dans un des fauteuils du petit salon, tendue comme une corde de violon. Régine, aérienne dans un déshabillé de soie jaune, reprit sa place devant la fenêtre donnant sur le jardin intérieur et mit beaucoup de soin à étaler un peu de confiture de fraises sur un croissant.

— Je vous écoute, Marianne. Tirez la première.

— Pour quelle raison vous acharnez-vous ainsi contre mon père ? Que vous a-t-il fait ?

— Pourquoi pensez-vous qu'il puisse s'agir de quelque chose de personnel ? rétorqua Régine en mordant dans son croissant. Ce sont les affaires, rien de plus.

— Je ne vous crois pas. Vous avez été amants, jadis.

Régine termina calmement son croissant avant de réagir.

— Vous en savez des choses. Il vous l'a dit ?

— Non. C'est ma grand-mère qui me l'a appris.

— La fameuse Margrit... C'est vrai, Marianne, j'ai aimé votre père. Et je crois qu'il m'a aimée aussi. Mais votre grand-mère m'a chassée comme une malpropre, m'interdisant même de lui dire au revoir ou de lui écrire.

— Parce que si vous aviez épousé mon père, vous auriez été bigame, madame Texel. Ou plutôt devrais-je dire madame Ralph Morgan ?

Pour la première fois, la belle Canadienne perdit contenance. Elle but quelques gorgées de café, le temps de se reprendre.

– Ah... Je vois que votre grand-mère vous a parlé de Ralph.

– Elle ne m'en a pas parlé. Je l'ai lu dans le journal qu'elle m'a laissé après sa mort.

– Son journal... Oui, évidemment, la vieille furie tenait un journal. Et Adrien l'a lu, ce journal?

– Non.

– Tant mieux. Venez vous asseoir en face de moi, Marianne, vous êtes trop loin. Et prenez une tasse de café, je vais tout vous raconter. Vous verrez, c'est une histoire somme toute assez banale.

Après un instant d'hésitation, Marianne obtempéra. En dépit de l'animosité qu'elle éprouvait à son égard, elle ne parvenait pas à rester insensible au charme de la trop belle Régine.

Il y eut quelques minutes de silence, pendant lesquelles les deux femmes burent leur café. Puis Régine reprit la parole.

– Je suis née à Chicago en 1905. Mon père était québécois et ma mère américaine. Ils tenaient une petite crêperie dans Corner Street. Ça ne marchait pas formidablement bien, mais ça nous faisait vivre. J'ai quitté l'école à seize ans pour travailler avec eux, et à dix-neuf ans j'ai épousé un certain Ralph Morgan, un beau garçon qui n'avait pas sa langue dans sa poche. J'ai appris plus tard seulement que Ralph était un gangster, un des hommes de main d'Al Capone. Vous avez entendu parler d'Al Capone, je présume?

– Naturellement.

– Bref, deux ans après notre mariage, Ralph a été condamné à perpétuité pour le meurtre d'un policier. J'ai quitté Chicago et, ayant la double nationalité, je suis allée au Canada où j'ai fait différents petits métiers jusqu'à ce que je rencontre Peter Texel dans le restaurant d'Ottawa où j'étais serveuse. Il habitait Vancouver et se trouvait là en voyage d'affaires. Je lui ai plu et, quelques semaines plus tard, il est revenu me demander en mariage. J'ai accepté et je l'ai suivi à Vancouver. C'est tout.

– Un scénario extrêmement classique, madame Texel, constata sèchement Marianne. Jeune fille pauvre et jolie cherche vieil homme riche pour l'épouser et mettre la main sur sa fortune. Je ne pense pas que votre histoire mériterait un Oscar à Hollywood.

Régine sourit. Un sourire teinté d'amertume.

– On voit que vous ne savez pas ce que c'est d'être pauvre, Marianne. Pauvre, seule et jolie, justement, ce qui n'est pas forcément un avantage. Les patrons qui profitent de votre situation pour essayer de vous mettre dans leur lit. Les propositions obscènes des clients des endroits où vous travaillez... Avec Peter, j'ai vu l'occasion d'échapper à tout ça. Et en plus, il était gentil. Même s'il avait cinquante ans de plus que moi, je l'aimais bien.

– Arrêtez, je vais pleurer. Et Ralph, qu'en a-t-il pensé ?

– Rien, puisqu'il n'en a jamais rien su. Je savais qu'il ne sortirait jamais de prison. Il n'y a pas de mise en liberté conditionnelle pour les tueurs de flics aux États-Unis. Je savais aussi qu'il refuserait le divorce, il me l'avait certifié lors de la dernière visite que je lui avais faite. À Vancouver, j'étais à trois mille kilomètres de Chicago et personne n'y avait jamais entendu parler d'un petit gangster nommé Ralph Morgan. Pour moi, c'était comme si Ralph Morgan n'avait jamais existé.

– Sauf qu'il existe toujours.

– Plus maintenant. Il a été tué dans une bagarre entre prisonniers il y a deux ans. J'avoue ne pas avoir pleuré en apprenant la nouvelle. Encore un peu de café ?

Marianne laissa Régine remplir sa tasse en essayant d'imaginer ce qu'elle aurait fait si elle s'était trouvée à la place de la Canadienne. Margrit, sans doute, aurait agi comme elle. Elle aussi, après tout, s'était mariée pour échapper à sa condition.

– Ma grand-mère aurait pu faire annuler *a posteriori* votre mariage avec Peter Texel et attaquer son testament qui nous privait de son héritage.

Régine ajouta un peu de lait chaud à son café.

– Cela n'aurait servi à rien. Peter m'avait fait la donation de son groupe de son vivant. Mariage ou pas, la donation restait valable. Et ça, votre grand-mère le savait. Elle s'est contentée de brandir la menace du scandale pour se débarrasser de moi.

— Je constate que vous savez veiller à vos intérêts, madame Texel. Mais le groupe de votre deuxième mari ne vous suffit pas. Il vous faut aussi celui de mon père.

— Je veux prendre pied en Europe, Marianne. Depuis longtemps. J'ai dû attendre le décès de votre grand-mère pour revenir à la charge.

— Il y a d'autres moyens pour y parvenir. Dont le plus simple consisterait tout banalement à acheter quelques brasseries en France ou ailleurs.

— Sans doute, répliqua Régine un peu sèchement. Mais je préfère la voie que j'ai choisie. Outre que cela règle un vieux compte entre les Texel et les Steenfort, j'aurai, grâce à votre sœur, le contrôle des brasseries Steenfort pour nettement moins cher que ne m'aurait coûté une transaction classique.

Marianne se leva sans avoir touché à sa deuxième tasse de café.

— Vous êtes très belle, madame Texel, ou quel que soit le nom que je dois vous donner. Très belle et très intelligente. Mais je ne vous aime pas. Et je méprise les moyens que vous employez pour arriver à vos fins. J'espère de tout mon cœur que vous échouerez dans votre entreprise.

— Me mépriser, vraiment? Ce sont les affaires, ma petite. Et je ne pense pas avoir agi de manière déloyale avec votre père. J'achète ce qui est à vendre, c'est tout.

— En vous servant d'une fortune qui n'aurait jamais dû vous revenir.

— Peut-être. Sauf que c'est moi qui me trouvais auprès de Peter Texel durant ses dernières années, pas ses petits-enfants qu'il connaissait à peine.

Marianne ne put répondre que par un haussement d'épaules. Puis, sans un mot d'au revoir, elle se détourna et se dirigea vers la sortie de la suite.

— Marianne...

La jeune fille s'immobilisa devant la porte, sans tourner la tête. La voix implacable de Régine poursuivit dans son dos.

– Parlant de loyauté, que pensez-vous d'une jeune fille qui vend en cachette les actions que son père a mises à son nom ?

Soudain très pâle, Marianne accusa le coup avant de se retourner lentement. Régine était restée assise à sa table de petit déjeuner, souriant aimablement dans son déshabillé jaune.

– D... Duponcet vous en a parlé ?

– Bien entendu. Vous oubliez qu'il travaille pour moi. Vous rendez-vous compte, vous qui me méprisez, que c'est probablement à cause de ces cinq pour cent de titres qui me seront vendus d'ici quelques jours que votre père, qui ignore tout de votre acte, va perdre la partie qui nous oppose ?

– Je..., cela n'arrivera pas, balbutia Marianne. M. Duponcet m'a rendu ma promesse de vente.

– Vraiment ?

– Et je l'ai déchirée devant lui. Il ne vous l'a pas dit ?

– Non, répondit pensivement Régine en fronçant un sourcil soigneusement épilé. Eh bien, tant mieux pour vous, Marianne. Parce qu'à votre place, j'aurais eu du mal à trouver le sommeil. Il ne me reste donc plus qu'à vous remercier de votre visite. J'ai été ravie de faire votre connaissance.

C'était un congé sans appel. Marianne quitta la suite, nettement moins fière que lorsqu'elle y avait fait son entrée.

Il restait exactement quinze jours à Adrien pour exercer son droit de préemption.

5

Durant ces quinze jours, Marianne ne revit pas une seule fois son père. En arrivant à la brasserie le matin, elle se rendait directement au laboratoire, sans passer par les bureaux, et ne le quittait pas de la journée, consacrant toute son énergie au développement et à l'amélioration de la Noire, cette bière d'un autre siècle sortie de l'oubli par la grâce d'un journal intime. Defrenne et elle étaient convenus que, si Texel l'emportait sur Adrien, Marianne conserverait la recette pour elle et la donnerait à la brasserie de son grand-père, la brasserie Chevalier.

La jeune fille s'abstenait soigneusement de lire les journaux ou de parler avec les employés, et elle avait demandé à Defrenne de ne pas évoquer devant elle ce qu'il entendait dire à propos du développement de « l'affaire ». Elle ne voulait pas savoir. Elle habitait toujours chez Noël et, le soir, elle s'occupait du vieillard et l'écoutait raconter mille anecdotes sur l'histoire de la famille et du village. Dans son lit, avant de s'endormir, elle relisait le journal de Margrit, se demandant si elle réussirait jamais à ressembler à cette femme extraordinaire.

Le matin du seizième jour, un jeudi, Marianne et l'homme aux yeux vairons s'affairaient comme de coutume à comparer divers échantillons d'un même brassin de Noire, mais traités différemment au moment de l'ébullition.

— Celui-ci est encore un peu trop piquant, remarqua Defrenne qui venait de goûter l'un d'entre eux. Il faudrait réduire le poivre. Ce contraste piquant-sucré est intéressant, c'est ce qui fait l'originalité de cette bière, mais point trop n'en faut. Qu'en pensez-vous, Marianne ?

— Je suis d'accord avec vous. Et pour la couleur, qu'est-ce qu'on fait ?

— On la garde. Mais en diminuant le temps de centrifugation. Oui, qu'est-ce que c'est ?

Une secrétaire entra timidement dans le labo après avoir frappé.

— Mademoiselle Steenfort, votre père vous demande de venir tout de suite dans la salle de réunion.

— Maintenant ?

— Il a dit tout de suite.

Le cœur battant, Marianne poussa la porte de la salle. Même si elle avait refusé de suivre le résultat des efforts d'Adrien et de ses directeurs, elle savait très bien qu'on était arrivé au terme du délai de préemption au cours duquel Adrien pouvait racheter les parts des autres actionnaires. Quelle qu'en fût l'issue, la longue course était enfin terminée. Mais, justement, ce score final, quel était-il ?

La pièce était remplie de monde, debout autour de la grande table. Mais la première chose que vit Marianne fut une large feuille de papier punaisée au mur, entre les portraits de Charles Steenfort et du président Auriol, sur laquelle, au crayon noir et en grosses lettres, étaient écrits le nom d'Adrien, suivi du sien et de celui d'autres actionnaires. Et la colonne de chiffres qui faisait face à la colonne de noms se terminait, tout en bas, par un énorme et triomphal 52 %.

Tous les visages se tournèrent vers elle quand elle s'avança dans la pièce vêtue de sa blouse blanche qu'elle n'avait pas pensé à ôter. Outre Adrien, il y avait là Wolff, Galibier, Delacroix, Mme Latour, ainsi que l'ensemble des employés administratifs, financiers et commerciaux de la brasserie. Les visages des directeurs et d'Adrien, creusés de fatigue, n'en étaient pas moins rayonnants.

Ils avaient gagné !

Adrien s'approcha de Marianne, lui ouvrant les bras.

– Ah, ma petite fille !... Viens..., viens fêter notre victoire...

Il l'entraîna vers la feuille fixée au mur, tandis que Mme Latour débouchait une des bouteilles de champagne qui attendaient au frais sur le table et commençait, aidée par quelques dactylos, à remplir les verres.

– Nous avons gagné, ma chérie. Regarde : cinquante-deux pour cent ! Juste dans les temps.

Wolff, à côté d'eux, grimaça.

– Oui, mais à quel prix. Abidjan, Marseille, Barcelone... et toutes les autres...

– Allons, monsieur Wolff, fit gaiement Adrien. Ne faites pas cette tête-là. À présent que nous revoici maîtres chez nous, nous les rachèterons, ces brasseries.

– À condition de payer nos dettes avant, grommela le directeur financier entre ses dents.

Mme Latour distribua les verres et chacun leva le sien.

– Messieurs, déclama Adrien, et vous aussi, mesdames, buvons à notre succès. Et au nouvel avenir des brasseries Steenfort. À toi aussi, ma petite fille, ajouta-t-il en se tournant vers Marianne. C'est quand, déjà, ton anniversaire ?

Elle ne put s'empêcher de lui adresser un sourire désabusé.

– C'était hier, papa. Le 5 juillet.

– Ah... Mais... mais alors, tu as vingt et un ans !? Tu es majeure !? Bienvenue dans le monde des adultes, ma chérie ! Même si ce monde n'est pas toujours aussi plaisant que celui de l'enfance. À ta santé ! À votre santé à tous !

– Voilà un toast de victoire qui me paraît un peu prématuré, monsieur Steenfort, grinça une voix venant de la porte d'entrée.

Toutes les têtes se tournèrent dans cette direction.

Une épaisse silhouette se tenait en ricanant sur le seuil de la pièce.

Le banquier Duponcet.

Adrien fut le premier à réagir.

– Qu'est-ce que vous osez venir faire ici, Duponcet ? Fichez le camp, vous nous avez causé suffisamment de tort comme ça.

Mais loin d'obtempérer, le gros homme s'avança dans la pièce, ses petits yeux brillants de plaisir anticipé.

– Ce que je viens faire? Rectifier vos calculs, cher ami.

Sortant un stylo de la poche de son veston, il s'approcha de la grande feuille au mur avant de barrer soigneusement le nom de Marianne et le chiffre de cinq pour cent qui lui faisait face. Puis il traça une grande croix sur le cinquante-deux pour cent du total et le remplaça par un quarante-sept tout aussi gros.

Marianne sentit son ventre se liquéfier tandis que les autres personnes présentes regardaient sans comprendre Duponcet remettre calmement son stylo en place et extraire d'une autre poche un document soigneusement plié en quatre.

– J'ai ici une promesse de vente ferme et irrévocable de cinq pour cent des titres des brasseries Steenfort signée en date du 6 juillet, c'est-à-dire aujourd'hui même, par Mlle Marianne Steenfort ici présente.

Un silence de mort s'abattit sur l'assistance pétrifiée. Marianne eut l'impression que le sol s'ouvrait sous ses pieds.

– Mais..., réussit-elle à balbutier. Vous... vous me l'aviez rendue, cette promesse...

Duponcet la repéra au milieu des employés et lui adressa ce qu'on pourrait appeler un bon sourire.

– Vous me croyiez assez stupide pour me défaire d'un atout pareil? Vous êtes encore plus naïve que je ne le pensais, ma petite.

– Mais... mais... je... je l'ai déchirée... devant vous...

– Une excellente copie, je le reconnais. Je me doutais bien que vous tenteriez de faire marche arrière. Et l'un de mes employés excelle dans l'art d'imiter les signatures.

Adrien, blême, les yeux exorbités, s'appuyait des deux mains sur la table pour ne pas tomber. Il fixait sa fille comme si celle-ci était le cinquième cavalier de l'Apocalypse.

– Tu... tu as vraiment signé ce... cette promesse de vente à ce... à ce?...

Il ne parvint pas à terminer sa question. Marianne, éperdue, lui lança un regard suppliant.

– Papa... oui, c'est vrai, mais je ne voulais pas... Je t'expliquerai... PAPA!!...

Adrien venait de s'écrouler d'un bloc sur le parquet.

Tandis qu'on se précipitait vers lui pour lui desserrer sa cravate, qu'on ouvrait une fenêtre, que Wolff s'emparait d'un téléphone pour appeler une ambulance, Duponcet quitta la pièce sans que plus personne ne fasse attention à lui.

— On lui a fait un double pontage coronarien et il s'en sortira. Mais c'était tout juste. Votre père a le cœur très fatigué, mademoiselle. Heureusement, le docteur Shalberg est un excellent chirurgien. Bien entendu, M. Steenfort aura besoin de repos. De beaucoup de repos. Et il ne sera plus question pour lui de reprendre ses activités comme avant. Il faudra qu'il envisage de prendre une semi-retraite, voire une retraite complète.

— Puis-je le voir?

— Bien sûr. Mais il est inconscient, vous ne pourrez pas lui parler.

— Je vous remercie, docteur. Merci pour tout.

La peau d'Adrien avait la couleur jaunâtre de la cire et la moitié de son visage était masquée par un appareil respiratoire relié à un régulateur d'oxygène. La grosse aiguille d'un goutte-à-goutte était fichée dans la saignée de son bras gauche tandis que son bras droit était fixé au montant de son lit par une large sangle de toile. Les paupières closes, d'épais cernes bleuâtres sous les yeux, il respirait paisiblement. À le voir ainsi, impuissant, vulnérable dans cette petite chambre d'hôpital, Marianne en avait le cœur serré d'angoisse et de pitié. De remords, aussi.

L'opération, qui avait eu lieu le jeudi après-midi, le jour même de l'accident, avait duré cinq heures. Cinq heures pendant lesquelles Marianne s'était rongé les sangs, plus énervée que soutenue par Mme Latour qui ne l'avait pas quittée d'une semelle, la secrétaire d'Adrien passant son temps à renifler en implorant la mansuétude du Seigneur. Wolff, lui, s'était montré plus efficace en répondant au téléphone à tous ceux qui, ayant appris l'attaque cardiaque de son patron, demandaient des nouvelles. Il répondit également aux journalistes, mais sans souffler mot du résultat du match Texel-Steenfort et de son retournement inattendu de dernière minute. Ensuite, il demanda un numéro à Aberdeen, en Écosse.

Épuisée, plutôt que de rentrer chez elle, Marianne avait pris une petite chambre dans un hôtel proche de l'hôpital. Mais elle n'avait pas fermé l'œil de la nuit. Et dès le vendredi matin, de retour à l'hôpital, elle fut un peu rassérénée en écoutant l'interne de service lui annoncer que tout allait bien et que l'état de l'opéré évoluait de manière satisfaisante.

Elle s'assit à côté du lit du malade, qui ne s'était toujours pas réveillé, et posa une main sur le bras immobilisé par la sangle.

— Pourquoi tout cela est-il arrivé, papa ? Pourquoi ne nous sommes-nous jamais parlé comme un père et une fille doivent se parler ? Parce que tu m'en as voulu d'avoir causé la mort de maman à ma naissance ? J'aurais aimé la connaître, maman, tu sais. Si elle avait été là, tout aurait sûrement été différent. Mamy et Delphine me disaient qu'elle était douce et gaie, que vous étiez un couple heureux. Peut-être n'aurais-je jamais dû naître et tu serais resté comme tu étais avant. Mais voilà, j'existe et je t'aime, papa. Quand je vivais chez mamy et papy, je te voyais de loin, tu me faisais un peu peur, mais je t'aimais. Est-ce que tu savais que je t'aimais ? Peut-être ne voulais-tu pas le voir. Je n'étais qu'une fille, celle qui ne serait pas l'héritière de ton nom, l'enfant de trop... Oh, papa, vis, je t'en prie ! Vis pour que nous puissions nous retrouver, nous reconnaître, nous connaître... Tu te souviens, l'autre jour, dans le laboratoire ? J'ai eu l'impression que, pour la première fois, tu allais me dire que tu m'aimais... Il faut que nous retrouvions des moments comme celui-là, papa. Et il faudra aussi que tu me pardonnes ce que j'ai fait. Tout ce qui est arrivé est de ma faute, parce que je t'en voulais, parce que je me sentais privée de toi. Mais je donnerais n'importe quoi pour n'avoir jamais fait ça, n'importe quoi pour réparer cette énorme bêtise qui va te coûter si cher...

N'importe quoi, je te le jure, mais il faudra que tu me pardonnes. Sinon, je ne pourrai plus jamais vivre comme avant, plus jamais...

Une infirmière vint doucement lui mettre une main sur l'épaule. Marianne ne l'avait pas entendue entrer dans la chambre.

— Il faut le laisser, mademoiselle. De toute façon, il ne vous entend pas.

— Je sais. Combien de temps va-t-il rester comme ça ?

— C'est difficile à dire. Plusieurs jours, sans doute. Il lui faudrait quelques affaires.

— Vous avez raison, je vais m'en occuper.

L'infirmière avait une quarantaine d'années et des yeux bruns très doux.

— Vous devriez rentrer chez vous, mademoiselle. Vous reposer un peu, vous avez l'air épuisé. Vous reviendrez demain.

Marianne se laissa faire. Elle était effectivement épuisée. Et elle réalisa tout à coup qu'elle n'avait rien mangé depuis son petit déjeuner de la veille.

— Vous avez raison, je vais rentrer. Veillez bien sur lui, madame.

— Ne vous en faites pas, répondit l'infirmière avec un bon sourire. Nous sommes là pour ça.

En sortant de la chambre, Marianne eut la surprise de voir Régine assise sur une des banquettes du couloir. La Canadienne se leva à son approche. L'anxiété qui se lisait dans son regard bleu n'était pas feinte.

— Marianne..., comment va-t-il ?

— Qu'est-ce que ça peut vous faire ? répliqua sèchement Marianne sans s'arrêter. Vous avez ce que vous vouliez, alors laissez-nous tranquilles.

Régine lui emboîta le pas.

— Pour cette histoire de copie de votre promesse de vente, je vous jure que je n'étais pas au courant. Je ne l'aurais pas admis.

Marianne s'arrêta net pour lui faire face.

– Vous ne l'auriez pas admis, mais vous en profitez quand même. Allez contempler votre œuvre, Régine Texel. Chambre 407, à droite au fond du couloir. Allez voir ce que vous avez fait et dites-lui, si vous en avez le courage, combien vous l'aimez maintenant que vous l'avez dépouillé de ce qui était sa raison de vivre. Allez et ne vous présentez plus jamais devant moi. Plus jamais !

Et elle poursuivit son chemin à grandes enjambées nerveuses, laissant Régine, un peu désemparée, au milieu du couloir.

Elle prit le train de 11 h 45 et arriva à l'ancienne maison Chevalier peu avant 14 heures. Clotilde l'attendait, anxieuse d'avoir des nouvelles. Noël faisait sa sieste et Marianne suivit la vieille servante à la cuisine et la rassura pendant que Clotilde lui réchauffait de quoi déjeuner. Tandis que la jeune fille achevait de manger de bon appétit en dépit de son angoisse, Clotilde se frappa le front.

– J'allais oublier, ma pitchounette... Delphine est passée tout à l'heure... Il y a un monsieur qui t'attend chez toi. Je veux dire, chez ton père... Enfin, à l'ancienne ferme, quoi.

– Un monsieur ? Quel monsieur ?

– Delphine m'a dit son nom... Attends... Benton... Venton... ou quelque chose comme ça. Un Anglais, à ce qu'il paraît... Il est arrivé en fin de matinée dans une grosse automobile.

Marianne ferma les yeux. Qu'est-ce que Michaël venait faire tout à coup en France ? Il ne pouvait pas plus mal tomber. Elle était morte de fatigue et voulait dormir un peu avant de retourner à Lille en fin d'après-midi. Enfin..., de toute façon, elle devait aller chez son père demander à Delphine de préparer une valise. Après avoir recommandé à Clotilde de dire à son grand-père que l'opération d'Adrien avait bien réussi, elle sortit de la maison et reprit son vélo qu'Arsène avait rangé sous l'appentis.

La voiture stationnée dans la cour était effectivement une grosse automobile, une conduite intérieure Panhard avec un chauffeur en uniforme qui somnolait sur le siège du conducteur. Marianne déposa sa bicyclette contre le banc de pierre et entra par la cuisine. Delphine la prit dans ses bras et versa quelques larmes avant de lui confirmer qu'un monsieur l'attendait au salon. Après lui avoir demandé de préparer quelques affaires pour son père, la jeune fille passa dans la salle de séjour.

L'homme qui se leva à son entrée, avec sa tignasse et sa grosse moustache rousses, son maigre visage encadré d'énormes favoris de la même couleur, son teint brique et ses dents de travers un peu jaunes, était, jusqu'à la caricature, la quintessence du hobereau écossais tel qu'on se l'imagine. Sir Roderick Fenton, après s'être présenté, s'empressa de demander des nouvelles d'Adrien Steenfort.

– Il est toujours inconscient, répondit Marianne après l'avoir prié de se rasseoir. Mais les médecins disent qu'il devrait pouvoir sortir d'ici une quinzaine de jours. J'avoue que je ne m'attendais pas à vous voir, sir Roderick. Que puis-je faire pour vous ?

– M'écouter, miss Steenfort.

Son accent était aussi prononcé que celui de son fils, en plus rocailleux, mais il s'exprimait dans un français tout à fait correct.

Marianne, passant une main sur son front, se laissa tomber dans un fauteuil.

– Cela ne pourrait-il pas attendre un jour ou deux ? Je vous avoue ne plus avoir la tête à soutenir une conversation.

– Je vous comprends, miss, et je m'en excuse d'avance, mais ce que j'ai à vous dire est urgent. *Très* urgent. Dès que j'ai appris l'accident de votre père, j'ai sauté dans le premier avion pour venir vous trouver.

– Qui vous a prévenu ?

– M. Wolff, votre directeur financier. Il m'a mis au courant de la situation de votre société et le moins qu'on puisse dire, c'est que cette situation n'est pas brillante.

– Je sais, soupira Marianne. Mais la seule chose qui importe à mes yeux est la santé de mon père. Le reste...

– J'ai cru comprendre, pardonnez-moi d'être aussi rude, que vous aviez une part de responsabilité dans cette situation. Vous ne craignez pas que votre père vous en veuille?

Marianne se redressa vivement sur son siège, prête à sortir ses griffes.

– Ça, ça ne regarde que nous, sir Roderick.

– Soit. Mais la situation en question est beaucoup plus grave que vous ne le pensez, Marianne. Je peux vous appeler Marianne, n'est-ce pas? Vous êtes si jeune...

– Appelez-moi comme vous voulez, mais venez-en au fait. Je suis fatiguée.

– *All right.* Ce que je voulais dire, c'est qu'il ne s'agira pas seulement pour M. Steenfort de se retrouver en minorité dans sa propre société.

– Que voulez-vous dire?

– Nous sommes vendredi. Dès lundi, les dirigeants de Texel convoqueront une assemblée générale extraordinaire pour démettre M. Steenfort de son poste de président-directeur général. Or, votre père a contracté pour près d'un milliard de francs d'emprunts et mis sa société dans l'incapacité de les rembourser aux échéances prévues. Et Texel n'a pas la moindre intention de rembourser ce milliard à sa place. Vous me suivez?

– Oui, sans doute. Ensuite?

– Ensuite, selon la procédure classique, les gens de Texel vont s'efforcer de démontrer la responsabilité personnelle de votre père dans la mauvaise gestion de son entreprise. Afin de le faire condamner pour faute grave et abus de biens sociaux; ce qui signifierait, outre la condamnation, la saisie de ses biens personnels pour apurer les dettes. De *tous* ses biens personnels, Marianne : sa maison, ses meubles et, bien entendu, les parts qui lui restent de sa société. Ils ne lui laisseront plus rien. À la honte et au déshonneur s'ajouterait, disons le mot, la pauvreté. Triste constat d'échec, à soixante ans, pour un homme de la trempe d'Adrien Steenfort, *isn't it?*

Dans un sursaut de colère, Marianne se leva d'un bond, les jambes un peu tremblantes.

– Si c'est pour me dire des choses pareilles que vous êtes venu jusqu'ici, monsieur, je préfère que vous vous en alliez tout de suite. J'ai eu largement ma dose de malheur ces dernières trente-six heures.

Sir Roderick, sans bouger de son fauteuil, eut un sourire apaisant sous ses énormes favoris roux.

— Ne vous mettez pas en colère, Marianne. Je ne suis pas ici pour vous menacer, mais pour vous aider. Je voulais simplement que vous soyez bien au fait de la situation réelle. Vous voulez bien vous rasseoir, s'il vous plaît?

Troublée, elle obéit.

— Soit, je vous écoute.

— Voici ce que je vous propose. Votre société, les Nouvelles Brasseries Steenfort SA, va procéder à une augmentation de capital. Avec une émission d'actions nouvelles pour un montant de un milliard de francs que les Fenton Breweries souscriront entièrement avec de l'argent frais, ce qui permettra à votre société de régler d'un seul coup toutes ses dettes à l'égard des banques. Évidemment, cette augmentation de capital sera antidatée de trois semaines. Vous me suivez toujours?

— Plus ou moins. Ne vaudrait-il pas mieux attendre que mon père soit rétabli pour discuter de tout cela, sir Roderick? Je ne connais rien à la finance.

— Nous n'avons pas le temps d'attendre, Marianne. C'est ce week-end que tout doit être réglé. Avant lundi. Et en l'absence de votre père, c'est *vous* qui êtes responsable de ses intérêts.

Marianne fit un effort méritoire pour coordonner ses pensées.

— Une augmentation de capital antidatée..., c'est légal, ça?

— Bien sûr que non. Pas plus que de signer une promesse de vente postdatée. Mais le monde des affaires n'est pas un jardin d'enfants, *my dear*. Et je peux vous assurer que vos anciens actionnaires seront ravis de consacrer leur dimanche à signer un procès-verbal d'assemblée générale antidaté en échange du remboursement immédiat de leurs créances.

— Mais que diront les gens de Texel?

— Ce qu'ils voudront, c'est sans importance. Ils seront mis devant le fait accompli. Dans le nouveau capital ainsi constitué, Texel n'aura plus que quarante pour cent des parts, M. Steenfort également quarante pour cent et moi vingt. À nous deux, votre père et moi, nous bloquerons les Canadiens.

Marianne repassa sa main sur son front. Mon Dieu, comme elle se sentait fatiguée !...

– Je crois avoir compris. Mais pourquoi ce « sauvetage », sir Roderick ? J'aurais peine à croire que c'est par pure bonté d'âme.

– Évidemment non. Je souhaite en effet m'implanter sur le continent et je compte bien signer l'accord de distribution réciproque que j'avais prévu de passer avec votre père. Mais il y a une condition à ce « sauvetage », comme vous dites. Une condition impérative qui dépend entièrement de vous et qui nous servira, en outre, de garantie pour l'avenir de nos bons rapports.

Marianne se raidit. Nous y voilà, songea-t-elle.

– Laquelle ?

Le sourire de sir Roderick s'élargit sur ses dents jaunies par le whisky et le tabac.

– Je veux que vous épousiez mon fils Michaël.

– Qu'est-ce que je dois faire, papy ?

Marianne n'était pas retournée à Lille. Un coup de téléphone à l'hôpital lui avait confirmé qu'Adrien était toujours inconscient. Elle irait demain pour apporter la valise que Delphine avait préparée.

Après le départ de sir Roderick, elle avait passé le reste de l'après-midi à marcher de long en large, tournant et retournant dans sa tête la question qu'elle venait de poser à son grand-père. Dès qu'ils eurent fini de dîner, Noël et elle se retrouvèrent seuls au salon de l'ancienne maison Chevalier, pendant que Clotilde faisait la vaisselle à la cuisine.

– Ce Michaël, comment est-il ?

– Gentil, pas très beau, assez timide. Mais je ne l'aime pas, papy.

– Et lui ?

– Il ne rêve que de m'épouser, paraît-il.

Le vieillard soupira. Il ne savait pas quoi dire. À quelques années d'un centenaire qu'il n'atteindrait peut-être jamais, il se sentait vieux, infiniment trop vieux...

– Quand dois-tu donner ta réponse ?

– Demain à 17 heures. Sir Roderick m'attendra à Lille, à l'hôtel *Majestic*, avec Wolff et tous les papiers nécessaires. Papy, qu'est-ce que je dois faire ?

– Je ne sais pas, gémit Noël dans un souffle.

Puis il leva les yeux vers le portrait de Margrit accroché au mur devant lui. Margrit, dans le superbe éclat de ses quarante ans, photographiée en noir et blanc par un élève d'Abel Niepce, le neveu et l'héritier de Nicéphore.

– Elle, elle aurait su.

Cette nuit-là, Marianne prit un somnifère pour la première fois de sa vie et dormit dix heures d'affilée. Mais son sommeil fut peuplé de cauchemars.

À quinze cents mètres de là, rongé par la faim, mourant de soif, tirant comme un dément sur les chaînes fixées au mur qui lui enserraient les chevilles, Léopold Garcin hurla toute la nuit.

Personne ne l'entendit.

Marianne passa presque toute la journée du samedi au chevet d'Adrien, accueillant et renvoyant les visiteurs qui venaient aux nouvelles. Son père n'avait pas bougé, respirant paisiblement. La jeune fille ne parvenait pas à chasser de son esprit l'image terrible d'Adrien la fixant d'un regard halluciné après que Duponcet eut exhibé la promesse de vente qu'elle avait signée.

Elle pleura.

Elle pleura sur son père, à l'ambition démesurée et au destin tragique. Sur sa mère qu'elle n'avait pas connue. Sur Margrit qui lui manquait tant. Sur son amour perdu pour

Fabien Devallée. Sur la trahison de Jackie. Sur son espoir avorté de devenir un jour archéologue. Sur tout ce qui fait qu'une vie est rarement telle qu'on l'avait rêvée...

Dans le salon de la suite 201 de l'hôtel *Majestic*, sir Roderick Fenton consulta sa montre. Il était 17 h 01.

— Elle ne viendra plus, déclara-t-il.

— Elle viendra, affirma Wolff. Attendons encore un peu.

Isaac Wolff songeait à l'homme inconscient allongé sur son lit d'hôpital, l'homme qui lui avait sauvé la vie en 1943. Le moment était venu de lui rembourser une infinitésimale partie de sa dette. Mais pour cela, il fallait que Marianne Steenfort frappe à la porte de la suite dans le quart d'heure à venir.

On frappa à la porte.

Il était 17 h 04.

Sir Roderick alla ouvrir. Marianne se tenait sur le seuil, les yeux secs, le visage dénué de toute expression.

— J'accepte, dit-elle.

Les anciens actionnaires des Nouvelles Brasseries Steenfort SA se souviendraient longtemps de la mémorable soirée qu'ils organisèrent au cercle des Trente le lundi 10 juillet 1950. Tous avaient à la main les journaux du jour, dont la page financière affichait de grands titres sur quatre colonnes.

— « *Échec de la prise de contrôle des brasseries Steenfort par le groupe Texel* », lut tout haut Deroisy, hilare.

— « *Le puissant brasseur canadien ignorait la participation antérieure des Fenton Breweries dans la société Steenfort et n'obtient qu'une forte minorité dans le groupe français* », poursuivit Bachelard avec un large sourire. Eh bien, messieurs, il semblerait que notre ami Steenfort se soit montré plus malin que nous ne le pensions.

— Ce n'est pas nous qui allons nous en plaindre, lança gaiement un troisième banquier.

— Nous avons vendu nos parts vingt-cinq pour cent au-dessus de leur valeur.

— Et en prime, nous récupérons nos créances avec intérêts. Vive le bon argent écossais !

— Messieurs, je vous propose de boire une Steenfort à la santé de notre ancien dictateur.

— Excellente idée. Maître d'hôtel... quinze Steenfort, je vous prie !

L'entretien qui eut lieu le lendemain matin dans la suite présidentielle du *Palace Hôtel* fut nettement moins joyeux.

Tandis que Régine déambulait dans les quatre pièces en surveillant deux femmes de chambre et un groom fort occupés à remplir ses malles, Gérard Duponcet, dégoulinant de mauvaise sueur, trottinait derrière elle en se tordant les mains.

— Madame Texel, vous ne pouvez pas me faire ça !... Madame Texel... Madame Texel...

Régine interrompit son va-et-vient et fit face au gros banquier. Son regard avait pris la couleur d'un lac gelé.

— Nos accords étaient très clairs, monsieur Duponcet, laissa-t-elle tomber d'une voix cassante comme une stalactite. Si vous m'obteniez la majorité des titres Steenfort, je vous les rachetais dix pour cent au-dessus du prix payé. Mais vous avez échoué, monsieur Duponcet. Vous vous êtes fait rouler par plus malin que vous.

Duponcet étouffa un gémissement. Pour un peu, il serait tombé à genoux sur le tapis.

— Madame Texel..., j'ai investi des sommes énormes dans cette opération. J'ai dû emprunter, signer des traites... Si vous ne me rachetez pas ces titres, je suis perdu.

— Grande perte, en vérité. Qui vous regrettera, monsieur Duponcet ?

— Madame Texel, je vous en supplie...

— Faites attention à cette robe, lança Régine à l'intention d'une des chambrières. Elle est extrêmement fragile. Soit, monsieur Duponcet, poursuivit-elle en revenant au banquier. Je veux bien vous reprendre ces parts pour la moitié de leur prix d'achat.

— La... la moitié !?... coassa le gros homme, effaré.

— Et c'est encore généreux pour les actions minoritaires d'une société qui a perdu beaucoup de sa substance.

— Madame..., ce n'est pas possible..., vous m'étranglez !...

— Étranglez-vous tout seul, mon ami, je n'aime pas me salir les mains. Non, jeune homme, ne mettez pas ce carton à chapeau dans cette malle, voyons, vous allez l'écraser. Et là, ce *beauty case*, arrangez-vous pour qu'il reste bien droit. Oui, monsieur Duponcet ?

— C'est... c'est votre dernier mot ?

Sur un signe de Régine, une femme de chambre l'aida à enfiler un léger manteau d'été.

— Mon dernier. Excusez-moi, j'ai un bateau à prendre.

— J'accepte, souffla le gros banquier d'une voix presque inaudible.

La belle Canadienne alla ouvrir un porte-documents posé sur un secrétaire et en sortit quelques feuillets imprimés qu'elle tendit à Duponcet.

— Voici l'acte de cession en double exemplaire. Vous n'avez qu'à le signer pendant que je rédige votre chèque.

Le gros homme chaussa ses lunettes par-dessus ses yeux embués d'humiliation rentrée et signa les documents presque sans les lire. Puis, après en avoir remis un exemplaire à Régine, il se hâta d'empocher le chèque qu'elle lui avait remis en échange. Sa banque était ruinée, c'était inéluctable. Il ne lui restait donc plus qu'une seule chose à faire : toucher ce chèque en argent liquide, vider les rares comptes créditeurs auxquels il pouvait encore accéder et disparaître quelque part en Amérique du Sud ou ailleurs en laissant ses créanciers se débrouiller entre eux. La fin d'un règne. Le triste crépuscule d'une dynastie financière qui avait fait durant un siècle la pluie et le beau temps dans les départements du nord de la France.

Prête à partir, tandis que des bagagistes descendaient ses malles, Régine, son porte-documents à la main, se retourna sur le seuil de la suite avec son plus charmant sourire.

— Ah, j'oubliais un détail... Je vous ai laissé la note d'hôtel. Ça ne vous ennuie pas ?

Les bajoues effondrées, Duponcet se laissa tomber dans un fauteuil tandis que la belle Canadienne disparaissait de la scène.

Adrien se réveilla le mercredi après-midi. En présence de Marianne, l'aimable infirmière aux yeux bruns ôta le masque respiratoire du malade et libéra son bras droit de la sangle qui le maintenait. Mais elle laissa en place le goutte-à-goutte. Puis, après avoir pris la température d'Adrien, elle le laissa en tête à tête avec sa fille, en l'avertissant qu'elle reviendrait une heure plus tard pour le laver.

– Papa...

Tournant la tête avec difficulté, Adrien prit conscience de sa présence.

– Marianne...

– Papa, enfin... Comment te sens-tu?

Il eut un pauvre sourire.

– Pas très vaillant, j'en ai peur. Que s'est-il passé, Marianne? Je ne me souviens de rien. Quel jour sommes-nous?

– Mercredi. Tu es resté inconscient pendant six jours.

– Six jours? Oh, mon Dieu... Comment ça se passe, à la brasserie?

– Je ne sais pas, je n'y suis pas retournée.

Adrien se passa en hésitant sa main libre sur le front.

– Je me souviens, maintenant... Duponcet..., ta promesse de vente... Nous avons perdu, n'est-ce pas? C'est Régine Texel qui a gagné?

– Non, papa, la brasserie est toujours à toi. Je t'expliquerai quand tu iras mieux.

– Mercredi... six jours... SIX JOURS?!? Oh, Seigneur... GARCIN!!

Adrien s'était brusquement redressé en criant, les yeux hors de la tête. Arrachant de son bras gauche l'aiguille de la perfusion, il voulut sortir de son lit. Après quelques secondes de stupeur, Marianne s'interposa, s'efforçant de le repousser.

– Papa, qu'est-ce que tu fais?... Non...

– Je dois y aller!... Laisse-moi!... Je dois y aller!...

– Papa, non!... INFIRMIÈRE!... INFIRMIÈRE!...

Celle-ci, heureusement, n'était pas loin et accourut presque immédiatement, suivie par une collègue. Avec une maîtrise toute professionnelle, la brave femme aida Marianne à maintenir son père dans son lit, tout en criant à l'autre infirmière d'aller chercher l'interne de service. Encore très faible, Adrien tenta en vain de résister tout en criant des propos incohérents où il était question de Garcin et d'une cave sous les ruines. Quelques minutes plus tard, après avoir reçu une piqûre de calmant, il s'était paisiblement rendormi.

— Avec ça, il dormira jusqu'à ce soir, assura l'interne à Marianne. Il vaudrait mieux que vous partiez, mademoiselle. Les infirmières vont s'occuper de sa toilette et nous aurons ensuite plusieurs examens à faire.

— Pauvre papa, soupira la jeune fille. Dans combien de temps pourra-t-il sortir ?

— Si tout se passe bien, dans une dizaine de jours, lui assura l'infirmière. Mais ensuite, comme on vous l'a déjà dit, il lui faudra beaucoup de repos.

En sortant de l'hôpital, Marianne eut la surprise de voir Jackie sur le trottoir d'en face. La jeune fille aux cheveux noirs l'attendait manifestement car, en l'apercevant, elle traversa la rue. Son visage exprimait la douleur et son regard était suppliant.

Lui tournant le dos, Marianne s'éloigna aussi vite qu'elle le put sans courir et sauta dans le premier tramway qui passa à sa portée.

Le mariage eut lieu en août, le jour de la Saint-Arnould, patron des brasseurs, dans la petite église de Bourg-d'Artois après que Florent Lemaître eut procédé à la cérémonie civile le matin même.

Sir Roderick et Michaël, apparentés à la vieille famille écossaise des Mac Gillavrie, portaient fièrement le kilt à carreaux rouges et gris de leur clan sous la veste de velours noir ornée d'un jabot de dentelle. Pour la plus grande joie des habitants du village, ils étaient venus avec deux joueurs de cornemuse dont les plaintes stridentes faisaient se hérisser les poils de tous les chats des environs et rappelaient à certains l'entrée des Scottish Rifles à Lille six ans plus tôt.

Veuf depuis quinze ans, sir Roderick s'était également fait accompagner de sa dévouée secrétaire qui, n'ayant plus à s'occuper de l'éducation sexuelle du fils, pouvait à présent consacrer en exclusivité son robuste tempérament à la consolation du père.

Les deux *bagpipers* s'étant tus pour laisser la place au *Plus près de toi, mon Dieu* diffusé par l'électrophone éraillé de l'église, Marianne, en robe blanche, s'avança au bras de son père dans l'allée centrale en direction de l'autel où Michaël l'attendait, un énorme sourire illuminant son visage constellé de taches de rousseur. Quoique anglicans, les Fenton n'avaient fait aucune opposition à ce que l'union fût célébrée selon le rite catholique. « La joie de mon fils vaut bien une messe », s'était exclamé sir Roderick avec un bon rire.

Adrien marchait encore avec difficulté, appuyé sur sa canne.

— Tu paies cher le prix de ton erreur, ma pauvre chérie, souffla-t-il à l'oreille de sa fille tandis qu'ils progressaient entre les bancs noirs de monde.

— Ce mariage, c'était ce que tu voulais, non ?

— Pas au prix de ton bonheur. J'avais tort.

— Ne t'en fais pas pour moi, papa, ça ira très bien. Pense plutôt à toi.

— Pour moi aussi, tout ira bien, ma petite fille. Tout ira très bien.

Et au moment de la lâcher pour la laisser rejoindre son futur mari devant l'autel, Adrien lui murmura enfin les mots qu'elle attendait depuis toujours.

— Je t'aime, Marianne.

Quand Michaël vit briller les yeux humides de la jeune fille qui s'agenouillait à côté de lui, il fut persuadé que cette marque d'émotion lui était destinée et il se sentit le plus heureux des hommes.

Marianne et Michaël partirent tout de suite après le copieux déjeuner-buffet organisé en plein air dans la cour de l'ancienne ferme Texel. Ils embarquèrent dans une superbe Plymouth blanche avec chauffeur, louée pour la circonstance, qui devait les emmener jusqu'au Havre d'où, après leur nuit de noces dans la plus belle chambre du plus bel hôtel de la ville, ils embarqueraient pour une croisière dans les Antilles. En faisant ses adieux à sa fille, Adrien savait que c'était la dernière fois qu'il la voyait.

La réception se prolongea bien après leur départ. Les ouvriers et ouvrières de la brasserie, venus en car spécial, se mélangeaient sans complexes avec les ex-actionnaires banquiers, accompagnés de leurs chauffeurs. Verre de Steenfort ou chope de Spéciale Bourg à la main, on riait, plaisantait ou discutait par petits groupes des derniers événements faisant la « une » des journaux. La guerre de Corée qui venait d'éclater. Le prix du pain. La victoire de Kubler au Tour de France. L'abdication plus que probable du roi Léopold de Belgique. Ou le scandale de la banque Duponcet dont le principal gérant avait disparu en emportant toutes les liquidités disponibles.

Le vieux Noël, épuisé par les émotions du jour, était rentré se reposer chez lui, escorté par son fidèle Arsène. Mlle Lucie, devenue sous-directrice de la brasserie Leroux après le décès de Georges Leroux, était venue spécialement de Faussière et présentait fièrement à tout le monde son fils Nicolas qu'elle s'était fait faire dix ans auparavant par un musicien de passage. Au son des cornemuses, sir Roderick et son ardente secrétaire firent une démonstration de Scottish dance très applaudie. Sarah, la fille d'Isaac Wolff, âgée de seize ans, flirtait discrètement dans un coin avec Jean Moulinot, le fils de Baptiste le manchot. Florent Lemaître, qui avait conservé son écharpe tricolore autour du ventre, tenta une fois de plus de faire un discours et, une fois de plus, dut y renoncer, vaincu par le trac et l'abus de boisson. Adrien, sans que personne ne le remarque, rentra dans la maison et monta s'allonger tout habillé sur son lit, attendant la nuit.

La lune était pleine quand il redescendit. La cour était jonchée de reliefs de toutes sortes, assiettes sales brisées, verres vides abandonnés, mégots de cigares ou de cigarettes. Adrien n'y prêta aucune attention. Sa lampe électrique dans une main, un bidon d'essence dans l'autre, il franchit la grille et se dirigea vers les ruines de l'ancienne brasserie qui dressaient leur sinistre silhouette dans la nuit sans nuages.

Pour la dernière fois, il descendit l'échelle rouillée jusqu'au deuxième sous-sol. Pour la dernière fois, il déplaça la lourde plaque métallique qui masquait l'entrée du caveau où était scellée la pierre bleue portant l'épitaphe de son fils. Déposant le bidon à terre et la lampe sur le tabouret, il s'empara d'une barre à mine posée dans un coin et s'attaqua au mur de moellons qui lui faisait face.

Une odeur de moisi envahit le réduit tandis que quelques rats, effrayés par le bruit et la lumière, s'enfuirent par l'ouverture qui s'agrandissait sous les coups de boutoir qu'Adrien assenait au mur. Quand le trou fut assez grand, Adrien reprit le bidon et sa lampe avant de s'y glisser.

C'était la première fois qu'il revoyait celui qu'il avait capturé et, sous la menace de son revolver, enfermé ici quinze ans plus tôt. Léopold Garcin, mort de faim depuis un mois, n'était plus qu'une momie desséchée à demi dévorée par les rats et les fourmis, enveloppée de longs cheveux gris et de quelques haillons en lambeaux. En voyant ce corps maigre à faire peur, ces membres tordus couverts de croûtes et ce visage creusé, on lui aurait donné soixante-dix ans. Il en aurait eu quarante-deux à la fin de l'année.

— C'est le bout de la route, Garcin. Tu aurais dû m'attendre.

Adrien vida le contenu de son bidon sur le cadavre. Puis, sortant un briquet de sa poche, il l'alluma.

— Il ne me reste plus personne, Garcin. Joanna est morte, Charles est mort, Margrit est morte... Ma fille aînée m'a trahi et la cadette s'est vendue pour me sauver... Et toi, tu m'as abandonné à ton tour. Je ne veux pas vieillir seul avec ma conscience, Garcin. À bientôt...

Il jeta le briquet sur le corps rabougri, qui s'embrasa immédiatement, emplissant le cachot de lumière et de chaleur. Adrien sortit alors un revolver d'une autre poche. Son revolver de la Grande Guerre, l'arme qui avait fait de lui un héros. Il ne restait qu'une seule balle dans le barillet. Il fit tourner celui-ci de telle sorte que la cartouche soit bien en face du percuteur.

Puis, environné de flammes, il mit le canon dans sa bouche.

Troisième partie

JAY, 1973

1

La première victime s'appelait Hervé Parent. Il avait vingt-huit ans, était plombier, célibataire et avait décidé de prendre congé l'après-midi de ce mardi 17 juillet 1973 pour aller, avec quelques copains, voir l'arrivée de la quinzième étape du Tour de France sur le poste de télévision du Café des Sports, avenue de la République, à Caen. C'était une étape de montagne et l'Espagnol Luis Ocaña était, une fois de plus, bien parti pour la gagner, devançant Bernard Thévenet de douze minutes au classement général. Les commentaires des clients du bistrot allaient bon train et, pour se consoler du prévisible échec du coureur français, Parent, assis au comptoir, commanda une nouvelle Steenfort au patron. Quelques minutes plus tard, saisi de violentes brûlures au bas-ventre, il tomba de son tabouret et se roula sur le sol en gémissant de douleur.

— L'abbaye de Saint-Arnould a été fondée en 1147, expliqua Marianne. Par Bernard de Clairvaux, fondateur de l'ordre des Cisterciens et plus connu sous le nom de saint Bernard.

— Comme le chien ?

— Comme le chien. Mais ça n'a aucun rapport. Les Cisterciens étaient des Bénédictins réformés qui voulaient retrouver la simplicité et le dépouillement de la vie monastique d'origine, dont le nom vient de l'abbaye de Cîteaux, en Côte-d'Or, la première abbaye bénédictine « dissidente » fondée en 1098 par Robert de Molesmes.

Marianne Steenfort et son amie Claudine Lemarchand déambulaient au milieu des autres touristes qui profitaient du temps superbe de ce dimanche 22 juillet pour visiter les ruines et les jardins de la belle abbaye cistercienne nichée au cœur des Ardennes. Toutes deux portaient de légères robes d'été qui mettaient agréablement leurs minces silhouettes en valeur.

– Bénédictins, Cisterciens, Franciscains, Dominicains..., soupira Claudine. J'en fais une bouillabaisse, moi, de tous ces ordres religieux. Comment t'y retrouves-tu dans tout ça, madame le professeur ? Tu as bûché ta matière avant de venir ?

– Tu oublies que j'ai fait une licence d'histoire, sourit Marianne. Enfin, presque. Et puis, j'ai une raison particulière d'aimer cet endroit. Une raison familiale.

Son amie leva un sourcil intrigué.

– Familiale ? Laisse-moi deviner : ton père était moine, c'est ça ?

– Mon père, non. Mais mon arrière-grand-père, oui. Charles Steenfort, le fondateur de notre brasserie, était novice à Saint-Arnould au milieu du siècle dernier. C'est ici qu'il a appris l'art du brassage.

– Je croyais que les Bénédictins faisaient de la Bénédictine.

– Peut-être. Mais les Cisterciens, eux, faisaient de la bière. Ils en avaient même reçu le monopole, par décret royal, au XIIIe siècle. Et c'est au XIIIe siècle, grâce à sa brasserie, que Saint-Arnould, qui s'appelait à l'époque l'abbaye de Thyle, a connu sa plus grande période de prospérité.

Marianne connaissait Claudine depuis une dizaine d'années. Elle était l'épouse de son avocat, maître Henri Lemarchand, et possédait à Lille l'une des plus grands librairies de France dont elle confiait l'exploitation à un gérant, n'y passant que le temps nécessaire pour vérifier les comptes. Les deux femmes, aujourd'hui aussi belles l'une que l'autre dans tout l'éclat de leur quarantaine, avaient alors rapidement sympathisé. Et comme Marianne, depuis son divorce, vivait seule avec son fils de vingt ans, le couple Lemarchand l'invitait souvent pour le week-end dans leur villa du Touquet ou dans la propriété familiale qu'Henri possédait dans l'enclave de Givet ; ce qui était le cas ce week-end-ci.

Comme elles s'approchaient de la petite rivière qui alimentait jadis la brasserie des moines, Claudine repéra du coin de l'œil parmi les touristes un grand homme aux cheveux blonds coupés court, en pantalon de toile et blouson de football américain, qui portait deux appareils photo sophistiqués autour du cou. Elle le remarqua non seulement parce qu'il ressemblait à Paul Newman, mais aussi parce qu'au lieu de photographier les ruines ou le paysage comme les autres visiteurs, c'étaient les deux jeunes femmes qu'il n'arrêtait pas de mitrailler de ses deux objectifs.

Marianne, elle, toute à son exposé didactique, ne s'était aperçue de rien.

– Mais à la fin du XIIIe siècle, une épidémie décime la quasi-totalité des moines et l'abbaye entre en léthargie jusqu'au XVIe siècle, époque à laquelle un père abbé énergique, Robert de Villers, y installe une nouvelle communauté, rachète les terres alentour et construit une nouvelle brasserie.

– Dont il ne reste pas grand-chose, fit distraitement Claudine.

L'homme au blouson les suivait toujours à distance, continuant à les saisir au téléobjectif. Instinctivement, Claudine mit de l'ordre dans sa coiffure. Plutôt coquette, elle ne détestait pas être l'objet de l'attention des mâles.

– Malheureusement, poursuivait Marianne. Pourtant, l'abbaye, qui avait pris le nom de saint Arnould, patron des brasseurs, avait réussi à échapper à la nationalisation des biens religieux décrétée par la loi du 15 Fructidor An IV de la République. Mais son malheur a voulu qu'en 1916, elle fût le théâtre de violents combats entre les Allemands et les Alliés. Les moines se sont réfugiés ailleurs et l'abbaye a été aux trois quarts détruite par l'artillerie des deux camps. Huit siècles d'histoire et de beauté anéantis en quelques semaines par la stupidité meurtrière des hommes.

– Amen! conclut Claudine. Je ne voudrais pas te couper dans tes élans lyriques, ma chérie, mais je te rappelle qu'Henri nous attend pour aller déjeuner chez les Préseau.

– D'accord, on y va.

Elle remontèrent lentement vers le parking aménagé en dehors de l'enceinte de l'abbaye. Claudine vérifia discrètement que « Paul Newman » les suivait toujours.

– Comment vont les amours? demanda-t-elle, mine de rien.

– Quels amours?

– C'est bien ce que je pensais, fit semblant de soupirer la libraire. Tu travailles trop, madame la pédégère. Ta brasserie, tes affaires... Tu ne sors pas assez. Tu sais ce qu'il te faudrait, Marianne?

Cette dernière haussa les épaules. Cela faisait cinq ans, depuis le prononcé de son divorce, que son amie essayait de lui trouver l'homme de sa vie. Pourquoi fallait-il que les femmes mariées s'efforcent toujours de caser celles qui ne l'étaient pas? Pour éliminer les maîtresses potentielles de leurs maris? Ou par une sorte d'instinct matrimonial naturel?

– Un mec, je sais, tu me le dis à chaque fois. Un mâle, un vrai, qui me protégerait de ses bras robustes et sur l'épaule de qui je pourrais reposer ma pauvre petite tête blonde épuisée par une dure journée de labeur. Ne me dis pas que tu as encore demandé aux Préseau d'inviter un sémillant célibataire pour le déjeuner?

– Non, promis-juré. Mais j'en vois un qui a l'air disponible.

– Arrête.

– Non, non, je t'assure. Regarde sur ta droite, le type en blouson américain. Ça fait au moins une demi-heure qu'il n'arrête pas de nous photographier.

Suivant la direction indiquée, Marianne repéra le grand blond qui, à une dizaine de mètres, les visait de son téléobjectif.

– Pas mal comme bonhomme, non? renchérit son amie. Je me le ferais bien, tiens.

Marianne ne put s'empêcher de sourire. Claudine avait toujours eu un langage un peu cru et jouait volontiers les affranchies. Un tantinet allumeuse, elle n'en était pas moins fidèle à son gros nounours d'avocat de mari qu'elle adorait.

— Vas-y, sers-toi, je te promets de ne rien dire à Henri.

— Tu oublies un détail, ma chérie : c'est toi la beauté disponible.

Marianne haussa les épaules. Comme elles atteignaient sa voiture, une Porsche Carrera décapotable, elle ne put s'empêcher de se retourner. L'inconnu braquait son appareil sur elle. Mue par un réflexe enfantin, elle lui tira la langue au moment précis où il appuyait sur l'objectif. Ravi, il leva le pouce tandis qu'elle prenait place derrière le volant. Au moment où elle allait tourner la clé de contact, le téléphone fixé sous le tableau de bord se mit à sonner. Marianne décrocha et écouta son correspondant en fronçant progressivement les sourcils. Elle ne dit qu'un seul mot avant de raccrocher :

— J'arrive.

Et elle mit le moteur en route.

— Un pépin ? s'inquiéta Claudine.

— Je le crains. Tu m'excuseras auprès d'Henri, mais vous devrez aller sans moi chez les Préseau. Je te dépose à la propriété et je fonce à Lille.

— François ?

— Non, un problème à la brasserie.

— Mais c'est dimanche, tu es en congé.

— En été, la brasserie tourne sept jours sur sept, tu le sais bien.

— Ma pauvre chérie, soupira la libraire. Quand donc t'arrêteras-tu de courir comme ça ?

L'homme au blouson de football américain suivit la Porsche des yeux jusqu'à ce qu'elle disparaisse au détour de la route.

La grande salle d'embouteillage des Nouvelles Brasseries Steenfort SA était entièrement automatisée et un seul employé en blouse blanche en assurait le contrôle derrière son pupitre de commandes. C'est là que Marianne, qui n'avait même pas pris le temps de se changer, retrouva son adjoint, Philippe Hambursin, et Charlier, le directeur de fabrication. Tous deux avaient l'air perturbé.

– C'est arrivé quand ? interrogea Marianne après les avoir brièvement salués.

– Il y a cinq jours, répondit Charlier. Un plombier, dans un café de Caen. Perforation intestinale, mais ses jours ne sont pas en danger.

– C'est toujours ça. Qu'est-ce qui prouve que nous y sommes pour quelque chose ?

– Le médecin chef de l'hôpital, qui a interrogé le patient, a fait faire une rapide enquête par la police municipale, intervint Philippe. Dans le fond d'une des bouteilles vides de Steenfort qui, par chance ou par malheur, se trouvait encore chez le cafetier, on a retrouvé des cristaux de verre identiques à ceux qui ont troué la paroi intestinale de notre plombier. Celui-ci, bien sûr, a porté plainte contre nous.

– Merde ! pesta Marianne. Mais comment est-ce possible ? Nos bouteilles sont triées, lavées, stérilisées, contrôlées...

– Un défaut de la paroi intérieure d'une bouteille est toujours possible, expliqua Charlier. Ça résiste au lavage mais plus tard, à cause des chocs occasionnés par le transport, quelques lamelles de verre peuvent se détacher du corps de la bouteille et se perdre dans le liquide. C'est très rare, mais ça peut arriver.

– Ce serait donc le verrier qui serait responsable. Qui donc nous fournit nos bouteilles ?

– Norglass, à Valenciennes. Une boîte sérieuse.

– Que Norglass soit ou non responsable, le problème c'est que c'est Steenfort qui est écrit sur l'étiquette. Quand avez-vous été mis au courant de ce... de cet accident, monsieur Charlier ?

– Ce matin. Le ministère de la Santé publique n'a été averti que vendredi en fin d'après-midi, à l'heure où la plupart des fonctionnaires sont déjà partis. Mais un de mes amis, qui est chef de service à l'inspection alimentaire, en a eu vent et m'a téléphoné chez moi. Malheureusement, j'étais absent samedi et je n'ai eu le message que ce matin. J'ai immédiatement prévenu votre adjoint et nous avons décidé de vous contacter. Nous devons nous attendre à recevoir dès demain matin la visite d'un représentant du ministère.

— Et demain après-midi, nous avons notre conseil d'administration mensuel, rappela l'adjoint de Marianne.

— Je sais, Philippe, je sais. D'ici là, faites procéder à un contrôle physique des bouteilles entrantes, monsieur Charlier. Quant à vous, Philippe, débrouillez-vous pour qu'un représentant de Norglass soit chez nous demain matin. Et prions pour que l'affaire du plombier de Caen reste un cas unique.

L'employé en blouse blanche qui se tenait derrière le pupitre de contrôle, âgé de trente-huit ans, s'appelait René Germeau. Avec le bruit de l'embouteillage, il n'avait rien pu entendre des paroles échangées par les trois personnes qui discutaient à l'autre bout de la salle. Mais il n'avait cessé de les observer à la dérobée sous ses épais sourcils qui se rejoignaient au-dessus du nez.

Comme le sont souvent les mariages arrangés, celui de Marianne et de Michaël Fenton n'avait été ni un échec sanglant, ni une flamboyante réussite ; son principal sujet de satisfaction avait été la naissance de leur fils, François, trois ans après la bénédiction nuptiale. Le couple s'était installé dans un vaste appartement du centre ouest de Lille où les époux firent assez rapidement chambre à part. Ils engagèrent une cuisinière-femme de ménage ainsi qu'une bonne d'enfant pour s'occuper du petit François, et participèrent durant quinze ans à la vie sociale traditionnelle de la bourgeoisie d'une grande ville de province.

Après la mort tragique d'Adrien, Marianne, forte de la majorité retrouvée au sein de la société grâce au concours des Fenton Breweries, avait été contrainte, à vingt et un ans, de reprendre la direction des brasseries Steenfort tout en devant accepter la présence d'un représentant de Texel dans son conseil d'administration. Heureusement pour elle, elle avait pu s'appuyer sur le soutien et la fidélité sans faille des cadres de la brasserie : Galibier, Delacroix et, surtout, Isaac Wolff ; tous trois partis depuis à la retraite.

Elle n'avait pu, en revanche, que fort peu compter sur l'assistance de Michaël. Garçon charmant mais futile et inconsistant, le jeune Écossais n'avait pas menti lorsqu'il avait dit ne s'intéresser ni à la brasserie, ni aux affaires. Après deux ou trois ans d'efforts louables, il réussit à faire admettre par tout le monde son irrémédiable incompétence et se borna ensuite à assister aux conseils d'administration, consacrant l'essentiel de son temps à écrire des *musicals* aussi peu convaincants que son savoir-faire en matière de gestion d'entreprise et dont aucun producteur n'avait jamais voulu..

Après le décès de sir Roderick, en 1965, Michaël passa plusieurs mois à Aberdeen pour prendre possession de l'importante brasserie familiale, la troisième de Grande-Bretagne, ainsi que des autres biens et du titre de « sir » que lui avait laissés son père. Lorsque Marianne lui fit une visite surprise quelques semaines plus tard, elle le trouva au lit avec une certaine Mildred, engagée comme secrétaire mais dont les talents généreux ne se bornaient manifestement pas à la dactylographie. Ce cher Michaël avait toujours eu un faible pour les amours ancillaires et les gros seins, chose que Marianne savait depuis longtemps sans trop s'en soucier. Estimant que cette fois l'occasion était belle de recouvrer sa liberté, elle demanda le divorce qu'elle obtint trois ans plus tard, conformément à la lente procédure encore en vigueur dans les années soixante. Entre-temps, elle avait vendu l'appartement et s'était installée avec François dans une charmante villa du quartier résidentiel de Lille. Et depuis, hormis quelques brèves liaisons sans conséquences, il n'y avait plus eu d'homme dans sa vie.

Ce lundi matin, Marianne prenait son petit déjeuner sur la terrasse, de plain-pied avec le salon du rez-de-chaussée dont les portes-fenêtres étaient grandes ouvertes pour y laisser pénétrer le soleil. Un des principaux attraits de cette maison, outre son agencement commode et ses trois chambres à l'étage, était l'agréable jardin arboré qui l'entourait, bien isolé des voisins par une haie de troènes.

Élégamment vêtue d'un tailleur d'été couleur crème, elle avait mis, comme tous les matins, la table pour deux. En changeant de résidence et de vie, en dépit du travail qui l'accaparait six jours par semaine, Marianne avait renoncé à avoir un ou une domestique à demeure, préférant son intimité au confort d'être servie. Une femme de ménage s'occupait d'entretenir la villa deux jours par semaine.

Comme elle consultait sa montre, prête à entamer une journée qui s'annonçait rude, une silhouette ébouriffée en pyjama-short se matérialisa en bâillant dans l'embrasure d'une des portes-fenêtres. François Fenton n'avait, heureusement, hérité ni des cheveux carotte ni des taches de rousseur de son père. Châtain comme sa mère, grand et maigre, il portait les cheveux longs et, sans être vraiment beau, possédait un charme indéniable dont il était parfaitement conscient. Marianne lui trouvait parfois une ressemblance avec son propre père, Adrien ; la persévérance en moins et l'humour en plus.

— Tiens, quelle bonne surprise ! fit sa mère. Je suppose qu'il vaut mieux ne pas te demander à quelle heure tu es rentré de Paris, cette nuit ?

— Vaut mieux pas, en effet, grogna le garçon avant de venir l'embrasser entre deux bâillements. B'jour, m'man.

— Bonjour, François. Puis-je me permettre de te rappeler que tu es censé être au bureau à huit heures, au cas où tu l'aurais oublié ?

François s'affala sur la chaise qui faisait face à celle de Marianne.

— Bof !... Tu sais bien que je suis pour l'horaire variable. Y a plus de corn-flakes ?

— Non. Je te rappelle également que tu vas chercher ton père à midi à l'aéroport. C'est un jour de conseil d'administration.

— Bouuuh... Tous ces rappels, comme ça, dès l'aube... Dur, dur, petite mère. Tu me passes la confiture, s'il te plaît ?

Métro-boulot-dodo... Si tu veux mon avis, on ne profite pas assez de la vie. Toi, surtout.

— Palais de marbre, coussins de plume, esclaves, harem et narguilé, c'est ça ?

— Mouais, opina François, la bouche pleine de tartine confiturée. Avec un joint à la plache du narguilé, cha me botterait achez comme programme.

— Désolée, mais ta machine à voyager dans le temps s'est trompée de siècle, mon petit vieux, fit Marianne en se levant tout en consultant sa montre-bracelet. Aujourd'hui, c'est compétitivité, lois sociales, MLF, *cash-flow* et syndicats. Bon, il faut que je file. Ainsi que tu t'en apercevras quand tu daigneras paraître à la brasserie, nous avons quelques problèmes en ce moment.

Comme elle traversait le salon, Marianne croisa une grande fille, aux longs cheveux blonds très clairs, qui descendait du premier étage, vêtue en tout et pour tout d'un tee-shirt lui tombant au ras des fesses et sur lequel était écrit *DO IT.*

— *Hello !* lui sourit aimablement l'inconnue.

— Heu..., *hello !* répondit Marianne, interloquée.

Avant de quitter la pièce pour se rendre au garage, elle vit son fils embrasser l'inconnue à pleine bouche. Apparemment, François n'était pas revenu les mains vides de son week-end à Paris.

L'ami que possédait Charlier à l'inspection alimentaire ne s'était pas trompé : le ministère de la Santé avait effectivement dépêché un haut fonctionnaire à la direction des brasseries Steenfort. Il s'appelait Brouyère, avait le grade de sous-directeur et portait d'épaisses lunettes cerclées d'écaille. La réunion se tint dans la grande salle où aurait lieu le conseil d'administration ce même après-midi. Y assistaient, outre Marianne et le haut fonctionnaire, Charlier, le directeur de production, Norman, le directeur commercial, Philippe, l'adjoint de Marianne, et un représentant de Norglass, un certain Frémont.

Marianne, les sourcils froncés, parcourait rapidement le rapport que venait de lui remettre le représentant du ministère.

— Deux autres cas..., soupira-t-elle.

— Au moins, souligna Brouyère. Disons qu'il s'agit des deux cas où il a pu être établi avec certitude la relation directe entre une affection hémorragique intestinale et la consommation préalable de Steenfort en bouteilles. Mais il y a pu en avoir d'autres.

— Où était-ce? demanda Norman.

Le directeur commercial, un quadragénaire aux cheveux ondulés prématurément gris, se rongeait machinalement la lèvre inférieure. Tout le monde autour de la table savait quelles seraient les conséquences des accidents qui venaient de leur être signalés.

— Un retraité à Rouen et un ouvrier à Saint-Étienne.

— Oh, mon Dieu..., gémit Norman.

— Il est évident que mon ministère va devoir faire interdire la vente de votre bière en bouteille sur tout le territoire français, madame Steenfort.

— Je comprends, admit Marianne, résignée. Qu'en pensez-vous, monsieur Frémont?

— Je... je ne sais pas quoi dire, répondit le représentant du verrier, visiblement embarrassé. Cela ne s'est jamais produit. Nos contrôles de fabrication sont très stricts, mais il peut toujours arriver que quelques bouteilles...

— Quelques bouteilles!? le coupa sèchement l'homme du ministère. Il peut y en avoir des centaines, monsieur, voire des milliers! Les trois cas cités dans ce rapport ne constituent sans doute que la partie émergée de l'iceberg. Le plus souvent, l'absorption de quelques cristaux de verre ne provoque aucun dommage hémorragique perceptible; ce qui ne diminue en rien votre responsabilité.

Le malheureux Norman desserra discrètement sa cravate et prit son mouchoir pour s'éponger le front.

— Bien, dit Marianne. Enfin, si j'ose ainsi dire... Que faisons-nous, messieurs?

— Si vous me permettez, madame Steenfort..., s'avança Charlier. Un de nos confrères hollandais a vécu exactement la même situation il y a quelques années.

— Et?...

— Ils ont immédiatement retiré toutes leurs bouteilles du marché, sans attendre l'interdiction du ministère. La presse en a abondamment parlé, bien sûr, mais en saluant leur initiative.

— Eh bien, c'est exactement ce que nous allons faire. Qu'en pensez-vous, monsieur Brouyère?

— Si toutes vos bouteilles sont retirées du marché dans les trois jours, le ministère n'aura aucune raison d'intervenir.

— Mais, madame!... s'exclama Norman. Il doit bien y avoir soixante millions de bouteilles en circulation rien qu'en France!

— Raison de plus pour agir vite, monsieur Norman. Monsieur Charlier, vous arrêterez dès cette minute l'embouteillage en concentrant la production sur la mise en fûts. Là, au moins, nous ne risquons rien. Quant à vous, Philippe, débrouillez-vous afin de me convoquer une conférence de presse pour demain matin. Je préfère prendre les devants plutôt que de voir imprimé *« Steenfort, la bière qui tue! »* et autres titres fracassants.

— En plein été! gémit encore le directeur commercial. Vous vous rendez compte que ça va nous coûter une fortune? Sans parler du manque à gagner.

— Évidemment que je m'en rends compte, répliqua sèchement Marianne en se levant. Mais nous n'avons pas le choix. Et si la responsabilité de Norglass est établie, ce sont eux qui paieront la note. N'est-ce pas, monsieur Frémont?

Le représentant de Norglass était trop effaré pour réagir.

— Messieurs, je vous remercie. Bien entendu, monsieur Brouyère, vous continuez à nous tenir au courant.

— Cela va de soi, madame Steenfort, dit le représentant du ministère en lui serrant la main. Je vous félicite, vous avez pris la seule décision qui convenait.

Marianne fit la grimace.

— J'ai bien peur que tout le monde ne soit pas de cet avis.

Vierkant était effectivement furieux.

Quelques années après sa tentative de prise de contrôle des brasseries Steenfort, le groupe canadien Texel, sous l'impulsion de Régine Texel, avait créé un bureau commercial à Bruxelles, Texel Europe, et construit une gigantesque brasserie flambant neuve au Grand-Duché du Luxembourg. Fort de ses quarante pour cent dans l'actionnariat des Nouvelles Brasseries Steenfort, l'actuel directeur général de Texel Europe, Aloïs Vierkant, était membre de plein droit de son conseil d'administration.

C'était un Flamand herculéen de près de deux mètres de haut, les cheveux gris fer coupés en brosse et le visage taillé à coups de serpe, qui parlait couramment cinq langues et dont la puissance de travail mettait ses collaborateurs à l'agonie. Il était éternellement accompagné d'un petit bonhomme chafouin et sans âge traînant une énorme serviette bourrée de dossiers, qui n'ouvrait jamais la bouche et dont tout le monde oubliait régulièrement le nom. Le contraste physique entre les deux hommes était saisissant. Bien entendu, on les avait surnommés Laurel & Hardy. Vierkant le savait et s'en moquait.

– Vous avez complètement perdu l'esprit, madame Steenfort! tonna-t-il dès qu'il fut mis au courant de la réunion de la matinée. Arrêter la moitié de la production!... Retirer du marché et détruire soixante millions de bouteilles!... Perdre des centaines de millions de francs en pleine campagne d'été!... Et tout ça parce que deux ou trois individus ont avalé un minuscule morceau de verre qui se trouvait, paraît-il, dans une de vos bouteilles. C'est de l'inconscience pure et simple, madame Steenfort!

– Je dirais, au contraire, que c'est de la conscience, monsieur Vierkant, rétorqua calmement Marianne. De la conscience professionnelle. Et la perte, y compris le manque à gagner, ne devrait pas atteindre plus de cent millions [1].

1. Quatre cent cinquante millions de francs actuels.

Assise en bout de table sous les portraits de Charles Steenfort et du président Pompidou, elle s'était attendue à la violente réaction du Flamand. Celui-ci, assis à quelques mètres d'elle, la fusillait du regard, visiblement prêt à fracasser la table d'un coup de son énorme poing. À la droite de Marianne, Philippe faisait le procès-verbal du conseil. À sa gauche, Michaël, représentant les Fenton Breweries, faisait un effort méritoire pour s'intéresser à ce qui se passait. Vichinsky, le directeur financier des brasseries Steenfort, complétait la petite assemblée.

— Mais c'est énorme, madame ! éructa l'homme de Texel Europe. Énorme ! Et ne parlons même pas de votre image de marque. De *notre* image de marque. Parce que vous semblez oublier une fois de plus que nous sommes partenaires, madame Steenfort.

— Comment voudriez-vous que je l'oublie, monsieur Vierkant ? Cela fait vingt-trois ans que vos prédécesseurs et vous-même me le rappelez à chaque conseil d'administration : le groupe Texel possède quarante pour cent des brasseries Steenfort, amen !

— C'est-à-dire ni plus ni moins que vous, madame. Et sans le soutien de votre ex-mari, M. Fenton ici présent, il y a longtemps que vous seriez retournée aux joies du tricot et des salons de thé.

Les lèvres soudain pincées, Marianne fixa Vierkant sans ciller, et le robuste Flamand se rendit compte qu'il était sans doute allé un peu loin.

— Excusez-moi, grommela-t-il. Mes paroles ont dépassé ma pensée. Il n'en reste pas moins que vous auriez pu nous demander notre avis avant de prendre une décision aussi draconienne. Et que si, dans le passé, vous et M. Fenton aviez accepté de vendre notre Texel en même temps que votre Steenfort, nous aurions au moins de quoi nous retourner. Tandis qu'aujourd'hui...

— Tandis qu'aujourd'hui ?...

— Tandis qu'aujourd'hui, vous allez mettre votre... pardon, *notre* société dans une situation de trésorerie des plus alarmantes. Je m'oppose formellement à la décision hâtive que vous avez prise inconsidérément. Attendez au moins les résultats d'une enquête plus approfondie.

— Et que d'autres personnes soient hospitalisées par notre faute ? Non, monsieur Vierkant. C'est alors que notre image de marque serait ternie à jamais.

— Monsieur Fenton, plaida le Flamand en se tournant vers Michaël. Pour une fois, essayez d'écouter la voix de la réalité économique plutôt que celle des liens qui vous rattachent encore à Mme Steenfort. Je vous demande instamment de voter contre cette mesure suicidaire.

Michaël sursauta, s'arrachant à sa rêverie. Il venait de s'acheter un nouveau yacht et d'engager une jeune secrétaire au tour de poitrine prodigieux, ce qui entraînait ses pensées fort loin des problèmes rencontrés par l'entreprise de son ex-épouse.

— *Well*... heu..., je ne sais pas, je...

— Texel est l'un des plus grands groupes brassicoles du monde, insista Vierkant. Nous disposons de moyens énormes, notre unité du Luxembourg tourne à plein rendement et nous venons de racheter deux brasseries en Autriche et en Espagne. Nous avons des filiales aux États-Unis, au Japon, en Afrique du Sud et en Thaïlande. Les brasseries Steenfort, elles, ne se sont jamais remises des erreurs de gestion commises jadis par M. Adrien Steenfort et ne se classent plus qu'au dixième ou quinzième rang européen. Mais en dépit de tout cela, Mme Steenfort s'obstine à refuser notre appui logistique en échange de ses canaux de distribution. Souhaitez-vous vraiment posséder vingt pour cent d'une société au bord de l'asphyxie, monsieur Fenton ?

— Je... je fais confiance à Marianne, monsieur Vierkant, bredouilla Michaël. Elle a toujours su faire ce qu'il fallait, *sorry*.

— Dans ce cas, je n'ai plus rien à faire ici, grogna l'énorme Flamand en se mettant debout. Pour l'instant, en tout cas.

Son petit assistant s'empressa de remettre ses dossiers dans sa mallette et de se lever à son tour. Sur le seuil de la porte, Vierkant se retourna, brandissant un doigt menaçant.

— Mais je vous préviens, madame Steenfort... Quand par votre faute cette entreprise sera mise en difficulté et devra faire appel à nous pour la redresser, la première chose que j'exigerai en tant que directeur de Texel Europe sera votre démission immédiate. Je vous souhaite une bonne fin de journée, pour autant qu'elle puisse encore être bonne.

Quand les deux représentants de Texel eurent quitté la salle de réunion, les quatre personnes qui y étaient encore assises se regardèrent, soulagées, comme si l'air de la pièce était soudain redevenu plus respirable. Mais trois de ces quatre personnes savaient que les vrais problèmes ne faisaient que commencer. Michaël Fenton, lui, était reparti sur son yacht, dégrafant par la pensée le soutien-gorge taille D de sa nouvelle collaboratrice.

Libéré financièrement par la disparition de sir Roderick, Michaël avait mal vieilli. À quarante-huit ans, il en paraissait dix de plus. Aux trois quarts chauve, ses cheveux roux avaient perdu leur éclat, son visage s'était bouffi et les grosses poches sous ses yeux injectés de sang indiquaient à suffisance qu'il buvait beaucoup trop. Il avait épousé sa Mildred moins d'un an après son divorce et, depuis, la nouvelle Mrs Fenton ne bougeait plus de leur manoir des environs d'Aberdeen, vautrée en permanence devant la télévision en s'empiffrant de *scones* et de *toffees*, ce qui laissait tout loisir à Michaël d'aller jouer au golf ou de batifoler sur son yacht avec ses prétendues secrétaires.

Comme chaque fois après le conseil d'administration, Marianne avait invité son ex-mari au restaurant. Michaël ayant expédié la première bouteille de vin dès l'entrée, elle en commanda une seconde.

— Au fond, demanda Michaël, pourquoi continues-tu à refuser de vendre de la Texel ?

— Je te l'ai déjà expliqué, Michaël : elle est trop semblable à ma Steenfort. Ce serait le mariage de la souris et de l'éléphant. Dans quel état serait la souris au lendemain de la nuit de noces ?

— C'est vrai. Mais il paraît que les éléphants ont peur des souris.

— C'est grâce à ça que je suis toujours en vie. À ça, et à ton appui. Comment se portent les Fenton Breweries, à propos ?

— Bien, je crois. Bien.

— Tu crois ?

— Tu me connais, *darling*. Je ne ressemble pas à mon père et je fais un très mauvais président de société. Je préfère laisser la direction de mes brasseries aux spécialistes qui sont payés pour ça.

— Alors, j'espère pour toi qu'ils méritent leurs appointements. Mais assez parlé de bière, j'ai eu ma dose pour la journée. Comment va Mildred ?

Michaël grimaça.

— Elle a encore pris cinq kilos. Si elle continue comme ça, d'ici quelques années, il faudra un treuil pour la hisser dans sa chambre à coucher.

— Ça t'apprendra à aimer les grosses, Michaël.

On leur apporta le plat qu'ils avaient commandé, un gigot d'agneau aux lentilles, et ils mangèrent quelques minutes en silence. L'Écossais voulut vider son verre de vin avec le secret espoir d'arriver à pouvoir commander une troisième bouteille, mais le regard incisif de Marianne retint son geste.

— J'ai déjeuné avec François, ce midi, dit-il. Il m'a paru fatigué.

— Courir les filles jusqu'à cinq heures du matin n'est pas le meilleur moyen de rester en forme, tu sais.

— Bah, c'est de son âge.

— Mouais. Poursuivre ses études aurait aussi été de son âge. Mais je suppose que c'est de ma faute. C'est toujours de la faute des parents, paraît-il.

— Il m'a dit que tu l'avais pris avec toi à la brasserie.

— Oui, au département publicité. François est doué pour le dessin, mais pas pour le travail, j'en ai peur. Je ne sais pas ce qui l'intéresse, Michaël, et j'avoue que ça me désespère un peu. C'est pourtant un garçon intelligent, mais rien ne le motive. J'ai dû trop le gâter et pas assez m'occuper de lui.

— Envoie-le-moi quelque temps en Écosse.

— Pour faire quoi ? répliqua un peu trop sèchement Marianne. Chasser la grouse, jouer au golf et se balader sur ton yacht avec tes poupées gonflables ? Je ne pense pas que ce serait le meilleur moyen de lui mettre du plomb dans la cervelle.

Piquant un fard, Michaël plongea du nez dans son assiette. Se penchant, Marianne posa une main sur son bras.

– Excuse-moi, je ne voulais pas être méchante, fit-elle d'un ton radouci. Je... je suis un peu désemparée, c'est tout. Cette affaire de bouteilles défectueuses tombe vraiment mal.

Retrouvant le sourire, l'Écossais posa à son tour sa main libre sur celle de son ex-femme.

– Je ne m'en fais pas pour toi, *darling*, je sais que tu t'en tireras. Tu es quelqu'un de solide, toi. Tu es forte.

Marianne eut un petit rire sans joie. Il n'y a rien qu'une femme déteste plus que de s'entendre dire qu'elle est forte. Surtout quand elle l'est effectivement.

– Tu as raison, Michaël, ne t'en fais surtout pas pour moi...

Rentrant chez elle après avoir reconduit Michaël à son hôtel, Marianne fut assaillie par les accents lancinants d'une cithare. Elle reconnut la musique du film *More* interprétée par les Pink Floyd. Dehors, sur la terrasse, tous deux torse nu, un foulard noué autour de la tête, François et la jeune inconnue blonde se déhanchaient languissamment sous les étoiles en se passant un énorme joint de marijuana dont l'odeur sucrée parvenait jusqu'au salon. Ils ne l'avaient pas vue et elle monta sans signaler sa présence, se disant de ne pas oublier de prendre des boules Quies à la salle de bains avant de se mettre au lit.

Le lendemain matin, Marianne quitta la maison sans avoir vu son fils. Elle aurait dû aller le secouer, comme devrait le faire toute mère responsable, mais elle y renonça. La conférence de presse convoquée par Philippe était à dix heures et elle avait une myriade de choses à régler avant. Aussi fut-elle désagréablement surprise en voyant Farzette l'attendre devant la porte de son bureau.

Aussi haut en couleur que court sur pattes, Farzette était le responsable du département publicité & promotion de la brasserie. La cinquantaine chauve et bedonnante, toujours vêtu de chemises à jabot vert tendre ou jaune canari, il affichait ouvertement son goût pour les hommes jeunes et bien bâtis ; ce qui lui coûtait vraisemblablement l'essentiel de son salaire. Marianne, en l'engageant une douzaine d'années auparavant, lui avait clairement fait comprendre qu'elle ne voyait aucun inconvénient à ce qu'il soit homosexuel à la condition expresse qu'il n'exerce pas ses talents de séducteur sur le personnel masculin de l'entreprise.

– Madame Steenfort, s'il vous plaît...

Marianne soupira. Elle se doutait bien de la raison pour laquelle le petit homme voulait lui parler. C'était chez lui que François était censé travailler.

– Oui, monsieur Farzette ?

– Je renonce à discuter davantage de la conception très personnelle qu'a monsieur votre fils de nos horaires de travail, mais je voudrais cependant vous montrer à quoi il consacre le peu de temps qu'il daigne passer chez nous.

Il l'avait prise par le bras et l'entraînait d'autorité dans la direction de l'atelier de création, deux étages plus bas. Marianne tenta mollement de résister.

– J'ai beaucoup de travail, monsieur Farzette...

– Je sais, madame Steenfort, mais il n'y en aura que pour quelques minutes.

Le département publicité & promotion, qui s'étendait sur toute la moitié d'un plateau, était un vaste capharnaüm d'esquisses, de projets et de maquettes variées. Aux murs étaient accrochées diverses affiches de campagnes précédentes, ainsi que des réclames en tôle émaillée dont certaines remontaient à l'entre-deux-guerres. Trois graphistes étaient penchés sur des planches à dessin. Tout au fond, une table était jonchée de grandes feuilles crayonnées. Entraînant toujours sa patronne, Farzette s'approcha de la table et fourra une brassée de ces feuilles dans les mains de Marianne.

– Le travail de l'artiste ! Artiste que je n'ai plus vu depuis jeudi dernier, soit dit en passant.

Marianne ouvrit de grands yeux. C'étaient des dessins de potache. Bien faits, mais de potache. Une femme à la poitrine disproportionnée léchant langoureusement le col phallique d'une bouteille de Steenfort dégoulinante de mousse. Sa sœur jumelle enserrant ledit col de bouteille entre ses seins. Un homme nu, un tire-bouchon à la place du sexe, poursuivant d'un air égrillard une bouteille de Steenfort à l'arrière-train indiscutablement féminin. Et tout à l'avenant.

Elle retint un des dessins qui montrait un homme nu, de dos, sur un minuscule îlot perdu en pleine mer, une bouteille de bière à la main. Avec comme slogan : *Le plaisir d'être à deux, ma Steenfort et moi.*

— Il n'est pas mal, celui-là.

Farzette fronça les sourcils.

— En lui rajoutant un slip, bien entendu, s'empressa-t-elle d'ajouter.

Le petit homme lui arracha littéralement le dessin des mains.

— Bien, j'ai compris. Mais je suis un homme sérieux, moi, madame Steenfort. Un professionnel avec trente ans de métier. Si vous voulez donner une nouvelle orientation à la publicité de votre entreprise, pourquoi ne nommez-vous pas monsieur votre fils à ma place ? Vous aurez ma lettre de démission sur votre bureau dès cet après-midi.

Les trois graphistes, bien entendu, ne perdaient pas une miette de l'altercation. Sans être autrement émus pour autant. Farzette menaçait de démissionner trois ou quatre fois par mois.

— Je vous en prie, monsieur Farzette, dit Marianne d'un ton conciliant. D'accord, je ferai la leçon à François et je vous promets qu'il s'assagira. Mais ce n'est pas le moment de me laisser tomber. J'ai besoin de vous, ici. J'ai besoin de tout le monde.

Les lèvres pincées, Farzette prit l'attitude de l'homme outragé qui a assez de grandeur d'âme pour savoir pardonner.

— Hum... J'ai cru comprendre que nous avions quelques problèmes, en effet. Soit, je veux bien donner encore une chance à votre bon à r..., à monsieur votre fils.

— Merci, monsieur Farzette.

— Et à ce propos, madame Steenfort, que faisons-nous pour la campagne ?

— La campagne ?

— La campagne d'affichage prévue dès la rentrée de septembre et pour laquelle vous aviez donné votre accord. Je suppose, étant donné les circonstances, que nous l'annulons ?

— Nous n'annulons rien du tout, monsieur Farzette, au contraire. En septembre, cette malheureuse affaire de bouteilles défectueuses sera réglée depuis longtemps et nous devrons plus que jamais renforcer notre image de marque aux yeux du public. Et pour ça, je compte sur vous, monsieur Farzette.

Le petit homme se rengorgea, bombant le torse sous sa chemise pastel.

— Vous pouvez compter sur moi, madame Steenfort.

Le grand bureau directorial de Marianne, au dernier étage du bâtiment, avait changé de style depuis le temps où Adrien l'occupait. Elle avait fait peindre les murs de couleurs gaies et remplacer le triste et lourd mobilier d'avant-guerre par des meubles suédois en bois clair et aux lignes épurées.

La première chose que fit Marianne en y entrant fut d'appeler son adjoint pour faire le point de la situation.

Philippe Hambursin, trente ans, diplômé de HEC, était un grand échalas à la tignasse brune indisciplinée et aux yeux marron agrandis par les énormes verres ronds de ses lunettes. Célibataire, intellectuel et complètement désorganisé dans sa vie privée, il s'habillait comme l'as de pique, ne reserrant que de mauvaise grâce le morceau de tissu effiloché qui lui tenait lieu de cravate. Mais ce garçon brillant, précis et rationnel dans le travail, était pour Marianne un précieux assistant.

— J'ai appelé le ministère de la Santé, dit Philippe en prenant place en face de sa patronne. Ils confirment qu'ils ne diffuseront pas d'interdiction officielle à condition qu'il n'y ait plus une seule bouteille de Steenfort sur le marché avant la fin de la semaine.

— Bien. Pas d'autres accidents signalés ?

— Pas jusqu'à présent. Je croise les doigts.

— Et moi, donc. Où en sont Norman et Charlier ?

— Pendus au téléphone depuis hier matin. Toute l'équipe de vente est sur le pied de guerre. Ah, oui..., Norglass a exigé qu'on analyse les éclats de verre trouvés dans l'intestin de nos victimes.

— Normal. Bien, assez parlé de cette malheureuse affaire. Occupons-nous de l'avenir, Philippe.

— L'avenir ?

Marianne se leva et, ouvrant la porte d'un meuble bas, en sortit un verre et une boîte de conserve.

— Ça, dit-elle en posant le tout sur le bureau.

— Ça ? Qu'est-ce que c'est ?

Passant un doigt dans une languette qui dépassait au sommet de la boîte, Marianne tira d'un coup sec. Puis elle vida son contenu dans le verre. Philippe ouvrit de grands yeux derrière ses lunettes.

— De la bière en boîte !?

— Exact. Ce sont les Américains qui viennent de le trouver. Pour la bière, mais aussi pour les limonades et les sodas. Plus de problèmes de bouteilles à consigner, mais des canettes à jeter, faciles à stocker, à transporter et dont le métal peut être recyclé. L'avenir, mon petit Philippe.

Celui-ci avait pris la boîte vide et l'examinait d'un air sceptique.

— Et vous pensez que ça pourrait marcher chez nous ?

— J'en suis persuadée. Chez les jeunes, surtout. D'ailleurs, les Hollandais et les Danois sont déjà sur le coup. Si nous ne traînons pas, nous serons les premiers en France.

— Mais...

— Mais quoi, Philippe ? Cette année, à cause de cette maudite histoire de bouteilles, nous finirons l'exercice dans le rouge, d'accord. Mais ce n'est pas une raison pour baisser les bras et ne plus penser à demain. Je veux que le mois prochain, vous partiez faire un petit voyage d'étude aux États-Unis. Vous parlez bien l'anglais, non ? Investissement, encombrement, coût unitaire, rendement, etc. Le dollar vient de baisser de dix pour cent, autant en profiter.

Le *buzzer* de l'interphone posé sur le bureau se fit entendre. Marianne se pencha et appuya sur le bouton.

– Oui, Gabrielle ?

– Les journalistes sont dans la salle de réunion pour la conférence de presse, madame, fit la voix de sa secrétaire.

– Très bien, j'arrive.

Dans un miroir discrètement accroché dans un recoin du bureau, Marianne vérifia rapidement que sa tenue et sa coiffure étaient en ordre.

– J'aimerais que vous ne parliez pas trop de ce projet de bière en boîte, Philippe. Pas maintenant, en tout cas. Certains de nos cadres me prendraient pour une folle. Bon, allons-y pour la fosse aux lions !

Philippe se leva.

– Vous voulez que je vienne avec vous ?

– Merci, Philippe, mais ça ira très bien. À tout à l'heure.

Comme elle franchissait la porte, la voix de Philippe la retint.

– Madame Steenfort...

– Oui ?

– Je vous trouve... Enfin, je... Vous êtes une patronne formidable, voilà.

Marianne sourit, attendrie. Elle savait depuis longtemps que son grand échalas d'adjoint était amoureux d'elle.

2

— « ... *des millions de réfugiés sur les routes de l'Inde et du Pakistan fuyant les inondations sans précédent qui continuent à ravager les deux pays et qui ont déjà fait plus de dix-sept mille morts et des centaines de milliers de sans-abri. Ting. En France, on n'a toujours pas retrouvé la trace d'Hannah Schneider, qui s'était réfugiée dans notre pays après l'arrestation en Allemagne des chefs de la Fraction Armée rouge, Andréas Baader et Ulrike Meinhof. Hannah Schneider, vingt-deux ans, considérée comme extrêmement dangereuse, est probablement responsable de l'explosion de jeudi dernier à la gare Saint-Lazare qui a fait, je vous le rappelle, deux morts et quatorze blessés. Ting. C'est le 31 juillet prochain que les douze pays membres de la Conférence spatiale européenne...* »*

Marianne coupa son autoradio en s'arrêtant devant la porte de son garage. Laissant tourner le moteur, elle sortit de la Porsche en se disant pour la millième fois qu'elle devrait faire automatiser cette porte pour pouvoir l'ouvrir avec une télécommande sans devoir quitter sa voiture.

Cette journée du mercredi avait été au moins aussi frénétique que celle de la veille. La photo de Marianne avait fait la une de presque tous les quotidiens, tant nationaux que régionaux, en tête de l'article annonçant sa décision de retirer soixante millions de bouteilles de Steenfort du marché. L'information avait été relayée par plusieurs radios et elle avait rendez-vous le lendemain matin avec une équipe de télévision de l'ORTF. Conséquence logique, son téléphone

288

n'avait pas arrêté de sonner en dépit du barrage établi par sa secrétaire. Vierkant l'avait appelée à plusieurs reprises de Bruxelles, mais elle avait refusé de prendre les communications. Dans l'ensemble, cependant, tout se passait bien ; les concessionnaires et les chaînes de grande distribution jouaient le jeu et les médias avaient généralement davantage complimenté qu'enfoncé la direction des brasseries Steenfort. Seule ombre au tableau : elle n'avait pas encore eu l'occasion de converser sérieusement avec François.

Sa voiture rentrée, elle s'apprêtait à refermer la porte du garage quand une voix d'homme la fit tressaillir.

– Un instant, madame Steenfort...

À huit heures du soir, alors qu'il faisait encore très clair, elle vit un homme d'assez haute taille venir vers elle sur le gravier de l'allée menant au garage, une grande enveloppe de papier Kraft sous le bras et un journal plié à la main. Large d'épaules, il portait un costume d'été bien coupé et une cravate assortie à la discrète pochette qui dépassait de sa poche de poitrine.

– Qui êtes-vous ? Que voulez-vous ?

– Vous montrer quelques photos.

Il avait un solide accent anglo-saxon, probablement américain. Marianne, soudain, reconnut les cheveux blonds coupés court.

– Hé, je vous reconnais, vous... Vous êtes le maniaque de l'objectif de dimanche dernier. Qu'est-ce que vous faites ici ?

Elle ne se sentait pas inquiète. L'inconnu, qui devait avoir dans les quarante-cinq ans, sourit largement, accentuant l'éventail de petites rides qui se dessinaient aux coins de ses yeux très bleus. Claudine avait raison : il ressemblait effectivement à Paul Newman.

– Je viens de vous le dire : vous montrer des photos, répondit-il en ouvrant l'enveloppe pour en extraire une dizaine de grands clichés en noir et blanc qu'il tendit à Marianne.

Celle-ci les prit. Les photos la montraient avec Claudine en différents endroits de l'abbaye de Saint-Arnould. La dernière était un gros plan d'elle tirant la langue en direction de l'objectif.

– On parle beaucoup de vous en ce moment, madame Steenfort, poursuivit « Paul Newman » en dépliant son journal. *« Madame Steenfort, P.-D. G. des brasseries Steenfort, retire vingt millions de litres de bière de la vente. »* Imaginez que ces photos, surtout la dernière, soient communiquées à la presse...

À son ton, Marianne comprit qu'il lui jouait la comédie. Sans trop savoir pourquoi, elle décida d'entrer dans son jeu.

– Je vois, dit-elle. Chantage ?

– Chantage. Bien entendu, conformément aux usages du genre, les négatifs sont en lieu sûr.

– Bien entendu. Quel est votre prix ?

– Votre soirée. Maintenant.

– C'est cher.

– N'essayez pas de m'attendrir, je serai ferme et impitoyable.

– D'autant plus cher que, comme vous l'avez lu dans la presse, je viens de passer quelques journées difficiles.

– Raison de plus pour vous changer les idées. J'ai un crédit illimité dans un des meilleurs restaurants de la ville, qu'en dites-vous ?

– J'en dis que je meurs de faim. J'ai le droit d'aller me changer ?

– Soit. Mais n'essayez pas de filer en douce, je surveillerai toutes les issues. Et, bien sûr, défense de téléphoner à la police.

Dans sa chambre à coucher dont le faux balcon donnait sur le jardin, Marianne se déshabilla rapidement, émoustillée comme une écolière se préparant pour son premier rendez-vous. Pourquoi avait-elle accepté si rapidement l'invitation de cet inconnu ? La réponse était simple : ce type lui plaisait. Et elle avait effectivement grand besoin de se changer les idées.

Nue, elle passa dans sa salle de bains... et eut un choc. La jeune amie de François paressait voluptueusement dans la baignoire fumante remplie à ras bord, ses longs cheveux blonds flottant en corolle autour de son visage. Sans s'émouvoir le moins du monde, elle accueillit Marianne d'un charmant sourire.

— *Hello !*

— Heu... *hello !* Qu'est-ce que vous faites là, mademoiselle ?

Marianne put constater sans peine que c'était une vraie blonde.

— Je prendre bain, répondit calmement la fille avec un accent aussi prononcé qu'indéfinissable.

— Ça, je le vois. Où est François ?

— Sais pas. Pas rentré.

— Il ne vous a pas dit qu'il y avait une autre salle de bains à côté de sa chambre ?

— Si. Mais ici, baignoire plus grande. Meilleure. Vous voulez petite place ?

— Non merci, sans façon. Vous avez un nom, à propos ?

— Si, Frederika. Moi danoise. Amis m'appeler Fred.

— Fred..., maugréa Marianne entre ses dents. Pourquoi pas Robert, tant qu'on y est. Bon, on réglera ça plus tard.

« Paul Newman », qui l'attendait sur la terrasse, l'enveloppa d'un regard appréciateur lorsqu'elle parut dans un élégant ensemble chemisier-pantalon.

— Bravo, vous êtes superbe !

— N'abusez pas de la situation, mon ami. Je suis forcée de céder à vos exigences, mais je vous préviens que vous ne vous en tirerez pas comme ça. Les maîtres chanteurs finissent toujours mal.

Le grand blond sourit largement. Il avait un sourire magnifique.

— J'adore vivre dangereusement. On y va ?

Le lendemain, Marianne se leva une demi-heure plus tard que d'habitude. Elle était rentrée à deux heures du matin et n'avait pas eu son content de sommeil. Se regardant sans complaisance dans le miroir de sa salle de bains, elle hésita à maquiller les légers cernes de fatigue qu'elle avait sous les yeux. Elle y renonça en se disant qu'il valait sans doute mieux donner à la télévision l'image d'une « pédégère » épuisée par les efforts qu'elle faisait pour préserver la santé des consommateurs de Steenfort en bouteille.

À sa grande surprise, François était déjà assis à la table du petit déjeuner mise pour trois, impeccablement habillé d'un costume trois pièces et mangeant ses corn-flakes de bon appétit. En voyant sa mère arriver en peignoir sur la terrasse, il se forgea un visage faussement sévère.

— Ah, tout de même... Je préfère ne pas savoir à quelle heure tu es allée te coucher.

— Mêle-toi de tes oignons, sapajou, sourit Marianne en venant l'embrasser. Bonjour quand même...

— De *nos* oignons, petite mère. Puis-je me permettre de te rappeler que nos bureaux ouvrent à huit heures ?

— C'est malin, grogna Marianne en s'asseyant.

François lui versa une tasse de café.

— D'autant plus que, si j'en crois les journaux, tu as du pain sur la planche. C'est sérieux, cette histoire de cristaux de verre dans nos bouteilles ?

— Si tu venais parfois à la brasserie, tu saurais que oui.

— En tout cas, tu as des couilles, petite mère. Retirer soixante millions de bouteilles du marché, chapeau, il fallait le faire.

— Parlons d'autre chose, tu veux ?

— D'accord. J'ai vu les photos sur la table du salon. Tu sais que tu es encore pas mal pour ton âge ? Qui est le photographe ?

— Un Américain, Jay Morgan. Il est correspondant de *Newsweek* à Bruxelles.

— Un ami à toi ?

— Rencontré par hasard.

— C'est lui qui t'offre tes nuits blanches ?

— La barbe ! François. Dis-moi plutôt où tu t'en vas si tôt le matin, sapé comme un milord ?

— J'ai une réunion de concept pour notre affiche. Tu sais bien, la campagne « Steenfort pour faire mousser la vie ».

— C'est toi qui t'occupes de ça ?

— Ben oui. Le père Farzette m'a appelé hier après-midi et il m'a confié tout le projet. Il m'a dit : « Ça apprendra à madame votre mère le prix du népotisme. » Textuel. C'est quoi, le népotisme ?

– Dans le cas présent, c'est le risque de perdre un paquet de fric dans une campagne publicitaire à la noix.

– Pas de panique, petite mère, je vais te ficeler ça aux petits oignons. Bon, il faut que j'y aille, j'ai rendez-vous à l'agence à neuf heures. *Adios.*

– Un instant, François...

Le garçon, qui s'apprêtait à quitter la terrasse, interrompit son mouvement.

– Oui, quoi ?

– Fred.

– Quoi, Fred ?

– Miss Seins-au-vent, si tu préfères. Elle sort d'où, cette fille ?

– C'est une étudiante danoise que j'ai rencontrée à Paris. Elle visite la France, alors je l'ai ramenée pour lui montrer notre belle ville. Elle est sympa, non ?

– Mmh... Et elle compte rester longtemps ?

– Sais pas. J'espère que oui car c'est un super-coup. Pourquoi ? Ça t'ennuie qu'elle soit là ?

– Uniquement quand je la trouve dans ma baignoire. Et aussi quand elle te fait fumer ces saloperies.

– Ce n'est qu'un peu d'herbe, maman. Tout le monde fume ça ou du shit, aujourd'hui.

– Non, pas tout le monde. Et je préférerais que tu t'en abstiennes.

– Oh, ça va, s'énerva François. Je ne suis plus un bébé, maman.

– Non, répliqua sèchement Marianne. Tu es un garçon de vingt ans qui a raté ses études et dont le seul métier consiste à toucher un salaire sans rien foutre dans l'entreprise que possède sa mère. Tu voulais savoir ce qu'était le népotisme ? Eh bien, c'est ça, François. Ce qui me donne encore le droit de contrôler tes agissements, mon petit bonhomme.

Les lèvres pincées, François s'était figé. La mère et le fils s'affrontèrent du regard un bref instant.

– Coup bas, petite mère, finit par murmurer François avant de tourner les talons et de rentrer dans la maison.

– François, attends...

Elle entendit claquer la porte d'entrée. Trente secondes plus tard, la 2CV de son fils franchissait en trombe l'entrée menant à la rue. Au même moment, le téléphone sonna dans le salon. Marianne se leva en soupirant pour aller décrocher.

– Allô? (...) Ah, c'est toi, Henri. Bonjour. (...) Comment ça, elle veut aller en appel!? Mais... (...) Bon, d'accord, je passerai en fin de journée à ton cabinet. Vers dix-neuf heures, ça va? Plus tôt, je ne peux pas. Comme tu t'en doutes, j'ai des journées chargées, en ce moment. (...) D'accord, à tout à l'heure. Embrasse Claudine pour moi.

Le réalisateur de l'ORTF fit prendre quelques prises de vues de la salle de brassage et de la chaîne d'embouteillage à l'arrêt, puis le journaliste qui accompagnait l'équipe interviewa Marianne dans son bureau. Le tout prit près de trois heures, dont les téléspectateurs ne verraient qu'un montage d'une minute trente au journal télévisé du soir.

Les gens de l'ORTF partis, Marianne fit le point avec son adjoint.

– Alors, où en est-on?

– Ça roule, répondit le diplômé d'HEC. Nos camions arrivent en flot continu chez Norglass, qui est chargé de détruire les bouteilles. Les gens de chez Norglass sont furibards, évidemment. Quant à votre ami Vierkant, il nous bombarde de notes depuis Bruxelles pour réclamer votre démission, avec copies à Texel Canada et aux Fenton Breweries.

– Ça se tassera. Quoi d'autre?

– L'avocat du plombier de Caen nous propose une transaction. Le remboursement de tous ses frais médicaux plus cent mille francs [1] pour l'incapacité de travail et le préjudice moral.

– Dites à notre service juridique d'offrir cinquante mille.

---

1. Quatre cent cinquante mille francs actuels.

– C'est exactement ce que j'ai fait. Je suppose que nous prenons l'initiative de proposer la même chose aux deux autres : celui de Rouen et le retraité de Saint-Étienne ?

– Nous n'avons pas le choix, autant prendre les devants.

Philippe déposa une liasse de feuillets sur le bureau.

– Le problème, c'est que tout le monde lit les journaux. Nous avons déjà reçu une dizaine de plaintes émanant de gens ayant subi une hémorragie intestinale aux quatre coins de France, laquelle serait, d'après eux, imputable à l'une de nos bouteilles. Mais ce n'est qu'un début, naturellement.

– C'était malheureusement prévisible, soupira Marianne en parcourant rapidement les lettres. Que nos juristes contactent ces gens, Philippe. Individuellement. En les avertissant que s'ils ne peuvent pas prouver leurs dires, c'est nous qui les attaquerons pour déclaration mensongère. Ça devrait calmer la plupart d'entre eux.

– Il y a encore quelques journalistes qui voudraient vous interviewer et...

On frappa à la porte.

– Entrez, lança Marianne, agacée.

C'était Charlier, le directeur de production, accompagné de Frémont, le représentant de Norglass, qui portait un attaché-case en cuir.

Frémont, avant même de saluer Marianne et Philippe, vint poser ostensiblement sa mallette sur le bureau avec le sourire contenu d'un joueur de poker qui vient de toucher un full aux as par les rois.

– Messieurs ?... fit Marianne, un sourcil levé.

– Désolé de vous déranger, madame Steenfort, s'excusa Frémont. Mais ce que j'ai à vous montrer ne pouvait pas attendre.

Ouvrant son attaché-case, il y prit trois grandes enveloppes dont il sortit trois sachets en plastique contenant chacun de minuscules cristaux de verre.

– Pourrais-je avoir une feuille de papier, s'il vous plaît ?

Intrigué, Philippe lui donna ce qu'il désirait. Charlier observait la scène, l'air ennuyé. Quant à Marianne, elle avait déjà compris où l'homme de Norglass voulait en venir.

Celui-ci renversa sur la feuille le contenu de deux des sachets, formant deux petits tas de verre distincts.

— Ça, expliqua-t-il en désignant du doigt l'un des tas, ce sont les particules de verre trouvées dans l'estomac et l'intestin de votre consommateur de Caen. Et ceci, ce sont les éclats trouvés au fond de la bouteille qu'il avait bue. Comme vous le savez déjà, ils sont identiques.

Avec la mine de celui qui va abattre son full, il fit un troisième petit tas avec le contenu du troisième sachet.

— Ces éclats-ci constituent les débris de la bouteille bue par notre plombier, que j'ai réussi à me procurer. Toutes les bouteilles que nous vous livrons sont semblables, mais j'ai préféré me servir de celle-là pour être tout à fait sûr.

— Sûr de quoi? demanda Philippe, qui commençait à comprendre, lui aussi.

— De ce que je voulais démontrer, jeune homme. Ce n'est pas le même verre. La composition et les taux de silicates et de carbonates sont différents. L'analyse du laboratoire est formelle : les éclats de verre trouvés dans le ventre de votre buveur de Steenfort ne proviennent pas de nos bouteilles. En fait, ils ne proviennent même pas de notre verrerie. Bien entendu, je fais procéder à la même analyse pour les cas de Rouen et de Saint-Étienne. Je n'en ai pas encore les résultats, mais je suis certain que la conclusion sera la même.

Il y eut un moment de silence. Marianne, Philippe et Charlier échangèrent des regards perplexes.

— Ce qui voudrait dire?... finit par interroger Philippe.

— Que ces éclats ont été mis dans les bouteilles chez vous, au moment de l'embouteillage. Sans être policier, et comme vous avez eu plusieurs cas semblables, je n'hésiterais pas à dire qu'il s'agit d'un acte de malveillance caractérisé.

— Merde! conclut simplement Marianne.

Trois hommes se trouvaient déjà dans la salle d'embouteillage quand le quatuor y pénétra. Blanchart, le responsable du service, avait décidé de profiter de l'arrêt forcé de la chaîne pour en faire une inspection complète et procéder aux éventuelles réparations nécessaires. Il était assisté dans cette tâche par deux de ses ouvriers, dont René Germeau, l'homme aux épais sourcils se rejoignant au-dessus du nez.

Les trois hommes s'interrompirent en voyant Marianne venir vers eux, suivie par Philippe, Frémont et Charlier. La patronne avait l'air perturbé.

— Monsieur Blanchart, attaqua d'emblée la jeune femme. Vous êtes le responsable de l'embouteillage, n'est-ce pas ?

— Comme vous le savez, madame. Pour l'instant, nous sommes en train de...

— C'est bien, c'est très bien. Quand l'embouteillage est en route, combien de personnes êtes-vous dans la salle ?

— Mais... une seule. Celui qui surveille le pupitre de commandes. Pourquoi ? Il y a un nouveau problème ?

— Comment vous répartissez-vous le travail ? demanda Marianne sans répondre à la question.

— En été, comme toujours, nous faisons les deux huit. J'ai donc quatre hommes qui se relaient toutes les deux heures, samedis compris.

— Est-il possible que quelqu'un puisse verser quelque chose dans les bouteilles sans que l'homme au pupitre s'en aperçoive ?

— Je ne comprends pas. Verser quoi ?

— N'importe quoi. Du sable, un caillou...

— Des éclats de verre, crut bon de compléter Frémont.

Blanchart regarda le quatuor d'un air légèrement égaré, se demandant visiblement à quoi rimait cet interrogatoire. Quant à ses deux ouvriers, ils affichaient ostensiblement une mine méfiante.

— C'est évidemment toujours possible, intervint Charlier. N'importe qui peut entrer dans cette salle. Des collègues à eux qui passent leur dire bonjour. Moi. Vous. N'importe quel cadre. Sans compter les visiteurs.

— Les visiteurs ?

— Des clients, des distributeurs, les enfants des écoles...

— C'est vrai, murmura Marianne. Il y a aussi les enfants des écoles. Bien. Messieurs, retournons à mon bureau.

— Monsieur Charlier, je pense qu'il est inutile de poursuivre l'inspection des bouteilles que nous avons encore en stock. Si l'analyse faite par M. Frémont se confirme, ce dont je ne doute pas, nous pourrons recommencer l'embouteillage dès la semaine prochaine. Mais je veux que vous postiez un garde en permanence dans la salle, entre la sortie des bains stériles et l'encapsulage.

Le directeur de production hocha la tête.

— Philippe, poursuivit Marianne, prévenez la police judiciaire et déposez une plainte en bonne et due forme. Contre X. Et, par ailleurs, contactez notre compagnie d'assurances.

— À vos ordres, patron.

— Et nous? demanda Frémont.

— À vous, monsieur Frémont, je dois des excuses, ainsi qu'à votre société. Mais je vais vous demander de continuer à assurer la destruction de nos bouteilles. Vous en recyclerez le verre, je suppose?

— Bien sûr. Mais le coût de?...

— À nos frais, monsieur Frémont, tout se fera à nos frais. Et à présent, si vous voulez bien m'excuser, j'ai encore du travail qui m'attend. Merci de votre soutien.

Dans le couloir, les trois hommes échangèrent un regard entendu. Cette Marianne Steenfort était décidément une sacrée bonne femme.

— Tu as l'air crevé, fit gentiment Henri Lemarchand en faisant entrer Marianne dans son bureau. Note qu'avec ton histoire de bouteilles défectueuses, je comprends que tu en aies plein les bottes. Tu vas bien, sinon?

— Plus ou moins, fit Marianne en prenant place dans le fauteuil que lui proposait son avocat. Bien, venons-en au fait, Henri. Qu'espère-t-elle encore, ma chère sœur?

— Toujours la même chose : te pomper un maximum de pognon.

— Mais enfin, Henri, s'énerva Marianne, Juliette est dix fois plus riche que moi. Non seulement elle a vendu ses parts de notre brasserie à Texel il y a vingt-trois ans, mais en plus, je me suis endettée jusqu'aux oreilles pour lui payer la part qui lui revenait sur le reste de la société à la mort de papa. Qu'a-t-elle fait de tout cet argent?

Maître Henri Lemarchand était de ces hommes qui présentent un aspect rassurant. La cinquantaine bonhomme, un peu d'embonpoint sans être trop gros, des cheveux poivre et sel coiffés en arrière et un regard marron bienveillant derrière des lunettes à monture d'écaille. Marianne savait cependant que sous cet air débonnaire, se cachait une intelligence acérée qui faisait du mari de son amie Claudine une vedette confirmée du barreau de Lille.

— Ça, je n'en sais rien, répondit l'avocat. Mais Juliette est persuadée que tu l'as roulée sur la valeur réelle de votre héritage.

— Je ne comprends pas. Elle s'est fait débouter en première instance, en appel et en Cassation. Que peut-elle espérer de plus?

— Elle a droit à un nouvel appel si elle apporte des éléments nouveaux. Donc, elle réclame une nouvelle expertise du patrimoine total de ta société.

Marianne ne put s'empêcher de ricaner amèrement.

— Dans ce cas, elle ferait bien de se dépêcher car il va prendre un sérieux coup dans l'aile, le patrimoine.

— Pas sûr, contesta Lemarchand. Ta brasserie va y laisser des plumes, c'est évident. Mais d'un autre côté, tu t'offres là un superbe coup de pub. L'année prochaine, tu augmentes ton chiffre d'affaires de cinquante pour cent, foi de buveur de Steenfort. Bon, que faisons-nous pour ta sœur?

— Rien. Que veux-tu qu'on fasse?

— Son avocat propose une transaction. Tu paies cinquante millions [1] à sa cliente, nouveaux bien entendu, et ta sœur abandonne son action.

— Cinquante millions!? Elle est tombée sur la tête. Qu'elle retourne en appel, cette pétasse. Elle a des chances de gagner?

— Aucune. Sauf si une nouvelle expertise démontrait qu'il y a effectivement eu sous-estimation de l'héritage de ton père.

---

1. Deux cent vingt-cinq millions de francs actuels.

— Alors, elle en sera pour ses frais, conclut Mariane en se levant. Ce cirque sordide va durer encore longtemps, à ton avis ?

— Tu connais comme moi l'encombrement des tribunaux, Marianne. Tu en as encore pour quelques années à me payer mon steak-frites.

— J'espère qu'elle s'étranglera dans son fiel avant ça. Tu as des frères et sœurs, toi ?

— Non, sourit Lemarchand. J'étais fils unique. Et mon père n'avait pas un rond.

— Tu ne connais pas ta chance.

Le vendredi, Marianne eut confirmation qu'il n'y avait plus une seule bouteille de Steenfort sur le marché français. Le ministère de la Santé publique, respectant sa parole, n'avait pas promulgué d'interdiction officielle. Les brasseries Steenfort conservaient donc, aux yeux du public et des médias, tout le mérite de l'initiative qu'elles avaient prise. Lemarchand avait raison, c'était un sacré coup de pub, même si la note à payer était particulièrement salée.

Fatiguée mais plus sereine qu'en début de semaine, Marianne rangea sa Porsche dans le garage. La 2CV de François était garée dans la contre-allée ; son fils était donc à la maison. Ôtant son imper dans le vestiaire du hall, Marianne entendit une voix venant de la cuisine.

— *Then, the guy says to the driver : next time, why not using a bicycle ?*

— Ha ! ha ! elle est bonne ! s'esclaffa la voix de François.

Entrant dans la cuisine, elle eut la surprise de voir Jay devant la plaque de cuisson électrique, remuant dans une casserole à l'aide d'une longue cuiller en bois. Il portait autour de la taille un des tabliers de Marianne sur lequel il était écrit *The best man for the job is a woman*. François le regardait faire, assis sur la table de cuisine.

— Eh bien, je vois que vous avez fait connaissance, lança-t-elle. Bonsoir, Jay. Je ne m'attendais pas à vous trouver ici. Et encore moins aux fourneaux. Bonsoir, François.

300

Son fils répondit par un grognement. Il avait encore sur le cœur leur altercation de l'autre matin. Jay lui tendit la main en souriant largement.

– Bonsoir, Marianne. Bruxelles n'est qu'à deux petites heures de route et je n'avais pas envie de dîner seul ce soir. Et comme François m'a très gentiment ouvert la porte et prévenu que vous n'aviez pas de cuisinière, j'ai pensé que ce serait peut-être une bonne idée de poser ma candidature.

– Vraiment ? dit Marianne en allant soulever le couvercle de la casserole. Et que savez-vous faire, mon ami ? En tout cas, ça sent bon.

– Cuisine exotique de mon pays, *memsahib*. Crevettes à la Nouvelle-Orléans et Philadelphia pepper pot. Avec bon sauvignon de Californie pour faire passer.

– Mmh... Peut-être pourrais-je vous faire passer un test si vous me laissez le temps de me changer. À moins que miss Danemark n'occupe encore ma salle de bains, ajouta-t-elle en se tournant vers François.

Celui-ci sauta en bas de la table.

– Arrête, maman. De toute façon, nous, on sort.

– Encore ?

– Tu ne penses tout de même pas qu'on va vous tenir la chandelle, non ? Ah, voilà Fred...

La jeune Danoise venait en effet d'entrer dans la cuisine, vêtue d'un pantalon écru flottant, d'une veste de daim à franges sur un chemisier à fleurs largement échancré et d'un foulard noué autour de la tête, conformément aux canons de la mode hippie de l'époque.

– *Hello !* lança-t-elle à la cantonade.

Jay s'avança, la main tendue.

– *Hello !* Je suis Jay Morgan.

– Moi Frederika Larsen. Amis dire Fred.

– Vous êtes danoise, m'a dit François.

– *Tak.*

– Bon, on y va ? intervint François. Allez, vous deux, *peace and love* et ne soyez pas trop sages. Tu viens, Fred ?

– *Farvel og ha' det godt*, dit aimablement Jay à la jeune fille qui s'apprêtait à franchir la porte.

La jolie blonde se troubla imperceptiblement.

– Heu... *tak.*

– *Hoer, deres bukser er revnet.*

– *Tak, tak.*

Et elle s'empressa de disparaître, suivie par François.

– Vous parlez danois ? s'étonna Marianne après le départ des deux jeunes.

– Un peu. Avant Bruxelles, j'ai été quelques mois en poste à Copenhague.

– Qu'est-ce que vous lui avez dit ?

– Bonne soirée, amusez-vous bien.

– Et ensuite ?

– Attention, votre pantalon est déchiré.

– Son pantalon était déchiré ? Je n'ai rien vu.

– Il ne l'était pas. Mais qu'auriez-vous fait si je vous avais dit une chose pareille ?

– J'aurais regardé pour vérifier, naturellement.

– Elle ne l'a pas fait. Cette fille n'est pas plus danoise que vous et moi.

À ce moment, François repassa la tête par la porte.

– J'ai oublié de te dire, petite mère... Il y avait une enveloppe bizarre pour toi dans la boîte aux lettres. Je l'ai déposée sur la table du salon. Allez, *ciao*, les tourtereaux !

C'était une enveloppe en papier brun, sur laquelle le nom de Marianne Steenfort était écrit avec des lettres découpées dans un journal. Saisie par un indéfinissable sentiment de malaise, Marianne l'ouvrit. Elle en sortit une feuille de papier pliée en deux d'où glissèrent quelques minuscules éclats de verre. Sur la feuille étaient collées d'autres lettres découpées :

Tu as compris, maintenant ? Un million cash si tu veux éviter d'autres problèmes.

Sous le choc, Marianne s'assit dans le fauteuil le plus proche. Jay apparut sur le seuil de la porte donnant sur la cuisine, sa cuiller en bois à la main.

– Tout va bien ?

Sursautant, Marianne replia vivement la feuille et la reglissa dans l'enveloppe avant de se lever avec un sourire contraint.

– Ça va, oui. Vous seriez gentil de me préparer un whisky-soda, je cours me changer.

En parfait maître d'hôtel, Jay avait dressé la table sur la terrasse éclairée par deux lampes extérieures. Chandeliers, belle vaisselle, couverts en argent, tout y était pour un dîner romantique en tête à tête, loin de l'agitation du monde. La nuit était douce et étoilée. Marianne ne pensait plus à la menace anonyme dont elle s'était bien gardée de parler à son vis-à-vis.

– Ah, que c'est agréable, un homme qui fait la cuisine, fit-elle en s'essuyant la bouche de sa serviette à la fin du repas. Et qui la fait bien, en plus. Deux étoiles et demie dans mon petit livre rouge personnel, Jay.

– Pourquoi pas trois ? protesta l'Américain.

– Pour vous donner une chance de faire encore mieux la prochaine fois. La place est à vous quand vous voudrez.

– Nous n'avons pas encore parlé de mes gages, Marianne. Et je me dois de vous prévenir que le personnel américain est hors de prix.

– C'est bien ce que je craignais, soupira la jeune femme. Vous êtes au-dessus de mes moyens. Sérieusement, Jay, comment se fait-il qu'aucune femme n'ait encore réussi à vous mettre le grappin dessus ?

– Parce que j'ai plein d'horribles vices cachés et qu'elles s'enfuient toutes en hurlant dès qu'elles les découvrent.

– Mmh..., je m'en doutais. Vous avez tout de même été marié, non ?

– Bien sûr, comme tout le monde. Et divorcé, comme presque tout le monde. Sans enfants, heureusement. Ou malheureusement. Vous avez de la chance d'avoir un fils comme François, Marianne. Il est chouette.

– C'est vrai, il est chouette, reconnut Marianne. Ses défauts à lui ne sont pas cachés du tout, mais il est chouette.

L'un et l'autre burent une dernière gorgée de vin en se regardant dans les yeux. Puis Jay se leva, regardant autour de lui le jardin joliment éclairé par des spots dissimulés dans les massifs.

— Votre jardin est superbe, Marianne.

Elle se leva à son tour et lui tendit la main.

— C'est parce que j'ai un bon jardinier. Venez...

La main dans la main, ils firent le tour du jardin. Une douzaine d'ares au plus, mais bien aménagés avec un sentier en gravier serpentant autour de petits bouquets de charmes et de buis pour revenir à la terrasse bordée d'un parterre de fleurs en U.

— Vous viviez ici avec votre mari ? demanda Jay après quelques minutes de silence.

— Non, nous avions un appartement en ville. Mais la nature me manquait et je suis venue m'installer ici avec François après ma séparation. Je suis une fille de la campagne, vous savez. Notre première brasserie était située dans un village à une heure d'ici, Bourg-d'Artois. Je vous y emmènerai un jour, si vous voulez.

— Ça me plairait beaucoup, Marianne.

Ils se turent à nouveau, marchant le plus lentement possible comme si, d'un commun accord, ils retardaient le moment de revenir dans la lumière plus vive qui éclairait la terrasse.

— Jay...

— Oui ?

— Vous resterez longtemps à Bruxelles ?

Marianne reconnaissait à peine sa propre voix. Une voix hésitante, étranglée, presque une voix de petite fille.

— Sans doute, répondit doucement Jay. C'est le siège de la Communauté européenne et les Américains s'intéressent beaucoup au Marché commun.

— C'est si loin...

— Pas tellement. Je vous l'ai dit : deux petites heures de voiture.

— C'est trop loin, Jay. Trop loin...

Mais qu'est-ce qui lui arrivait? Marianne se sentait sur le point de fondre en larmes, et en même temps elle voulait rire de plaisir. Ils s'arrêtèrent et le grand Américain lui mit les mains sur les épaules. Ils se regardèrent. Longuement. Intensément. Puis, d'un même élan, ils s'étreignirent.

– Oh, Jay..., Jay..., souffla Marianne de sa drôle de voix cassée. Il y a si longtemps que j'avais besoin de toi.

Jay lui redressa doucement la tête. Les beaux yeux bleus de l'Américain étaient embués. Il se pencha vers Marianne. Celle-ci ferma les yeux et tendit les lèvres...

– Madame Steenfort?

Sursautant, comme pris en faute, ils tournèrent la tête. Deux silhouettes d'hommes en complet veston s'approchaient d'eux sur l'allée venant de la rue.

– Qu'est-ce que c'est? interrogea Marianne. Qui êtes-vous?

– Capitaine Clermont, de la DST, Défense et sécurité du territoire, répondit le premier des deux hommes. Et voici le lieutenant Lopez. Vous êtes madame Steenfort?

– Oui, mais...

– Pourrions-nous nous rapprocher de la lumière, s'il vous plaît?

Ils obtempérèrent, tandis que le plus jeune des deux personnages, qu'on leur avait présenté comme le lieutenant Lopez, allait se poster sur le bas-côté de l'allée pour surveiller la rue.

Le capitaine Clermont, la quarantaine, était un homme au visage dur marqué d'une petite cicatrice au-dessus de la lèvre supérieure.

– Je ne comprends pas, dit Marianne, toujours accrochée au bras de Jay. Que voulez-vous?

– Vous allez comprendre, fit l'officier de la DST. Qui est ce monsieur?

– Un ami américain. Je répète ma question : que venez-vous faire chez moi en pleine nuit? C'est... oh, mon Dieu!... François!... Il est arrivé quelque chose à François, c'est ça?

– Non, madame, répondit Clermont en sortant une photo de la poche de son veston. Votre fils n'est pas en cause. Enfin..., pas directement. Vous connaissez cette personne?

Marianne prit la photo et la regarda à la lumière qui éclairait la terrasse. C'était Frederika.

– Oui, c'est une amie de mon fils. Une étudiante danoise, Frederika quelque chose, je ne sais plus quoi... Elle loge temporairement ici; ce soir elle est sortie avec mon fils.

– Je sais.

– Elle n'est pas danoise, intervint Jay, je te l'ai dit.

– En effet, monsieur, confirma Clermont. Elle est allemande. Et son vrai nom est Hannah Schneider.

– Hannah Schneider!? s'exclama Jay. La terroriste!?

– Exact. Hannah Schneider, membre de la Fraction Armée rouge, dite la « bande à Baader », et responsable de l'attentat de la gare Saint-Lazare à Paris. Nous avons mis du temps à retrouver sa trace.

Marianne en ouvrait des yeux grands comme des soucoupes. Elle ne parvenait pas à assimiler les paroles qu'elle venait d'entendre.

– Vous... vous êtes certain de ce que vous dites? Elle a l'air si gentil, si inoffensif...

– Ne vous y fiez surtout pas, madame. Vous m'avez dit qu'elle logeait chez vous?

– Oui, dans la chambre de mon fils. Il l'a rencontrée à Paris où il était allé faire une petite virée avec des copains le week-end dernier.

– Nous n'avons pas de mandat de perquisition, mais m'autorisez-vous à examiner les bagages de cette fille? Cela devrait suffire à vous convaincre.

Marianne, un peu éperdue, consulta instinctivement Jay du regard. L'Américain hocha la tête.

– Très bien, dit-elle. Allons-y.

Comme Marianne s'y attendait, la chambre était en désordre et le lit défait. François n'avait jamais été un fanatique du rangement. Parcourant la pièce du regard, elle avisa un grand sac de voyage posé dans un coin, dont la tirette d'ouverture était fermée par un petit cadenas. Ce bagage lui était inconnu.

– Je suppose que ce doit être ça, dit-elle en montrant le sac.

Clermont sortit un mouchoir de sa poche et le roula en torsade avant de le faire passer dans l'anneau du cadenas, qu'il ouvrit en tirant d'un coup sec. Puis, extirpant quelques vêtements féminins roulés en boule, il sortit du fond du sac un paquet enveloppé de toile isolante, contenant lui-même trois paquets d'inégale grandeur. Le premier renfermait un pistolet, le second un gros bloc d'une pâte grisâtre et le troisième deux petits objets ressemblant à l'intérieur d'une prise de courant.

Marianne était ahurie. Instinctivement, elle prit le bras de Jay.

– Un Mauser 7.65, expliqua calmement l'officier de la DST. Deux détonateurs. Et du Semtex, un explosif de fabrication tchèque deux fois plus puissant que le plastic. Ça vous suffit, madame Steenfort?

Bouche bée, Marianne ne parvint pas à répondre. Elle avait l'impression de jouer dans un mauvais film policier. À cet instant, un long sifflement modulé se fit entendre à l'extérieur. Clermont se précipita sur l'interrupteur et éteignit la lumière.

– Qu'allez-vous faire? blêmit Marianne, qui sentit soudain une boule d'angoisse en travers de la gorge. François...

– Tout se passera bien, souffla Clermont. Surtout, ne bougez pas de cette pièce.

Et, tirant un pistolet du holster qu'il portait sous l'aisselle gauche, il se précipita dans l'escalier tandis que le bruit caractéristique d'un moteur de 2CV se faisait entendre dans l'allée.

François se gara à son emplacement habituel et coupa le moteur. Il sortit de la voiture et regarda la maison. Toutes les lumières étaient éteintes, donc sa mère était déjà couchée. À moins qu'elle ne soit allée avec Jay boire un dernier verre ailleurs. Frederika sortit à son tour et contourna la voiture pour rejoindre François. À cet instant, une silhouette jaillit de derrière un massif, bras tendus en avant, les deux mains serrées sur la crosse d'un pistolet.

— Hannah Schneider, plus un geste !

La réaction de la fausse Danoise fut ahurissante de rapidité. Se protégeant derrière François, complètement sidéré, elle plongea une main sous sa veste et en sortit un petit revolver dont elle tira deux coups en direction de l'homme qui la menaçait. Le lieutenant Lopez s'abattit sans un cri, touché au flanc. Surgissant de la maison par une des portes-fenêtres du salon, Clermont tira à son tour, faisant exploser une des vitres latérales de la 2CV. L'Allemande en profita pour empoigner François par-derrière, lui collant douloureusement le canon de son arme dans l'oreille, tandis que Clermont, trop exposé, plongeait dans l'herbe de la pelouse.

— F... Fred..., bafouilla François. Qu'est-ce que ?....

— Ta gueule ! Dans la voiture, *schnell* !

— FRANÇOIS ! hurla Marianne de la fenêtre du premier.

Instinctivement, les deux jeunes gens levèrent les yeux en direction du cri et la terroriste relâcha son étreinte. François, dans un geste-réflexe, la repoussa en arrière et plongea sur le gravier de l'allée. Tenant son arme à deux mains, le capitaine Clermont vida son chargeur sur Hannah Schneider, dont la poitrine explosa en une charpie sanglante.

La scène n'avait pas duré quinze secondes.

C'était une pièce nue et sans fenêtre, garnie en tout et pour tout d'une table en bois bon marché et de deux chaises. Horriblement mal à l'aise, Marianne ne parvenait pas à trouver une position confortable, et le regard froid du capitaine Clermont n'était pas fait pour la rasséréner.

— Nous ne le garderons que quarante-huit heures, madame Steenfort. Le temps légal de la garde à vue.

— Mais puisque vous savez comme moi que François n'est pour rien dans cette histoire. Il a rencontré cette... cette fille par hasard et elle s'est servie de lui pour se trouver une planque, comme vous dites.

— C'est ce que votre fils nous a déclaré, en effet. Mais pouvez-vous en être certaine ?

— Évidemment, c'est mon fils.

— Justement, c'est votre fils. Quant à ceci...

Clermont désigna la lettre anonyme que Marianne avait trouvée dans le salon la veille au soir. Avec toutes ces émotions, elle l'avait complètement oubliée.

— C'est lui qui vous l'a remise, n'est-ce pas ?

— Il l'avait trouvée dans la boîte aux lettres.

— C'est ce qu'il vous a dit, madame Steenfort. Mais Hannah Schneider avait besoin d'argent. Et François travaille dans votre brasserie.

Soudain furieuse, Marianne se leva d'un mouvement brusque.

— Là, vous allez trop loin, capitaine Clermont. Vous accusez mon fils non seulement d'être complice de terroristes, mais également de vouloir faire chanter sa propre mère, c'est ça ?

— Je n'accuse pas, je soupçonne. Vous n'imaginez pas le nombre de jeunes qui n'hésitent pas à voler leurs parents, quand ils ne font pas pire. Et ne croyez pas que cela se produise seulement dans les milieux défavorisés.

L'officier de la DST remit la lettre dans l'enveloppe.

— Quoi qu'il en soit, poursuivit-il, si mes soupçons se révèlent infondés, je transmettrai ceci à la police judiciaire de Lille pour qu'ils poursuivent leur enquête. Et, bien entendu, je libérerai votre fils.

— Je vais contacter mon avocat, déclara Marianne.

— À votre guise, madame Steenfort. Mais il ne pourra pas intervenir pendant le délai de garde à vue. En revanche, si François devait être inculpé, alors oui, il aurait besoin d'un bon avocat.

Contenant sa colère, Marianne se dirigea vers la porte. Clermont la suivit des yeux sans bouger de sa chaise. Sur le seuil, elle hésita, puis se retourna.

— J'ai oublié de demander des nouvelles de votre collègue. Comment va-t-il ?

Pour la première fois depuis qu'elle avait eu le malheur de le rencontrer, l'homme de la DST se fendit d'un bref sourire.

— Le lieutenant Lopez est un dur. Il s'en tirera avec quelques semaines d'hôpital et de convalescence. Mais c'est aimable à vous de vous en inquiéter.

Il se leva et vint lui tenir la porte.

– Je comprends votre désarroi, madame Steenfort, conclut-il d'un ton radouci. Vous n'avez pas l'habitude d'être mêlée à... à ce genre de choses et une personne moins forte que vous aurait craqué depuis longtemps. Je ne pense pas non plus que votre fils soit impliqué dans cette affaire, mais je dois en être absolument sûr, vous comprenez? Si tout se passe comme je l'espère, vous n'entendrez plus jamais parler de moi et vous pourrez oublier ce qui s'est passé cette nuit. Ah, une dernière chose... Je vous serais reconnaissant de ne pas parler de tout cela à la presse. Je suppose que vous n'y tenez pas, d'ailleurs. À présent, rentrez chez vous et essayez de profiter du week-end pour vous reposer. Adieu, madame.

Jay, garé en face des locaux de la police judiciaire, l'attendait au volant de sa voiture, une station-wagon Volvo immatriculée en Belgique. Il avait, comme Marianne, les yeux rouges de fatigue. En voyant la jeune femme sortir de l'immeuble, il consulta machinalement sa montre-bracelet. Six heures trente du matin. La nuit avait été longue. Trop longue. Et tragique.

Sortant du véhicule, il fit quelques pas à sa rencontre. Elle se blottit dans ses bras, agitée d'un tremblement nerveux, et laissa enfin couler les larmes qu'elle retenait depuis plusieurs heures. Jay ne l'interrogea pas tout de suite, se contentant de la serrer contre lui. Après quelques minutes, elle se dégagea et il lui tendit un mouchoir pour se sécher les yeux.

– François?

– Ils l'ont gardé.

Ce fut plus fort qu'elle : elle se remit à pleurer. Le grand Américain la reprit dans ses bras.

– J'en ai marre d'être une femme forte, Jay! Marre, marre, marre!...

Quelques minutes plus tard, un peu calmée, elle avait pris place sur le siège passager de la Volvo. Jay tourna la clé de contact.

– Je te ramène chez toi? Tu as besoin d'un bon bain et de quelques heures de sommeil. Moi aussi, d'ailleurs.

– D'accord, fit-elle en se forçant à sourire. Mais pas chez moi. Je... je ne pourrais pas. Cette fille massacrée presque à bout portant... Pas tout de suite. Tu es libre pour le week-end?

– Bien sûr.

– Allons à Bourg-d'Artois. J'ai besoin de retrouver mes racines.

3

Ils avaient fait l'amour, bien sûr. Au début avec beaucoup de douceur. Puis avec une faim de l'autre de plus en plus dévorante. Marianne ne se souvenait pas d'avoir jamais connu une telle passion physique pour un homme, même avec son premier amant, le beau Fabien Devallée. Et quand la passion se mêle à la tendresse, le bonheur est tel qu'il vous laisse épuisé de joie avec dans tout votre corps meurtri la seule envie de recommencer et recommencer encore.

La première chose qu'elle avait faite en arrivant à Bourg-d'Artois fut de téléphoner à Henri Lemarchand qui lui avait promis de suivre de très près la détention de François, la rassurant en lui disant de ne pas s'inquiéter. Et le dimanche soir, il l'appela pour lui annoncer que son fils était libre et qu'aucun soupçon ne pesait plus sur lui. Claudine et Henri avaient proposé au garçon de loger chez eux, pour lui éviter de se retrouver seul sur les lieux où il avait vu celle qu'il pensait être son amie se faire abattre comme un chien enragé, et il avait accepté. Extraordinairement soulagée, Marianne put enfin se laisser aller à une vraie nuit de sommeil. Et le lundi matin, elle téléphona à son bureau pour prévenir qu'elle prenait quelques jours de congé. Jay appela Bruxelles pour dire la même chose.

Elle savait qu'elle aurait dû rentrer à Lille pour s'occuper de son fils. Mais elle non plus ne voulait pas rentrer tout de suite à la villa. Et surtout, elle vivait avec Jay des moments uniques, des heures merveilleusement intenses qu'elle ne connaîtrait peut-être plus jamais. Elle s'en voulut donc, mais resta.

Il faisait un temps superbe pour ce dernier week-end de juillet, pourtant ce ne fut que le lundi qu'ils remirent le nez dehors, rompus et incroyablement heureux.

Daniel et Géraldine Moulinot, les gardiens qui s'occupaient de la propriété, habitaient dans la petite maison de l'autre côté de la cour, celle où Margrit avait vécu avant de retourner s'installer chez Noël. Les Moulinot saluèrent aimablement le couple, non sans une lueur amusée dans le regard, et proposèrent de s'occuper de leur acheter quelques provisions à la supérette du village, ce que Marianne accepta avec reconnaissance. Puis, prenant Jay par la main, elle l'entraîna dans la campagne.

Une des premières choses qu'elle entreprit après la mort d'Adrien avait été de faire raser les ruines de l'ancienne brasserie, sous-sols et fondations compris. Et le terrain de cinq hectares était redevenu ce qu'il avait été au siècle passé : un pré où paissait paisiblement un troupeau de vaches laitières. Marianne raconta tout. Tout ce qu'elle savait de l'histoire des Steenfort. Tout sur sa propre vie, ses amours de jeunesse, la raison qui l'avait forcée à épouser Michaël Fenton. Elle voulait d'une manière irrésistible que l'homme qu'elle aimait sache tout d'elle. Elle voulait s'offrir tout entière, nue jusqu'au tréfond de l'âme. Et Jay recueillait chacune de ses paroles, posait des questions, l'encourageait à parler encore. C'était un homme qui savait écouter.

Contournant le village dont les toits se hérissaient à présent de vilaines antennes de télévision, ils se rendirent au cimetière. Elle lui montra les tombes de Charles et d'Élise, de Margrit et de Noël, de Joanna et d'Adrien. Et elle racontait, racontait, racontait sans plus pouvoir s'arrêter, comme si elle avait besoin de se libérer enfin des ombres du passé.

À Bourg-d'Artois, ils visitèrent la brasserie Chevalier, devenue, comme Noël l'avait souhaité, une coopérative appartenant à ses ouvriers. Quant à la maison attenante, la demeure de Noël et Margrit, Marianne en avait fait une maison de repos pour les anciens travailleurs de la brasserie.

Quand ils revinrent à la maison, les provisions achetées par les Moulinot les attendaient dans la cuisine. Ils avaient faim, mais plus encore ils éprouvaient l'envie de se reprendre ; ce qu'ils firent sur le canapé du salon, presque sauvagement, sous le regard des ancêtres dont les portraits ornaient les murs. Ils préparèrent ensemble leur repas, riant comme des gosses au moindre prétexte tout en vidant une bouteille de vin blanc en guise d'apéritif. Et avant même de manger, ils refirent l'amour, sur la table de la cuisine cette fois. Jay s'étonna en plaisantant d'avoir encore de telles ressources à quarante-six ans. Marianne lui assura qu'il était le plus infatigable étalon qu'elle eût jamais connu.

Lille, la brasserie, Vierkant, les problèmes étaient loin. Le traumatisme causé par la mort tragique d'Hannah Schneider et par l'arrestation de François s'était estompé. Marianne ne pensait même plus à la lettre anonyme. Elle avait de nouveau vingt ans.

Les heures, puis les jours filèrent comme autant d'éclairs. Le bonheur passe toujours trop vite.

Le jeudi matin, la pétarade d'une 2CV entrant en trombe dans la cour les arracha du lit où ils paressaient, lovés l'un contre l'autre. Marianne passa un peignoir et alla se pencher à la fenêtre. C'était François, brandissant un grand sac en papier avec un large sourire.

— Debout, les amoureux ! J'ai apporté les croissants.

Ils prirent leur petit déjeuner à trois dans la cuisine bien éclairée par le soleil qui entrait à flots par la fenêtre.

— C'est le grand jour, expliqua François. Le jour de la photo pour notre affiche. L'agence proposait de la faire en studio, mais j'ai refusé. Toute l'équipe est en train de se mettre en place au bord de la Clère.

— Comment as-tu pensé à venir ici ? demanda sa mère.

— Je voulais une scène de pique-nique au bord d'une rivière. Alors, je me suis dit : pourquoi pas à Bourg-d'Artois, le berceau des Steenfort ? Et puis, ça me donnait l'occasion de venir vous surprendre dans votre nid d'amour. Si j'en juge par les cernes que vous avez sous les yeux, vous n'avez pas chômé. Elle est bonne, au lit, ma petite mère? enchaînat-il en s'adressant à Jay.

– François! protesta Marianne.

– Très bonne, répondit l'Américain, sérieux comme un évêque. Un super-coup, et pas seulement au lit. La meilleure affaire que j'aie eue depuis la prof de gym que j'ai sautée dans les douches de l'école le jour de mes dix-sept ans.

Marianne fit le geste de le frapper et il se protégea le visage de ses mains en grimaçant.

– C'est bientôt fini, vous deux? On dirait que vous parlez d'une pièce de boucherie.

– Bof! railla François. Si on ne peut plus parler entre hommes, maintenant... Bon, c'est pas tout ça, faut que j'y aille. Vous viendrez voir? Nous serons près de l'ancien moulin à eau.

– Bien sûr que nous viendrons, promit Marianne. Ce n'est pas tous les jours qu'on a la chance d'assister à la prise de la photo du siècle.

– Gna gna gna... Moque-toi, va! Tu ricaneras moins quand tu verras le résultat, madame la présidente-directrice générale. À tout à l'heure.

Marianne, toujours en peignoir, l'accompagna jusqu'à sa voiture, le visage redevenu grave.

– François..., ça va?

– Ça va, sourit son fils. Pour un dangereux terroriste international, je ne me porte pas trop mal. Et toi?

– Ça va, mon chéri. Bien. Très bien. Je voulais te dire... Tu es nul, paresseux et insaisissable, mais je t'aime.

– Moi aussi, maman, même si tu es une vieille bourgeoise dépassée et bourrée de principes. J'espère que ça marchera avec Jay, c'est un type bien.

Ils s'embrassèrent, fort, puis François démarra sur les chapeaux de roue, affolant un douzaine de poules qui s'éparpillèrent en caquetant avec indignation.

Le photographe de l'agence était une sorte de vieil adolescent sans âge, doté d'un nez trop long surmonté d'une paire de lunettes aux verres bleutés et qui compensait son front largement dégarni par une queue de cheval serrée dans un ruban noir. Vêtu d'un gilet fantaisie en tapisserie, tandis que son assistant disposait les spots sur pied et les panneaux réflecteurs, il donnait ses instructions d'une voix aiguë tout en balayant l'air de ses bras afin de chasser les mouches et autres insectes attirés par les fleurs de son gilet. L'homme du huitième art n'aimait manifestement pas faire des photos en pleine nature.

François, aidé par l'assistant, avait disposé sur la berge de la rivière une grande couverture où étaient étalés les accessoires et ingrédients classiques d'un robuste pique-nique campagnard. Sans oublier, bien sûr, une caisse de bouteilles de Steenfort. Un couple de jeunes comédiens était assis sur la couverture, un verre de bière à la main et un morceau de baguette dans l'autre. Le second couple, debout au bord de l'eau, écoutait patiemment les explications du photographe, pendant que François filmait les préparatifs avec une caméra Super 8.

— Bon, je répète... Vous êtes deux couples de joyeux copains venus pique-niquer au bord de la rivière, okay?

— Oui, bon, okay, ronchonna un des garçons. Tu nous l'as déjà dit trois fois.

— Vous deux, vous restez assis là et vous regardez Nathalie et Nicolas en rigolant, okay? Toi, Nathalie, tu te mets ici avec cette bouteille ouverte en main. Quand nous serons prêts, tu la secoues en gardant ton pouce sur le goulot et à mon signal, tu lâches ton pouce et tu asperges Nicolas d'un long jet de mousse, okay?

— Okay, soupira Nathalie.

— Et vous faites ça en riant, okay? C'est la fête, vous vous amusez comme des petits fous et cette bière, c'est votre champagne à vous, okay? Allez, on se met en place...

Restés discrètement à une quinzaine de mètres de là, Marianne et Jay observaient la scène en souriant. Seul François les avait vus et il les salua du bras sans s'arrêter de filmer. Jay, qui avait pris un de ses appareils dans sa Volvo, prenait quelques photos.

Le petit photographe avait pris place derrière son trépied, l'œil rivé à l'objectif.

– Vas-y, Nathalie, secoue!

Nathalie, une jolie brune aux cheveux courts et au visage rieur, obtempéra.

– Rigolez, les enfants, rigolez, ha! ha! ha!

Les quatre jeunes comédiens s'efforcèrent de rire aux éclats, ha! ha! ha!

– *Go*! Nathalie, lâche ton pouce!

Braquant le col de la bouteille en direction de son partenaire, Nathalie lâcha son pouce. Un minable petit jet de mousse fusa à quelques centimètres. Énervé, le photographe abandonna son appareil.

– Mais non, pas comme ça... Attends, je vais te montrer...

Prenant la bouteille des mains de la fille, il la secoua, lâcha son pouce... et obtint le même piteux résultat. Excédé, il se tourna vers François.

– Je t'avais dit que ça ne marcherait pas, bordel. Qu'est-qu'on fait, là? Avec ta foutue idée de vouloir venir dans ce bled, on a déjà deux heures de dépassement.

François, souriant, déposa sa caméra et décapsula une nouvelle bouteille.

– Relax, Jean-Bruno, c'est prévu...

Sortant de sa poche un tube de pastilles effervescentes, il en laissa tomber une dans la bouteille, mit vivement son pouce sur le goulot, secoua...

– La réalité, ça se fabrique sci-en-ti-fi-que-ment... *Go*!

Un long jet de mousse blanche jaillit de la bouteille, atteignant le petit photographe de plein fouet. Les quatre comédiens et l'assistant éclatèrent de rire.

– Pas fou, non!? s'étrangla la victime. Un gilet de chez Lapidus, bordel!

– Cool, Jean-Bruno, cool, se moqua François. C'est la fête, on s'amuse comme des petits fous. Allez, on se remet en place...

Marianne et Jay s'éloignèrent discrètement le long de la rivière.

– Heureusement que dans ton boulot, il y a parfois des moments plus agréables que tes conseils d'administration.

– Parfois, oui, soupira Marianne. Pas assez souvent, malheureusement.

– Tu sais, sans vouloir paraître macho, c'est plutôt rare de voir une femme à la tête d'une entreprise aussi importante que la tienne.

– Comme je te l'ai déjà raconté, je m'en serais bien passée.

– D'ici quelques années, François pourra prendre la relève.

– Tu le crois capable de diriger un jour notre brasserie ?

– Il n'a que vingt ans, Marianne. Laisse-lui le temps d'acquérir un peu de maturité. En outre, il récupérera votre majorité face à Texel le jour où il héritera des vingt pour cent de parts des Fenton Breweries. Ce sera plus facile pour lui.

– La barbe ! Jay. Parlons d'autre chose.

– Ça t'ennuie de parler de tes affaires ?

– Avec toi, oui.

– Excuse-moi. C'est parce que tout ce qui te concerne m'intéresse, Marianne.

– C'est l'amant qui parle ou c'est le journaliste, rit Marianne. Tu veux faire un reportage, c'est ça ?

– Pourquoi pas ? « *Marianne Steenfort, reine des brasseurs du Nord* ». Tu ne veux pas avoir ta photo en couverture de *Newsweek* ?

– Idiot.

– En maillot de bain sur une plage bordée de cocotiers, un verre de Steenfort à la main. Je suis certain que tu ferais augmenter le tirage.

S'écartant de la rivière et contournant le village, ils se rapprochèrent de la maison par l'arrière, longeant le pré où se dressait jadis la première brasserie Steenfort.

Main dans la main, ils pénétrèrent dans la cour. La 4L des Moulinot n'était pas là ; sans doute étaient-ils allés faire des courses.

– Marianne...

– Oui ?

– Je vais devoir rentrer à Bruxelles.

– Ah. Quand ?

– Cet après-midi. La conférence spatiale européenne commence demain matin et je dois la couvrir.

– Comment le sais-tu ? Nous n'avons pas lu un journal depuis que nous sommes ici, et nous n'avons même pas écouté la radio.

– La date de la conférence était prévue depuis longtemps, sourit Jay. Et puis, j'ai téléphoné à mon bureau hier matin pendant que tu dormais encore.

– Et tu as attendu la dernière minute pour me le dire...

– Évidemment.

Ils s'assirent sur le banc de pierre et restèrent quelques instants silencieux, se tenant toujours la main et regardant les quelques nuages qui passaient dans le ciel.

– Je t'aime, Marianne.

La main de la jeune femme se crispa et un long frémissement lui parcourut tout le corps tandis qu'elle fermait les yeux. Que ces mots si simples, si banals, si galvaudés étaient doux à entendre.

– Moi aussi, Jay, je t'...

Elle s'interrompit net. S'étant tournée vers Jay, Marianne venait d'apercevoir une enveloppe de papier brun punaisée sur la porte d'entrée de la maison. S'arrachant à son compagnon, elle se leva, détacha l'enveloppe et l'ouvrit fébrilement.

– La même ? interrogea Jay, qui avait immédiatement compris.

Marianne fit signe que oui et lui tendit la feuille de papier que contenait l'enveloppe. Le grand Américain lut à haute voix le court texte composé de lettres découpées dans un journal.

– *« Le million dans trois jours. Sinon... Instructions suivront. »* Shit !

– Mes vacances à moi aussi sont terminées, Jay. Elles n'auront pas duré longtemps.

Le vendredi matin, Marianne pénétra dans son bureau à huit heures tapantes. Philippe s'y trouvait déjà, lisant le *Finan-*

cial Times. Elle lui avait téléphoné la veille pour lui demander d'avertir la police judiciaire de l'arrivée de la seconde lettre anonyme et d'être présent à la brasserie le lendemain à la première heure.

Jay l'avait déposée chez elle jeudi en fin d'après-midi. Après l'avoir longuement embrassée, il était reparti et Marianne s'était soudain sentie très seule. Il n'y avait plus trace du drame qui s'était déroulé devant le garage la semaine précédente. Les hommes de la DST, après avoir enlevé le corps de la jeune terroriste, avaient soigneusement lavé à grande eau la nuit même le gravier taché de sang de l'allée, afin d'éviter que les voisins ou le jardinier de Mme Steenfort puissent se poser des questions. Un bref communiqué avait été fourni aux médias, disant qu'Hannah Schneider avait été retrouvée à Lille et abattue, sans autres précisions. Aucun lien n'avait été établi entre la terroriste allemande et la patronne des brasseries Steenfort. Mais Marianne savait qu'elle n'oublierait jamais la vision de ce jeune corps haché de balles.

Heureusement, François l'avait rejointe pour le dîner, après avoir récupéré ses affaires chez les Lemarchand. Il sut la distraire le reste de la soirée en lui racontant les multiples incidents qui avaient émaillé la fameuse séance de photos au bord de la rivière. Il lui posa aussi des questions sur Jay, et Marianne s'aperçut que le grand Américain ne lui avait finalement pas raconté grand-chose de sa vie. C'était elle, surtout, qui avait parlé. Mais ils auraient encore le temps de mieux se connaître. Elle ne souffla mot à son fils de la lettre de menaces trouvée épinglée sur la porte de la maison de Bourg-d'Artois.

— Bonjour, Philippe. Vous avez prévenu la police ?
— Bien sûr. Ils demandent que vous leur fassiez parvenir la lettre.
— J'enverrai un coursier. Que pensent-ils faire ?
— Poursuivre leur enquête, je suppose.
— Comment ça, vous supposez ? Philippe, nom d'un chien, c'est une affaire sérieuse. Je n'ai pas envie de me retrouver

avec des milliers d'hectolitres de bière empoisonnée à cause d'une crapule qui... Philippe, vous m'écoutez?

Le grand échalas lui tendit son journal d'un air navré.

— Excusez-moi, madame, mais nous avons un autre problème. Je crois que mon voyage aux États-Unis va tomber à l'eau.

— Encore!? Quelle nouvelle catastrophe allez-vous m'annoncer?

— C'est en page trois. L'article en haut à droite.

Sans prendre la peine de s'asseoir, Marianne ouvrit le journal anglais à la page indiquée. Quelques secondes lui suffirent pour comprendre de quoi il s'agisssait.

— Merde, c'est pas vrai!...

Contournant son bureau, elle se laissa tomber dans son fauteuil et parcourut plus attentivement l'article signalé par son adjoint.

— Merde, merde, merde et re-merde!

— C'est exactemement ce que je me suis dit, fit sombrement Philippe.

— Vous avez téléphoné à Aberdeen?

— Bien sûr, mais M. Fenton est absent. J'ai aussi essayé son privé, sans résultat.

Se relevant d'un bond, Marianne lança rageusement le journal à travers la pièce.

— Est-ce qu'on ne pourrait pas me foutre la paix au moins une fois dans ma vie!? J'ai droit au bonheur comme tout le monde, non!? NON!?...

Elle ne se rendit pas compte qu'elle avait crié. C'est le moment que choisit François pour entrer dans le bureau sans frapper, son visage illuminé d'un large sourire.

— Je tombe en pleine scène de ménage?

Sans attendre la réponse, il ramassa machinalement le journal jeté à terre et vint poser une fesse sur le coin du bureau de Marianne.

— Je viens de passer à l'agence voir les premières épreuves, elles sont formid'. Tu verras, petite mère, notre affiche sera démente. Si tu n'augmentes pas tes ventes avec ça, je me rase le crâne et je deviens bouddhiste.

Il prit soudain conscience du silence qui avait accueilli son entrée et de la mine consternée de ses interlocuteurs.

— Ben quoi, tenta-t-il de plaisanter. Vous en faites une tête. Quelqu'un est mort ou quoi ?

— Les Fenton Breweries viennent d'être mises sous tutelle par le gouvernement britannique, dit Marianne en retournant s'asseoir derrière son bureau.

Philippe se rassit à son tour. François garda sa position, une jambe ballottant dans le vide.

— Ça veut dire quoi, ça ? s'enquit-il.

— C'est une procédure qu'ils ont là-bas, expliqua Philippe. Quand les employés ou les ouvriers d'une entreprise estiment que la mauvaise gestion de leur patron fait courir un risque grave à leur société, ils peuvent demander au gouvernement de désigner un procurateur pour redresser la situation et éviter la faillite.

— C'est ce qui vient de se passer avec la brasserie de ton père à Aberdeen, compléta Marianne.

François digéra l'information.

— Ah ! Et papa, qu'est-ce qu'il en dit ?

— Rien, répondit amèrement Marianne. Tel que je le connais, il sera parti pêcher en haute mer sur son nouveau yacht. Tranquille.

— Ce bon vieux Michaël, ricana François. Il n'a jamais été très doué pour les affaires, hein ?

— Ni pour affronter les responsabilités désagréables, c'est le moins qu'on puisse dire.

François sauta à bas du bureau.

— Tu sais, petite mère, si c'est pour mon héritage que tu t'en fais, tu peux laisser retomber l'adrénaline. Moi, la bière Fenton, je m'en balance. Je préfère la Steenfort.

— Je pensais à un problème beaucoup plus immédiat, François.

Sentant qu'il fallait soutenir sa patronne, Philippe intervint dans l'explication.

— La première chose que fera le procurateur pour assainir la trésorerie des Fenton Breweries sera de liquider leurs participations étrangères minoritaires. Dont, en priorité, les vingt pour cent qu'elles possèdent dans les brasseries Steenfort.

— Et vous avez peur que Texel ne saute dessus, c'est ça? rétorqua François. Il n'y a qu'à les racheter avant eux, ces vingt pour cent.

— Ah oui? fit tristement sa mère. Et avec quoi?

Marianne, Philippe et Vichinsky, le directeur financier, avaient passé la plus grande partie de la journée à éplucher les comptes de la société et à tenter d'élaborer une parade à la contre-attaque supposée du groupe canadien.

— En valeur de bilan, conclut Vichinsky, les vingt pour cent détenus par Fenton représentent environ cent millions de francs lourds [1]. Mais il me paraît évident que Texel mettra le paquet pour les avoir et s'emparer enfin de la majorité chez nous. La barre sera beaucoup plus haute.

Marianne sortit du tiroir de son bureau un paquet de cigarettes et un briquet.

— Nous devrons nous débrouiller pour rassembler toutes nos disponibilités, messieurs. Quelles sont-elles?

Elle s'alluma une cigarette et tira avec satisfaction une première bouffée.

— Tiens, remarqua Philippe. Je croyais que vous aviez arrêté de fumer.

— Fichez-moi la paix, Philippe. Toujours pas de réponse d'Aberdeen à notre demande d'option?

— Rien. Je les ai rappelés trois fois, mais je n'ai pas réussi à obtenir le procurateur ni même un de ses collaborateurs.

— Quant à nos disponibilités, reprit le directeur financier, elles sont quasi nulles, madame Steenfort. L'affaire des bouteilles a mis notre trésorerie à sec et nous sommes à la limite de nos crédits bancaires.

— L'été n'est pas fini et nos affaires reprennent, non?

— Moins vite qu'on ne pouvait l'espérer. Les gens se méfient de la Steenfort et nous restons au-dessous de nos prévisions. Vous pensez bien que nos concurrents en ont profité pour augmenter leurs ventes chez nos concessionnaires.

---

1. Quatre cent cinquante millions de francs actuels.

Marianne écrasa sa cigarette à demi consumée dans le cendrier qu'elle gardait sur son bureau à l'intention de ses visiteurs.

– On se débrouillera. Philippe, envoyez un télex chez Fenton et trouvez-moi une place dans le premier avion pour Aberdeen. J'irai moi-même négocier cette option sur place.

– Ce serait un voyage inutile, madame Steenfort, lança du seuil de la porte une voix rocailleuse.

Leurs trois têtes se tournèrent d'un même mouvement.

Aloïs Vierkant entra dans le bureau, un mince sourire barrant son visage de granit.

Marianne fut la première à se ressaisir.

– Ne vous gênez surtout pas, monsieur Vierkant, faites comme chez vous.

– J'y suis presque, chère madame, répliqua le grand Flamand sans s'émouvoir.

Il s'avança au milieu de la pièce. Marianne ne songea pas une seule seconde à lui proposer un siège et il resta debout.

– Ça, ça reste à voir, fit-elle d'un ton sec. Et pourquoi serait-ce un voyage inutile, monsieur Vierkant ?

– Parce que M. Texel se trouve en ce moment précis chez Fenton avec la même idée que la vôtre.

Marianne, croyant avoir mal entendu, ne put réprimer un sursaut d'étonnement.

– M. Texel ?!? Quel M. Texel ?

– Le fils de Mme Texel, évidemment. Christopher J. Texel, vice-président de Texel International Limited et, depuis le mois dernier, président de Texel Europe. Donc, mon patron.

Sincèrement ahurie, Marianne alluma une autre cigarette pour cacher son trouble. Sa main tremblait légèrement et elle s'en voulut de ne pas réussir à mieux se maîtriser. Les regards de Philippe et de Vichinsky allaient de leur patronne au grand Flamand, affichant une certaine perplexité. Ils ignoraient tout, évidemment, des affrontements passés entre la famille Steenfort et la redoutable Canadienne.

– Ainsi, cette salope de Régine avait réussi à se faire faire un enfant par le vieux Peter, murmura Marianne comme pour elle-même. Je... je l'ignorais complètement.

– Qu'est-ce que ça peut vous faire? laissa froidement tomber Vierkant. Je ne suis pas venu ici pour discuter de la généalogie de mes employeurs.

– Vous avez raison, se reprit la jeune femme. Les Écossais ont donc donné une option à M. Texel junior. Bravo, bien joué!

– Non, ils n'ont pas donné d'option. Ils se sont montrés plus malins que ça.

– Ils ne vendent pas?

– Oh, si, ils vendent. Mais vous savez combien les Britanniques peuvent se montrer *gentlemen* quand il y va de leurs intérêts. Aussi, plutôt que de provoquer de sordides enchères entre nos deux sociétés ou de risquer de n'écouler qu'une partie de leurs titres Steenfort, le procurateur a décidé de les vendre en bloc et par adjudication.

– C'est-à-dire?

– La vente aura lieu à Lille dans cinq semaines, très exactement le vendredi 7 septembre. L'offre de toute partie intéressée devra être remise avant ce délai, sous pli scellé, au notaire chargé de la vente. Les titres iront au plus offrant, tout simplement. Sans marchandage ni surenchères.

– Et vous êtes l'une de ces parties intéressées, bien entendu.

– Évidemment. Je ne crois trahir aucun secret en vous avertissant que Texel Europe, qui se portera acheteur pour ces vingt pour cent de titres Steenfort, est prêt à aller jusqu'à deux cents millions de francs [1].

Vichinsky et Philippe échangèrent une grimace amère. Marianne tira nerveusement sur sa cigarette.

– Et vous êtes venu tout exprès de Bruxelles pour me dire ça? C'est vraiment trop aimable à vous, monsieur Vierkant.

L'immense Flamand, toujours debout, eut un bref sourire.

– Non, madame Steenfort, je ne suis pas venu que pour ça. En l'absence des parts Fenton, nous sommes vous et moi à égalité au conseil d'administration de *notre* société. J'ai donc été chargé de veiller à ce que les manœuvres..., disons dou-

1. Neuf cents millions de francs actuels.

teuses..., effectuées par monsieur votre père en 1950 ne se reproduisent plus.

Sur ces mots, il se dirigea vers la porte, pour se retourner sur le seuil.

— En d'autres termes, madame Steenfort, si vous voulez tenter de racheter ces parts, vous devrez faire offre sur vos fonds personnels. Je vous souhaite un excellent week-end.

Et il disparut, laissant Marianne et ses deux collaborateurs plongés dans un abîme de perplexité.

Loin d'être excellent, le week-end fut morose. François était parti à la mer avec quelques copains pour se changer les idées et Marianne passa tout son dimanche à ranger et nettoyer de fond en comble la chambre et la salle de bains de son fils, comme si elle voulait achever d'effacer toute trace du passage de la fausse Frederika. Les agents de la DST avaient bien entendu emporté le sac de la jeune terroriste et les Steenfort, mère et fils, n'avaient plus entendu parler du capitaine Clermont. Quant aux journaux, faute d'informations à se mettre sous la dent, ils ne parlaient plus de l'affaire Hannah Schneider depuis déjà plusieurs jours. De la même façon, ils se taisaient sur les soixante millions de bouteilles de Steenfort retirées de la vente, l'histoire étant réglée, donc dépassée. L'actualité était à présent centrée sur la poursuite du désarmement au Vietnam, l'augmentation du prix du baril de pétrole décrétée par la toute récente OPEP, la barre des cinq cent mille chômeurs franchie en France, la mort de Bruce Lee et l'occupation de l'usine Lip par ses ouvriers après la décision du tribunal de Besançon de liquider les biens de la célèbre fabrique de montres.

Au moment de se mettre à table pour un dîner solitaire devant la télévision, Marianne eut la surprise de voir rentrer son fils, hâlé par l'air marin. Elle ajouta un couvert et ouvrit une bouteille de vin.

— Déjà là ? tenta-t-elle de plaisanter. Plus de virée tardive ? Plus de pulpeuses créatures séduites par le luxe de ta 2CV ?

Mais la raillerie tomba à plat. François eut une sorte de sourire triste.

– Laisse tomber, petite mère, c'est pas drôle.

Ils mangèrent quelques instants en silence.

– Tu étais amoureux d'elle, n'est-ce pas ?

François hocha la tête sans répondre. Sa mère en eut le cœur serré. Elle avait rarement vu son fils malheureux. Pour changer de sujet, elle lui raconta la visite de Vierkant et le nouveau défi lancé aux brasseries Steenfort. Puis, le repas terminé, tandis que François débarrassait la table, elle s'alluma une cigarette en sirotant un dernier verre de vin.

– Tiens, tu refumes, maintenant ?

– Oui. Ça t'ennuie ?

– Heu..., non, pas du tout. Tu es majeure, après tout. Pour en revenir à ton histoire, deux cents millions, ça se trouve, non ?

– Ah oui ? Où ça ?

– N'importe où. Dans les banques, par exemple.

– En emprunt personnel ?

– Pourquoi pas ? Ou alors, auprès du gouvernement. Pour éviter que de vilains prédateurs étrangers ne s'emparent du joyau de notre industrie brassicole.

– Tu parles comme un politicien en tournée électorale. Tu sais combien ça fait, deux cents millions ?

– Bof ! pas grand-chose. Même pas le centième du budget de la République dominicaine.

Marianne écrasa sa cigarette et se leva.

– Attends, je vais te montrer... Passe au salon, je reviens.

Deux minutes plus tard, elle rejoignit François au salon, tenant à la main une liasse de billets de banque qu'elle était allée prendre dans le petit coffre mural de son bureau.

– Combien gagnes-tu chez nous, François ?

– Deux mille balles par mois. Mon génie est sous-payé.

Marianne déposa la liasse sur la table basse. C'étaient des billets neufs de cent francs, entourés d'une bandelette de papier brun portant le sigle d'une banque.

– En voilà dix mille. Cinq mois de ton salaire. Qu'est-ce que tu pourrais t'offrir avec ça ?

— Ben..., pas mal de choses, réfléchit le garçon en regardant les billets. Trois semaines à Tahiti..., une nouvelle 2CV..., la nuit de ma vie avec les dix plus belles call-girls de la ville...

— J'admire tes préoccupations culturelles, sourit Marianne en appuyant sur les billets du plat de la main. Ces dix mille francs font quelle épaisseur, à ton avis, bien tassés?

— J'sais pas, moi... Un centimètre?

— Exact. Donc un million ferait?...

— Ben..., un mètre.

— Bravo, Einstein. Et deux cents millions?

— Heu..., deux cents mètres. Mince, deux cents mètres!!...

— Voilà, conclut Marianne en reprenant les billets. À force d'entendre parler de millions et de milliards dans les journaux, on finit par oublier ce que ça représente. Deux cents millions, c'est une pile de billets de cent francs haute de deux cents mètres. Ou, si tu préfères, huit mille trois cents années de salaire de M. François Fenton. Va encore me chercher un verre de vin, s'il te plaît.

Tandis que François s'exécutait, Marianne alla remettre ses billets dans le coffre, puis revint au salon. Son fils s'était rassis, les sourcils froncés, réfléchissant.

— Bon, d'accord, finit-il par dire tandis que sa mère buvait une gorgée de vin. Il y a peut-être un autre moyen.

— Lequel?

— Va voir Texel à Bruxelles.

— Génial! Et qu'est-ce que je lui dirais, à M. Texel junior? Que ce n'est pas bien de vouloir dépouiller une pauvre mère de famille sous prétexte que les Texel et les Steenfort se font des coups tordus depuis le milieu du dix-neuvième siècle?

— Pourquoi pas? Quand la pauvre mère de famille a du charme, ça peut marcher. Après tout, qu'est-ce que tu risques? N'importe quel stratège te dira qu'il vaut toujours mieux apprendre à connaître l'adversaire. Peut-être que vous vous entendrez bien et que vous pourrez trouver un arrangement.

— Après Einstein, Clausewitz, sourit Marianne. C'est peut-être vrai, après tout, que ton génie est sous-payé. Mais ce que je risque surtout, c'est de me faire jeter comme une mal-propre.

— Et alors? Au moins, tu auras essayé. Tu me passes une cigarette, s'il te plaît?

Marianne en prit une également et ils fumèrent une minute en silence.

— Cette Régine Texel, demanda soudain François, tu l'as déjà rencontrée?

— Oui, se souvint Marianne. Il y a vingt-trois ans, lorsqu'elle a tenté une première fois de mettre la main sur notre brasserie. Cela n'a pas été une entrevue agréable.

— Elle était comment?

— Belle, intelligente, sans scrupules, bref, redoutable.

— Milady de Winter, quoi.

— Fleur de lys comprise, puisqu'elle est québécoise. Enfin, à moitié. Pour la vaincre, il nous faudrait au moins un d'Artagnan.

— Mmh... À propos de d'Artagnan, où est passé Jay?

— Son journal l'a rappelé à Bruxelles pour couvrir je ne sais plus quelle conférence internationale. J'ai essayé de lui téléphoner hier soir, mais il était absent.

— Il te manque?

— Oui.

Dans un geste spontané, François prit la main de sa mère.

— Tant mieux. Cela faisait longtemps que j'espérais voir un homme dans ta vie. Un vrai. En plus de moi, bien entendu.

— Il n'y est pas encore vraiment, dans ma vie, tu sais.

— Il y sera bientôt, ça se sent.

— Mmh..., on verra.

Un ange passa. Marianne vida son verre. Se redressant, François se tourna vers elle.

— Tu sais quoi, petite mère?

— Non. Quoi?

— Ce que je vais te dire ne va sans doute pas te faire plaisir, mais...

— Mais quoi?

— Je souhaiterais presque que Texel l'emporte. Tu te ferais virer de ta présidence et tu trouverais enfin le temps de te consacrer aux choses que tu as toujours rêvé de faire sans en avoir eu la possibilité. L'archéologie..., les voyages..., l'amour... Et avec les quarante pour cent qui te resteraient de la société, tu n'aurais pas vraiment des problèmes de fin de mois.

— Retour de la femme au foyer, c'est ça ? Je crois entendre Vierkant : les joies du tricot et des salons de thé.

— Sans aller jusque-là. Mais tu devrais y réfléchir. La brasserie, au fond, ça ne t'a jamais vraiment passionnée. Tu pourrais même reprendre tes études d'histoire et d'archéo.

— À quarante-trois ans ?

— Pourquoi pas ?

Marianne se pencha pour embrasser son fils sur la joue.

— Je vais me coucher. Tu sais quoi, François ?

— Vas-y toujours.

— Tu n'es peut-être pas aussi idiot que tu essaies d'en donner l'impression. Bonne nuit.

4

Lorsqu'elle arriva à la brasserie le lundi suivant, Gabrielle, sa secrétaire, prévint Marianne qu'un inspecteur de police l'attendait dans son bureau en compagnie de Philippe et de Charlier, le directeur de production. Marianne se rappela que ce jour était celui de l'échéance fixée par le maître chanteur anonyme pour se faire payer un million sous peine de provoquer d'autres catastrophes aux Nouvelles Brasseries Steenfort SA.

– Inspecteur Dumortier, de la police judiciaire, se présenta le policier, un quinquagénaire mal habillé au visage maigre, dont le regard désabusé était souligné par de lourdes poches sous les yeux.

– Heureuse de vous voir ici, dit Marianne après avoir salué ses collaborateurs. Où en sommes-nous, inspecteur ?

– Avez-vous envisagé de payer la somme que vous réclame votre maître chanteur ?

– Pas une seule seconde.

– Tant mieux.

Philippe tendit une enveloppe brune à sa patronne.

– C'était dans votre courrier ce matin. Je l'ai ouverte et j'ai immédiatement appelé l'inspecteur.

L'enveloppe contenait, comme les autres, une simple feuille de papier sur laquelle étaient collées des lettres découpées dans un journal : « *Tu as prévenu les flics, tant pis pour toi !* »

La bouche de Marianne se crispa tandis qu'elle jetait la lettre sur son bureau.

— Alors?

— Dès le dépôt de votre plainte, j'ai commencé par enquêter sur les membres de votre personnel, répondit l'inspecteur. C'était un début logique. Et j'ai trouvé quelque chose de curieux.

— Quoi donc?

Dumortier se tourna vers le directeur de production.

— Depuis combien de temps René Germeau travaille-t-il ici, monsieur Charlier?

— Germeau? De l'embouteillage?

— Oui, de l'embouteillage. Comme par hasard.

Charlier réfléchit, fronçant les sourcils.

— Depuis trois ou quatre mois, je pense. Je devrais vérifier.

— Je l'ai fait, déclara le policier. Depuis quatorze semaines très exactement. Vous avez pensé à vérifier son identité?

— Bien sûr que non, pourquoi? Ses papiers et ses certificats étaient en règle.

— En règle en apparence, monsieur Charlier. Ces papiers sont aussi faux que son nom.

— Ah...

Dumortier revint à Marianne.

— Madame Steenfort, est-ce que le nom de Christian Lebrun vous dit quelque chose?

Interloquée, Marianne mit quelques secondes à intégrer la question. Puis, d'un seul coup, elle se retrouva un quart de siècle en arrière. Le repas dominical mensuel chez Juliette... L'enterrement de Margrit... Et Christian, la mine sombre avec ses épais sourcils se rejoignant au-dessus de son nez, toujours solitaire dans son coin... Christian le bâtard, l'enfant de la honte que Léopold Garcin avait fait à la pauvre Juliette quand elle n'avait que dix-sept ans...

— Oui, c'est le fils de ma sœur Juliette.

— Exact. Messieurs, poursuivit-il en se tournant vers les deux autres hommes, pourriez-vous me laisser un instant seul avec Mme Steenfort, je vous prie?

Philippe et Charlier obtempérèrent après avoir reçu l'approbation muette de leur patronne. Dès qu'ils furent seuls dans le bureau, l'inspecteur de la PJ se tourna vers Marianne. Son regard était plus triste que jamais.

– Votre sœur a eu cet enfant à dix-huit ans, madame Steenfort. Peu après son mariage avec un certain Frédéric Lebrun, qui a par ailleurs travaillé ici avant d'émigrer au Canada avec sa famille. Ce M. Lebrun a reconnu l'enfant, mais il n'en était pas le père. Qui était le père de Christian, madame Steenfort?

Bien plus troublée qu'elle ne l'aurait voulu, Marianne se détourna du regard inquisiteur du policier.

– Je... je l'ignore, mentit-elle. Je n'avais que cinq ans quand il est né.

Dumortier soupira.

– Je crois au contraire que vous le savez fort bien, madame Steenfort. Le père était un certain Léopold Garcin, soupçonné en son temps d'avoir incendié votre première brasserie de Bourg-d'Artois, incendie dans lequel votre frère Charles a trouvé la mort. Léopold Garcin, membre actif d'un parti d'extrême droite avant-guerre, semble avoir disparu depuis 1935.

Marianne alla s'asseoir dans son fauteuil et s'alluma une cigarette d'une main un peu tremblante. L'inspecteur Dumortier resta debout, sans cesser de la fixer de ses yeux chagrins.

– Ce qu'on sait moins, poursuivit-il impitoyablement, c'est que lorsque votre père s'est suicidé, en 1950, dans les caves des ruines de son ancienne brasserie, on a retrouvé son corps près du cadavre à demi carbonisé d'un homme qu'on a identifié comme étant peut-être Léopold Garcin, que votre père avait probablement séquestré là pendant quinze ans. On le sait moins car l'affaire a été étouffée à l'époque. Mais vous, madame Steenfort, vous le savez. Et nous, nous le savons aussi.

Il s'interrompit. Marianne mourait d'envie d'ouvrir une fenêtre tant l'air de la pièce lui paraissait soudain irrespirable. Mais elle ne bougea pas, réussissant à redresser la tête pour soutenir le regard du policier. Le drame affreux que celui-ci évoquait et qu'elle s'était tant efforcée d'enfouir dans un recoin de sa mémoire lui revenait avec violence en plein cœur.

— Vous le savez, madame Steenfort, et nous le savons. Et il est plus que probable que Christian Lebrun le sache aussi. Christian Lebrun le bâtard, le mal-aimé, le fils du traître, l'enfant de la honte... Cela ne suffit-il pas, à vos yeux, pour qu'il vous haïsse, madame Steenfort ? Vous qui avez succédé à votre père assassin du sien ?

Marianne eut soudain envie de pleurer. Comme elle avait pleuré en apprenant le suicide d'Adrien et l'horreur qu'il avait commise.

— Je... je ne sais pas, souffla-t-elle d'une voix presque inaudible.

— Eh bien, nous allons le savoir très vite, déclara Dumortier. Le temps de prendre quelques dispositions.

Depuis la découverte que les cristaux de verre trouvés au fond des bouteilles de Steenfort ne provenaient pas des bouteilles elles-mêmes, l'embouteillage avait repris normalement, sous la surveillance supplémentaire d'un garde et en interdisant jusqu'à nouvel ordre les visiteurs extérieurs. Ce jour-là, Blanchart, le responsable du département, était seul aux commandes du pupitre de contrôle. Il regarda, sans émotion particulière, Charlier, Marianne et son adjoint traverser la salle dans sa direction, suivis d'un inconnu au visage peu amène.

— Bonjour, Blanchart, le salua le directeur de production. Savez-vous où est Germeau ?

— Je viens de le relever, monsieur Charlier. Il ne se sentait pas bien et m'a demandé la permission de rentrer chez lui.

Dumortier ne prit pas la peine de se présenter au responsable de l'embouteillage.

— Il s'est douté de quelque chose, c'est évident. Il a dû voir dans la cour les deux agents en uniforme que j'ai eu le tort d'amener avec moi. Dites-moi, monsieur Charlier, si vous vouliez causer de gros dégâts à votre brasserie dans un minimum de temps, que feriez-vous ? En excluant la dynamite et autres matières explosives difficiles à trouver pour un particulier.

Charlier réfléchit quelques secondes, sous le regard étonné de Blanchart qui, tout en s'abstenant de poser des questions, se demandait visiblement ce qu'il se passait.

— Je pousserais les chaudières au maximum, finit par répondre Charlier. Non seulement le brassin en cours serait perdu, mais la surchauffe entraînerait un risque d'explosion des canalisations.

— Et d'où contrôle-t-on ces chaudières ?

— Chaque cuve de chauffe dispose d'un manomètre individuel. Mais la température générale de base est réglée par un tableau de commandes au sous-sol.

— Bien, fit simplement l'inspecteur en sortant un walkie-talkie de la poche intérieure de son veston. Allons-y ! Madame Steenfort, je vous demanderai de rester ici.

— Pas question, protesta Marianne. C'est ma brasserie. Je vous accompagne.

— Comme vous voudrez, mais restez derrière nous, on ne sait jamais.

Appuyant sur une commande de son talkie, Dumortier aboya brièvement quelques instructions à d'invisibles subordonnés. Puis, remettant l'appareil dans sa poche, il exhiba de sous son aisselle un impressionnant pistolet Colt neuf millimètres. Marianne et ses collaborateurs ne purent réprimer un sursaut. Quant à Blanchart, il ouvrit des yeux de la taille d'un honnête quarante-cinq tours, regardant autour de lui pour vérifier s'il ne s'agissait pas d'une séquence de la « Caméra Invisible », cette nouvelle émission qui faisait fureur à la télévision.

Charlier en tête pour montrer le chemin, le quatuor s'avançait dans un étroit couloir sous un entrelacs de tuyauteries environnées de fumerolles de vapeur blanche. Le sourd grondement des chaudières semblait venir de tous les côtés.

Au détour du couloir, dans une petite salle bien éclairée par plusieurs tubes au néon, un homme en blouse de travail examinait un tableau mural de commandes. Marianne reconnut immédiatement les épais sourcils se rejoignant au-dessus du nez.

— CHRISTIAN! cria-t-elle impulsivement.

L'homme tourna vivement la tête vers les arrivants. Un mélange de peur et de folie se lisait dans son regard enfiévré. D'un geste vif, il poussa au maximum une manette de commande qui se trouvait à sa hauteur. Puis, se penchant, il ramassa une lourde barre de fer qu'il avait manifestement amenée avec lui.

— Germeau, nom de Dieu, arrêtez ça!

L'inspecteur Dumortier voulut le retenir, mais déjà Charlier courait vers le tableau de commandes, tandis qu'un sifflement de vapeur surchauffée s'amplifiait progressivement.

— Restez où vous êtes! cria le faux Germeau d'une voix anormalement aiguë. Ne m'approchez pas! Restez tous où vous êtes.

Charlier marqua un temps d'arrêt, hésitant. Le sifflement de vapeur augmenta d'intensité, tandis qu'une lumière rouge se mit à clignoter sur le tableau de commandes, déclenchant le hululement lointain d'une sirène d'alarme.

— Soyez raisonnable, Germeau. Arrêtez ça. La police est là, c'est terminé.

Le directeur de production fit encore deux pas, tendant la main pour que le forcené lui remette son arme improvisée. Mais bondissant en avant, Germeau lui assena un terrible coup de sa barre de fer en pleine tête avant de s'enfuir en courant vers l'autre extrémité de la petite salle. Le malheureux Charlier s'effondra sans un cri, le front en sang.

— CHRISTIAN!!...

Marianne sentit un spasme nauséeux lui tordre le ventre et elle dut s'appuyer contre la paroi du couloir. À côté d'elle, Philippe, les yeux exorbités, restait sans réaction, incapable d'assimiler la brutalité de la scène à laquelle ils venaient d'assister.

— Occupez-vous de Charlier! cria Dumortier en s'élançant à la poursuite du fuyard, pistolet au poing.

Germeau avait déjà disparu dans un des couloirs donnant sur la petite salle. L'injonction du policier arracha Marianne à sa torpeur et elle courut vers le corps allongé sous le panneau de commandes, suivie par Philippe. Le sifflement de la vapeur leur vrillait les oreilles et les tuyauteries au-dessus de leurs têtes commençaient à vibrer dangereusement.

— Rétablissez la température normale, Philippe, cria-t-elle en s'agenouillant à côté de Charlier.

Celui-ci, sans réaction, avait les yeux grands ouverts. Le sang coulait toujours en abondance de son front éclaté. Pendant quelques affreuses secondes, Marianne crut qu'il était mort. Elle devait apprendre plus tard que le visage des gens assommés se fige dans l'expression arborée au moment du choc.

Le sifflement lui vrillait les oreilles.

— PHILIPPE !...

Le grand échalas regardait le panneau de commandes d'un air complètement égaré.

— Qu'est-ce que vous attendez, nom d'un chien !? Que ça nous explose à la figure ?

— Je... je n'y connais rien, moi... Quel est le bouton qui ?...

Se relevant d'un bond, Marianne actionna la manette de commande centrale des chaudières. Le sifflement s'atténua progressivement.

— Bon sang, quel empoté vous faites ! Courez prévenir l'infirmerie et appelez une ambulance, vite ! VITE !!...

Philippe disparut en courant et Marianne s'accroupit de nouveau au côté de Charlier. Sans hésiter, elle ôta la veste de son tailleur d'été et s'en servit pour éponger le sang qui inondait la figure de l'homme assommé, menaçant de l'étouffer en pénétrant dans sa gorge. Le malheureux gémit faiblement, clignant des paupières. Il était vivant.

— Ne bougez pas, Charlier, tout va bien se passer, on est allé chercher du secours. Mais ne bougez surtout pas la tête, vous avez peut-être une fracture du crâne.

Le directeur de production ferma les yeux et retomba dans l'inconscience. Au même moment, un cri sourd retentit quelque part dans les méandres du sous-sol.

— Aaaaah...

Marianne se redressa, le front couvert de sueur. Sur le panneau de commandes, la lampe rouge avait cessé de clignoter. La température de chauffe était revenue à la normale et la sirène d'alarme s'était tue.

– Inspecteur?... Inspecteur, où êtes-vous?...

Sans réfléchir, Marianne traversa la petite salle et s'engagea dans le couloir emprunté par le fuyard et le policier.

– Inspecteur?...

Mais seul le grondement sourd des chaudières brisait l'épais silence du labyrinthe mal éclairé de conduits et de tuyauteries qui l'enserraient de toutes parts. Après avoir tourné à droite, puis à gauche, puis encore à droite, Marianne se rendit compte qu'elle ne savait plus où elle était.

– Inspecteur?... Aaaahh!...

Elle venait de buter contre un corps allongé en travers du couloir et n'avait pu s'empêcher de pousser un cri d'effroi. Mais cet effroi fut plus grand encore quand elle reconnut Dumortier, le crâne en sang comme Charlier, la barre de fer à ses pieds et son talkie-walkie en miettes près de lui. Le pistolet Colt, en revanche, avait disparu.

Marianne sentit ses jambes se mettre à trembler. Instinctivement, elle s'accroupit pour glisser une main sous le veston du policier. À côté du holster vide, le cœur battait. Elle se redressa, éperdue, scrutant la pénombre autour d'elle.

– Christian?...

Saisissant à deux mains la barre de fer tachée de sang, elle poursuivit sa progression d'une démarche hésitante, s'avançant au hasard dans le dédale des couloirs, incapable de trouver la direction à prendre pour sortir de ce sous-sol où elle se sentait prise au piège. Pourquoi n'avait-elle pas écouté Dumortier quand il lui avait dit de rester en haut?

– Christian, je ne t'avais pas reconnu... Il y a si longtemps... Pourquoi m'en veux-tu à ce point?... Qu'est-ce que je t'ai fait?...

Mais ses appels restaient sans écho. Pourtant, il était là, elle le savait. Il la guettait. Il jouait avec elle comme le chat épiant la souris qu'il va croquer.

– Christian...

Soudain, elle se figea. Elle venait d'entendre le claquement sec d'un pistolet qu'on arme.

– Christian, je t'en prie, arrête... Je... je ne porterai pas plainte, je te le promets. Tu es mon neveu, Christian, le fils de ma sœur...

– Et de l'ignoble Garcin, je sais. Le bâtard du criminel, celui qui n'aurait jamais dû exister !...

Et d'un seul coup, il fut devant elle, à trois mètres, braquant le Colt d'une main légèrement tremblante, le visage déformé par un rictus de haine.

– Mais voilà, pour le malheur de la famille Steenfort, j'existe. Combien de fois m'as-tu parlé, Marianne Steenfort ? Combien de fois t'es-tu seulement aperçue de ma présence ? Pour toi et ton salaud de père, je ne comptais pas. Je n'étais qu'un chancre, une flétrissure qu'il fallait ignorer...

– Christian, ce n'est pas vrai...

– Mais si, c'est vrai, cracha-t-il rageusement en pointant son arme. Et tu le sais fort bien, Marianne Steenfort. Mais aujourd'hui, je vais enfin régler mes comptes. *Tous* mes comptes ! Adieu, chère « tante »...

Marianne ferma les yeux. Ainsi, elle allait mourir. Elle ne reverrait plus François. Elle ne reverrait plus Jay. Comment était-ce, la mort ? Était-ce aussi facile que... ?

Deux coups de feu retentirent.

Elle rouvrit les yeux, étonnée de n'avoir rien senti. Devant elle, le faux Germeau s'était écroulé, l'épaule en sang, tandis que deux agents en uniforme se précipitaient vers lui, l'arme au poing, suivis par Dumortier qui se tenait le crâne.

Philippe finit par la trouver dans la salle de réunion. Elle était debout, très droite, le visage neutre, fixant le portrait de Charles Steenfort accroché au mur. Sur la table à côté d'elle, un cendrier débordait de mégots de cigarettes.

Elle ne tourna pas la tête quand son jeune adjoint pénétra dans la pièce et s'approcha d'elle.

– Charlier est à l'hôpital, annonça-t-il. Une solide commotion, mais pas de fracture du crâne. Il s'en tire bien.

– Bien, fit-elle d'une voix atone. Et l'inspecteur ?

— Une grosse bosse, sans plus. Il a refusé d'aller à l'hôpital ; il est retourné à la PJ faire son rapport. Ça a la tête dure, ces vieux flics blanchis sous le harnais.

— Et... et Christian ?

— Germeau ? Enfin... Lebrun ? À l'infirmerie de la Santé, la clavicule en morceaux. Lui aussi, s'en tire bien. Sauf qu'il risque d'en prendre pour dix ou quinze ans.

Marianne se retourna lentement. Philippe, le cœur serré, vit deux grosses larmes couler silencieusement sur les joues de cette femme qu'il admirait tant. Dans un mouvement instinctif, il s'approcha d'elle et lui posa une main sur l'épaule. Et l'incroyable arriva. Éclatant en sanglots, Marianne enfouit son visage dans le creux de l'épaule du jeune homme.

— Je... je n'en peux plus, Philippe !... J'en ai assez, assez, assez...

Une boule d'émotion lui obstruant la gorge, il lui caressa doucement les cheveux, incapable de parler, vivant une des minutes les plus intenses de son existence. Mais ce moment trop rare ne dura pas. S'écartant de lui, Marianne prit son mouchoir pour se tamponner les yeux.

— Excusez-moi, je... je me suis laissée aller.

— Ce... c'est normal, réussit à coasser Philippe. Après ce qui vient de se passer...

Les yeux encore rouges, elle le regarda bien en face.

— Je laisse tomber, Philippe. Mon fils a raison, j'en ai assez de passer à côté de la vie que j'aurais dû mener. Je ne suis pas faite pour... pour tout ça.

— Ah. Et... et Texel ?

— Dès demain, j'irai à Bruxelles annoncer à Vierkant et à son patron qu'ils peuvent avoir les parts Fenton si ça leur chante. Moi, je laisse tomber, mais je veux au moins m'offrir le plaisir de le leur annoncer en face. Je n'en peux plus, Philippe, je suis désolée.

Récupérant son paquet de cigarettes sur la table, elle se dirigea vers la porte. Se retournant sur le seuil, elle vit son grand échalas d'adjoint planté au milieu de la grande salle, bras ballants, comme assommé.

— Désolée, dit-elle encore avant de disparaître.

Marianne n'était plus venue à Bruxelles depuis l'Exposition universelle de 1958, dont elle avait gardé un souvenir ébloui. Mais des somptueux pavillons représentant les cinquante et un pays participants qui s'étalaient harmonieusement sur le vaste plateau du Heysel, il ne restait plus que l'Atomium et la fameuse flèche du Génie civil perdus au milieu de terrains vagues. Elle trouva en outre que la capitale belge, si plaisante au tournant du demi-siècle, s'était enlaidie d'immeubles-tours visiblement bâtis dans un souci de rentabilité économique, au mépris de toute préoccupation d'esthétisme urbain. Mais elle n'était pas là pour faire du tourisme.

La veille au soir, elle avait une fois de plus essayé de téléphoner à Jay, et une fois de plus son appel était resté sans réponse. Il n'était manifestement pas souvent chez lui. Tant pis. Une fois sa visite à Texel expédiée, elle se rendrait à l'adresse qu'il lui avait donnée et finirait bien par lui mettre la main dessus. Elle avait hâte de lui annoncer sa décision d'abandonner sa fonction de « pédégère » des brasseries Steenfort.

Le quartier général de Texel Europe se trouvait à l'extrémité sud de l'avenue Louise, l'une des artères chics de la ville, à quelques dizaines de mètres de l'orée du bois de la Cambre. Marianne gara sans difficulté sa Porsche à l'entrée du bois et, après avoir vérifié son léger maquillage dans le rétroviseur intérieur, sortit de la voiture et respira un bon coup. C'était le moment de vérité. Le moment de liberté. L'heure de sa levée d'écrou.

À son grand étonnement, elle avait réussi à passer une bonne nuit de sommeil. Et le lendemain matin, sa décision n'avait pas varié. Bien au contraire, elle s'était sentie plus légère, enfin soulagée de l'énorme poids qui pesait sur ses épaules depuis tant d'années. Elle avait pris son petit déjeuner avec François, à qui elle avait raconté le dramatique épisode de l'arrestation de Christian Lebrun. Mais elle ne lui avait pas soufflé mot de la visite qu'elle allait rendre aux gens de Texel, préférant le lui annoncer après. Pour expliquer à son fils son absence de la brasserie ce jour-là, elle avait prétexté un quelconque rendez-vous d'affaires en province.

Elle pénétra dans le hall d'un élégant petit immeuble de six étages aux larges baies de verre fumé. La réceptionniste l'accueillit d'un sourire. Marianne déclina son identité et demanda à voir M. Christopher Texel.

– Vous êtes venue pour la réunion ? demanda aimablement la jeune fille derrière son comptoir. Je ne vois pas votre nom sur ma liste.

– Non, je ne suis pas venue pour la réunion. Je voudrais simplement voir M. Texel. Je n'en aurai que pour cinq minutes.

Le sourire se mua en une moue désolée.

– Je crains que ce ne soit impossible, madame. La réunion a déjà commencé. Vous aviez rendez-vous ?

– Non. Je voulais lui faire la surprise.

– Ah. C'est que...

– D'accord, j'ai eu tort de ne pas prendre rendez-vous. Pouvez-vous appeler M. Vierkant et lui dire que je suis là ? Je vous rappelle mon nom : Marianne Steenfort.

La jeune fille décrocha son téléphone intérieur, tandis que Marianne examinait le hall orné de plantes vertes. Au-dessus du comptoir d'accueil, une grande plaque de tôle émaillée annonçait fièrement le slogan de la marque canadienne : *TEXEL TASTE*.

La réceptionniste raccrocha, l'air ennuyé.

– Je regrette, madame Steenfort, mais M. Vierkant ne peut pas vous recevoir.

– Vous lui avez dit qui j'étais ?

– Bien sûr, mais... heu... il a dit que... heu...

– Qu'après avoir été traité comme de la merde pendant vingt ans, ce n'est pas maintenant qu'il allait me dérouler le tapis rouge, je comprends.

À cet instant, un gros homme rougeaud en complet veston débaula dans le hall, un attaché-case à la main. Bousculant presque Marianne, il s'adressa en soufflant à la réceptionniste.

– De Meester, des magasins Colruyt. Où a lieu la réunion ? Je suis terriblement en retard.

— Au sixième étage, monsieur de Meester, répondit la jeune fille après avoir jeté un rapide coup d'œil sur sa liste. Les ascenseurs sont au fond du hall.

Marianne n'hésita pas et se lança à la suite du bonhomme.

— Attendez, je monte avec vous.

— Mais, madame..., s'étrangla la réceptionniste. Vous ne pouvez pas...

Comme Marianne s'engouffrait dans l'ascenseur, la jeune fille se précipita sur son téléphone.

— Au sixième également ? demanda aimablement l'homme à l'attaché-case.

— S'il vous plaît, répondit Marianne en souriant.

Elle s'amusait comme un gosse se faufilant au cinéma sans payer.

L'impressionnante masse d'Aloïs Vierkant barrait presque toute la largeur du couloir du sixième étage.

— Puis-je savoir ce que vous venez faire ici, madame Steenfort ? s'enquit-il d'un ton hostile dès qu'il la vit sortir de l'ascenseur.

Marianne lui décocha son plus charmant sourire.

— Voir votre patron, monsieur Vierkant, le célèbre Christopher J. Texel. C'est interdit ?

— Pour le moment, oui. Nous sommes en réunion. Je vous en prie, monsieur de Meester, ajouta Vierkant en s'effaçant pour laisser passer le représentant des magasins Colruyt. La grande porte du fond.

L'homme au visage rougeaud s'empressa de trottiner dans la direction indiquée, non sans avoir lancé un dernier regard curieux à Marianne. Celle-ci ne se départit pas de son calme.

— Il pourrait peut-être interrompre sa réunion pendant quelques minutes. Après tout, je ne suis pas n'importe qui, monsieur Vierkant.

— Ah ça, non, en effet, grimaça le grand Flamand. Puis-je savoir ce que vous lui voulez ?

— Oh, simplement lui annoncer qu'il pourra s'offrir les vingt pour cent de parts Steenfort mises en adjudication par le procurateur des Fenton Breweries au prix qu'il lui plaira de payer. Moi, je laisse tomber.

Les sourcils de Vierkant se haussèrent en accent circonflexe.

— Que voulez-vous dire ? Je ne comprends pas.

— C'est pourtant simple, monsieur Vierkant. Disons que je suis prise d'une irrésistible envie de me mettre au tricot et aux papotages dans les salons de thé. Vous permettez ?

Profitant du trouble du géant, Marianne le déborda et se dirigea d'un pas décidé vers la double porte par laquelle avait disparu l'homme à l'attaché-case. Vierkant mit deux secondes de trop à réagir. Quand il la rejoignit, elle avait déjà ouvert la porte.

Une douzaine d'hommes et quelques femmes assis de part et d'autre d'une grande table écoutaient Christopher Texel, debout devant un tableau couvert de chiffres, leur expliquer la future stratégie commerciale européenne de la brasserie canadienne. Très élégant dans un costume beige trois pièces, le président de Texel Europe tourna la tête vers la nouvelle arrivante.

Pétrifiée sur le seuil de la porte, Marianne sentit son ventre se liquéfier.

Elle connaissait l'homme dont le sourire venait de se figer en la voyant.

C'était Jay.

— Le salaud ! L'ordure ! Le fumier !

Effaré, François, assis dans le canapé du salon, regardait sa mère marcher de long en large dans la pièce, en peignoir, cheveux défaits, les yeux brillants de larmes et de colère, grillant cigarette sur cigarette et n'interrompant sa tabagie que pour se verser un verre de whisky d'une bouteille déjà à moitié vide.

— Ça ne t'ennuie pas si je te pose des questions sur tes affaires, ma chérie ? déclama Marianne en imitant exagérément l'accent de Jay. Tout ce qui te concerne m'intéresse, ma chérie... Ah ! elle s'est bien fait avoir, la chérie. Comme la dernière des dindes se faisant emballer par le gigolo de service. Bravo, Mr Christopher J. Texel Jr ! Elles sont chouettes, les nouvelles méthodes américaines de marketing! Et moi, comme une conne..., comme une conne...

S'interrompant dans une sorte de sanglot étranglé, elle écrasa sa cigarette dans un cendrier débordant de mégots et vida le fond de son verre avant de le remplir à nouveau.

– Écoute, maman, risqua François. Tu ne vas tout de même pas...

– Quoi, je ne vais tout de même pas?... Si, au contraire, je vais...

– Tu vas quoi?

– Je ne sais pas. Hurler, tiens. Je vais hurler.

Elle alla ouvrir toute grande une des portes-fenêtres donnant sur le jardin et, s'appuyant des deux mains aux montants, cria dans la nuit qui commençait à tomber.

– MARIANNE STEENFORT EST LA REINE DES CONNES!... MARIANNE STEENFORT EST LA REINE DES CONNES!...

Le téléphone sonna dans le salon. François se leva pour décrocher. Après avoir écouté dix secondes, il tendit le combiné en direction de sa mère.

– C'est Jay.

Marianne fut sur lui en quatre enjambées furieuses et lui arracha le combiné des mains.

– Tu veux vérifier si ta victime est au point, c'est ça!? aboya-t-elle rageusement dans l'appareil. Alors, écoute-moi bien, espère d'enfoiré : ton cinéma dégueulasse n'aura servi à rien car tu n'auras jamais ces parts Fenton. Tu m'entends, fumier : JAMAIS! Et maintenant, *fuck yourself, mister Christopher J. Texel Jr!*

Et elle raccrocha sans laisser à son interlocuteur le temps de placer une seule syllabe. Puis, comme si ce dernier accès de colère l'avait épuisée, elle se laissa tomber dans le canapé, les yeux à nouveau pleins de larmes.

François vint s'accroupir à ses pieds.

– Bravo, petite mère, belle envolée, même si le langage était un peu cru. Mais n'y a-t-il pas un minuscule détail qui t'aurait échappé?

Elle le regarda, se forçant à sourire à travers ses larmes.

– Quoi, qu'il me faut deux cents millions? Mais ça se trouve, ça, deux cents millions. C'est trois fois rien, ça, deux cents millions.

– Deux cents millions?!?

Le chef de cabinet du ministre de l'Industrie regarda Marianne par-dessus ses lunettes en demi-lunes. La jeune femme, qu'il connaissait depuis longtemps, avait toujours autant de classe. Et elle était plus belle que jamais.

– Où veux-tu que je trouve deux cents millions, Marianne?

– Tu es le chef de cabinet du ministre de l'Industrie, oui ou non? Deux cents millions de plus ou de moins dans le déficit budgétaire de l'État...

Le haut fonctionnaire sourit. Des fenêtres de son élégant bureau, on pouvait apercevoir l'une des tours de Notre-Dame.

– Tu as une curieuse conception de la gestion gouvernementale, ma chère. Je ne peux pas demander au ministre de les sortir de son chapeau, tes deux cents millions.

– Je croyais que l'un des rôles de ce ministère était d'aider les entreprises en difficulté.

– Les brasseries Steenfort sont en difficulté? À cause de ces soixante millions de bouteilles retirées de la vente, je suppose. Je te félicite pour ta décision courageuse, à propos.

Marianne changea de position sur la chaise Louis XV que son ami lui avait proposée à son arrivée. Elle avait facilement obtenu ce rendez-vous, duquel elle espérait secrètement obtenir une aide gouvernementale. L'affaire, cependant, semblait mal partie.

– Cette histoire va nous causer des problèmes de *cash-flow*, c'est vrai. Mais qui devraient se résorber d'ici un an ou deux. Non, ce que je veux éviter, c'est que le deuxième groupe français de brasserie passe sous contrôle étranger.

– Mais ta société est *déjà* sous contrôle étranger, Marianne. Quarante pour cent Texel et vingt pour cent Fenton. Tu vois que je connais ton dossier.

– Justement, Roland, aide-moi à en refaire une entreprise à majorité française.

En soupirant, le chef de cabinet sortit d'un des tiroirs de son bureau un dossier d'une quarantaine de pages.

– Je connais d'autant mieux ton dossier que j'ai ici le compte rendu du plan de développement de Texel Europe en France. Je me le suis fait apporter pour le relire en prévision de ta visite.

Marianne tressaillit.

– Quoi, ils sont déjà venus vous trouver?

– Bien entendu. Tu devrais savoir que les Américains laissent rarement les choses au hasard.

– Ce sont des Canadiens.

– C'est ce que je voulais dire, fit le haut fonctionnaire en ouvrant le dossier. Toujours est-il que ces Canadiens nous garantissent, trois ans après leur prise de contrôle, le doublement de la capacité de Steenfort. Donc la création de dizaines d'emplois nouveaux. Or, avec le cap des cinq cent mille chômeurs franchi l'année dernière, l'emploi va devenir l'une des priorités du gouvernement.

– Si je comprends bien, vous préféreriez que ce soit Texel qui l'emporte, c'est ça?

Le chef de cabinet referma le dossier et se leva, signifiant que l'entretien était terminé.

– En tant qu'ami, certainement pas, Marianne. Mais en tant que responsable politique, ma réponse doit être oui. Désolé, ma chère, mais nous devons faire face aux réalités du moment.

Il la raccompagna jusqu'à la porte du bureau.

– Je comprends, fit Marianne avec un sourire un peu crispé. Je te remercie de m'avoir reçue, Roland. Et merci également pour la leçon d'économie politique.

François avait connu Jérôme Gaillard au lycée. De deux ans son aîné, celui que tout le monde appelait Jerky était le capitaine de l'équipe junior de basket-ball dont François faisait partie. Les deux garçons s'étaient liés d'amitié jusqu'à ce que Jerky, issu d'une famille modeste, arrête ses études à seize ans pour entrer comme grouillot à la *Voix du Nord*, le grand quotidien lillois. Six ans plus tard, à force de travail, d'astuce et d'opiniâtreté, il était devenu assistant journaliste, ne rêvant, comme tous les jeunes dans ce métier, que du « scoop » qui lui donnerait enfin le statut de journaliste à part entière.

François le repéra facilement parmi la trentaine d'hommes et de femmes qui occupaient la grande salle de rédaction, chacun à sa table de travail, tapant sur sa machine à écrire ou relisant ses notes. Jerky était un garçon maigre au teint mat et aux longs cheveux noirs très lisses qui le faisaient ressembler un peu à un Indien.

— Salut, Jerky! Toujours les chiens écrasés?

— Je ne suis pas un riche héritier, moi. Salut, François! Ça fait une paie, dis donc. Tu veux un Coca?

Le jeune journaliste interrompit son travail et se pencha pour happer un tabouret proche et le faire glisser vers son visiteur.

— Non, merci, fit François en s'asseyant.

— C'est vrai que toi, ce serait plutôt la bière. Dis donc, ta maternelle tient la vedette, ces temps-ci. Les millions de bouteilles retirées de la vente... L'arrestation musclée de ce Lebrun dans les sous-sols de la brasserie... Et maintenant, le match Texel-Steenfort pour le contrôle de votre boîte... Tu ne seras peut-être pas un si riche héritier que ça, après tout.

— Comment es-tu au courant pour le match Texel-Steenfort, comme tu dis?

— Tu ne lis pas les pages économiques des journaux? L'annonce de la mise en adjudication des parts Steenfort détenues par la boîte de ton paternel a été rendue publique, c'est la loi. Et il ne faut pas être prix Nobel d'économie pour comprendre qu'il n'y a que deux candidats acheteurs possibles.

— C'est vrai que ça se bouscule un peu en ce moment, admit François en grimaçant. Dis donc, Jerky, je voudrais te demander un petit service...

— Je me doutais bien que tu n'étais pas venu me voir pour me parler du bon vieux temps. Cigarette?

François accepta et Jerky alluma les deux cigarettes avec un briquet Zippo portant le sigle d'une grande marque de whisky.

— Je t'écoute, fit-il en exhalant un nuage de fumée bleue.

— À propos de Texel, justement. Je voudrais que tu me déniches tout ce que tu pourras trouver sur la famille Texel. La mère, Régine. Le fils, Christopher. Et le reste, s'il y en a. Tout, quoi.

— Mmh... Je pourrais t'avoir ça. Mais donnant-donnant, François.

— Donnant-donnant ?

Jerky se pencha en baissant la voix.

— Hannah Schneider.

François tressaillit, piquant un fard.

— Ha... Hannah Schneider ? Je ne comprends pas.

Jerky sourit, ses yeux foncés plongés dans ceux de son ami.

— Je crois que tu me comprends très bien, François. Les flics font le *blackout* sur la manière dont elle a été retrouvée et flinguée. Affaire d'État, paraît-il. Mais des petits fouinards de chez nous semblent penser que tu y aurais été mêlé d'une manière ou d'une autre. C'est vrai ?

François se mordit la lèvre sans répondre. Son ami lui tendit la main.

— Je te propose un *deal* honnête, François. Tu me dis tout ce que tu sais sur Hannah Schneider et moi, je te rencarde aux petits oignons sur les Texel. C'est comme ça, mon pote : les informations, ça se paie. Ou ça s'échange.

Après un bref instant d'hésitation, François serra la main tendue.

À Paris depuis une semaine, Marianne avait fait le tour de ses relations, réussissant à obtenir une entrevue avec le secrétaire d'État au Développement et le directeur général adjoint du ministère des Affaires économiques. Mais la réponse avait été la même partout : le gouvernement français ne voyait aucun intérêt à investir deux cents millions de francs pour barrer la route à une société étrangère qui s'était engagée à créer plusieurs dizaines, voire plusieurs centaines d'emplois nouveaux. Elle avait donc pris la décision de se tourner vers le privé et obtenu un rendez-vous avec le président d'une des plus importantes banques d'affaires de la place.

Dans son vaste bureau lambrissé de chêne clair, Ambroise de Werner semblait, aux yeux de Marianne, représenter l'archétype du banquier. La soixantaine soignée, ses cheveux blancs coiffés en arrière pour masquer une calvitie avancée, il était vêtu d'un strict costume trois pièces gris ligné de blanc et posait sur sa visiteuse un regard compréhensif et paternel à travers les verres épais de ses lunettes.

— Il devient de plus en plus courant de voir des familles perdre le contrôle de l'entreprise créée par leurs aïeuls, madame Steenfort. Cela n'empêche nullement lesdites entreprises de prospérer, bien au contraire.

— Ce ne sont pas des paroles de consolation que je suis venue chercher, monsieur de Werner, c'est de l'argent.

— Deux cents millions, je sais, soupira le banquier. C'est une très grosse somme.

— Pas pour votre banque.

— Pour ma banque, peut-être pas, en effet. Mais pour vous, oui. Quelles garanties pourriez-vous me fournir ?

— Les actions des Nouvelles Brasseries Steenfort SA.

— Celles mises en adjudication par les Fenton Breweries ? Elles en valent à peine la moitié.

— La totalité de mes parts, monsieur de Werner. Mes quarante pour cent plus les vingt pour cent de Fenton si j'emporte le morceau.

— Mmh... Mais que vaudraient ces parts si, disons..., si les choses venaient à mal tourner ?

— Mon entreprise est saine, monsieur de Werner. Elle traverse un moment difficile, c'est vrai, mais elle est saine.

— Je sais, je sais. Mais les temps changent, madame Steenfort. La chute du dollar, les accords de l'OPEP, la hausse du pétrole, le chômage... On parle de crise, de récession... Il faut que j'en parle à mon conseil d'administration, conclut le banquier en se levant.

Marianne n'eut d'autre ressource que de l'imiter.

— Quand puis-je espérer avoir votre réponse ?

— Disons... dans une dizaine de jours.

— Je présume qu'elle sera négative.

— Je n'ai pas dit ça, madame Steenfort.

— Non, vous vous êtes contenté de le penser depuis le début de notre entretien. Adieu, monsieur de Werner. Et pardonnez-moi de vous avoir fait perdre votre temps.

Le dimanche qui suivit son retour de Paris, Marianne prit son petit déjeuner avec son fils à l'intérieur. Dehors, il pleuvait des cordes. Ce mois d'août était désagréablement orageux ; ce qui n'était pas fait pour remonter le moral de la jeune femme. Son déplacement dans la capitale s'était soldé par un échec sur toute la ligne.

— Jay n'est pas le fils de Peter Texel, annonça François tout à trac après avoir avalé une première tasse de café au lait.

— Ah !... fit seulement Marianne.

— Il est le fils d'un premier mari de Régine, un Américain du nom de Ralph Morgan. Ta milady de choc l'a fait adopter par le vieux Peter quand il avait deux ou trois ans. Et Jay est son second prénom.

Un éclair jaillit dans le cerveau embrumé de Marianne et elle se frappa le front dans un geste machinal.

— Ralph Morgan ! s'exclama-t-elle. Le gangster de Chicago ! Évidemment ! Comment n'ai-je pas fait le rapprochement !?

— Parce que tu n'avais aucune raison de le faire. Morgan est un nom courant aux States. Il était gangster, le père de Jay ?

— Condamné à perpétuité pour le meurtre d'un policier et mort en prison. Je te raconterai ça un jour. Mais d'où tiens-tu ces renseignements, monsieur Einstein-Clausewitz-Sherlock Holmes ?

— D'un copain journaliste à *La Voix du Nord*. Les Texel sont une grosse fortune au Canada, donc des gens en vue. Et comme tous les gens en vue, ils ont leur bio tenue à jour dans la plupart des rédactions. Tu sais, maman...

— Quoi?

— Je ne crois pas qu'il ait essayé de te baiser.

Marianne sursauta, avalant de travers son morceau de croissant, ce qui la fit tousser.

— Non, attends, s'empressa de rectifier son fils. Ce n'est pas ce que je voulais dire. Je veux dire que ce n'est pas le genre de type à faire ça. En outre, il n'avait certainement pas besoin de toi pour connaître ta situation et celle des Fenton Breweries.

— Ah, non? Alors, qu'est-ce qu'il cherchait, d'après toi?

— À te connaître, tout bêtement. Par curiosité. Pour savoir à quoi tu ressemblais.

— Ça, pour le savoir, il le sait maintenant, constata amèrement Marianne en buvant une gorgée de café. Sous tous les angles.

— Mais ce qu'il n'avait pas prévu, c'est qu'il tomberait amoureux. Paf! comme ça. *Love at first sight*, comme ils disent là-bas.

— Je ne savais pas que tu lisais des romans-photos, François.

— Et s'il était sincère, maman?

— Sincère!? En se présentant sous un faux nom et une fausse profession? En prétextant je ne sais plus quelle mission pour son prétendu journal afin de courir voir le procurateur à Aberdeen? Drôle de sincérité.

— Il pouvait difficilement se présenter à toi en soulevant son chapeau et en disant : « Bonjour, je suis Texel Jr et ma maman m'a chargé de vous dévorer toute crue. » Après, comme il voulait te revoir, il a bien été forcé de continuer à mentir. C'est l'engrenage logique. Une bonne partie du répertoire théâtral français est fondée sur le même principe.

— Logique de vaudeville, oui. Pour moi, c'était : *J'ai même rencontré une ordure au sourire chaleureux*, par Marianne Steenfort. Point. Et maintenant, on passe au best-seller suivant qui s'intitule : *Comment trouver deux cents briques en moins de trois semaines?*

— Okay, admit calmement François. Et tu en es où, dans ce roman-là?

— Je n'ai trouvé que le titre.

5

Le samedi 1er septembre, Claudine Lemarchand organisa un vaste cocktail mondain dans sa librairie pour le lancement du dernier roman de Pierre Madrier, *Les Dieux paralysés*, qu'on disait bien placé dans la course aux prix littéraires de la rentrée. Le Tout-Lille se bousculait donc entre les tables chargées de livres, principalement autour de celle où le célèbre écrivain dédicaçait son ouvrage à une cohorte d'admiratrices qui l'abreuvaient d'éloges dithyrambiques.

Marianne rafla une quatrième flûte de champagne sur le plateau d'un serveur et s'alluma une énième cigarette. Elle avait délibérément choisi de porter une robe de cocktail au décolleté provocant pour le seul plaisir masochiste d'ignorer les regards admiratifs des mâles de l'assistance. De toute manière, sa mine revêche décourageait d'emblée toute tentative d'approche.

– Fais au moins un effort pour sourire, ma chérie, fit la voix de Claudine dans son dos. Ce n'est pas avec cette tête-là que tu vas te dégoter le beau sultan dans sa Rolls magique.

– J'en ai rien à cirer, de ton beau sultan, maugréa sombrement Marianne en se retournant vers son amie. Ni d'aucun mec, d'ailleurs. J'aurais mieux fait de rester à la maison.

La maîtresse des lieux avait beaucoup d'allure dans son tailleur Chanel jaune pâle, qui mettait son léger bronzage en valeur.

— Hou..., ça va vraiment mal, dis donc. Il te manque tant que ça, ton Yankee ?

— Ne me parle surtout pas de ce salaud.

Marianne vida son verre presque d'un trait et fit signe au serveur de s'approcher pour lui en donner un autre.

— Tu bois trop, ma vieille, constata Claudine.

— Je sais. Et je fume trop aussi.

— J'ai peut-être quelque chose de mieux que le champagne pour te changer les idées.

— Une caisse de Valium ?

— Tu vois le type là-bas, avec sa chemise noire ?

Suivant le regard de son amie, Marianne repéra l'homme qu'elle lui désignait : un grand costaud aux cheveux noirs frisés, en veston « sport », le col de sa chemise largement ouvert sur un poitrail velu, une chaîne en or autour du cou et une gourmette d'un bon quart de kilo au poignet gauche. Il était en train de raconter, avec force gestes, une histoire probablement drôle à trois jeunes femmes qui se pâmaient en buvant ses paroles.

— Difficile de le manquer, se moqua Marianne. On dirait un taureau de concours.

— C'est exactement ce qu'il est, ma chérie. Et accessoirement mon professeur de tennis. D'après certaines de mes bonnes amies, c'est un expert de la bagatelle.

— Et alors ?

— Écoute, Marianne. Je sais que tu as beaucoup de problèmes en ce moment et que tu traverses une passe difficile. Je ne suis ni médecin ni psychologue, mais je pense que parfois un peu de tauromachie vaut mieux que toutes les caisses de Valium du marché pour se laver la tête de ses emmerdes. Viens, je vais te présenter.

Marianne vida une nouvelle fois sa flûte de champagne. Elle commençait à se sentir sérieusement partie.

— Après tout, pourquoi pas ? fit-elle en haussant les épaules. Olé !

Jay habitait un appartement en terrasse, que les Anglo-Saxons et les Belges appellent un *penthouse*, au sommet d'un immeuble résidentiel de l'avenue Winston-Churchill, dans le quartier chic d'Uccle, le Neuilly bruxellois. François faisait le guet depuis plusieurs heures, assis contre un arbre sur le terre-plein central de l'avenue, juste en face de l'entrée de l'immeuble. Vers huit heures du soir, sa patience fut enfin récompensée. Une Mercedes avec chauffeur déposa Jay devant chez lui. François se redressa et, tandis que la grosse voiture de fonction s'éloignait, il traversa la chaussée.

– Jay !

L'Américain, la clé de la porte d'entrée à la main, se retourna.

– François ?...

– Je peux te parler ?

– Bien sûr. Viens.

Moins de cinq minutes plus tard, ils étaient assis sur la terrasse qui dominait l'avenue d'une hauteur de huit étages, un verre de whisky *« on the rocks »* devant eux.

– J'ai fait un beau gâchis, hein ? lança Jay en guise d'entrée en matière.

– Plutôt, oui. Je suis venu jusqu'à Bruxelles pour te poser une seule question, Jay. À propos, je dois t'appeler Jay ou Christopher ?

– Jay. On m'a toujours appelé par mon second prénom. Je sais quelle est ta question, François. Et ma réponse est simple : oui, j'aime Marianne. Sincèrement, profondément, de tout mon cœur.

– Alors, pourquoi ?

– Alors, c'est le business, mon vieux. Le maudit business, comme disent les Canadiens. Et ma mère.

– Ta mère ? La fameuse Régine ?

– La fameuse Régine. C'est toujours elle la patronne, tu sais. Et, j'ignore pourquoi, elle semble beaucoup en vouloir aux Steenfort.

– De vieilles histoires de famille, Jay.

– Sans doute. Toujours est-il qu'elle essaie depuis quarante ans de mettre la main sur votre brasserie. Et comme l'occasion s'en présente enfin aujourd'hui, elle ne va pas la rater.

– Tu lui as dit pour toi et maman ?

– Oui.

– Et qu'est-ce qu'elle a répondu ?

– Que vouloir mélanger le cœur et les affaires était la dernière bêtise à commettre.

– Évidemment.

Ils vidèrent leur verre en silence.

– Tu en veux un autre ? proposa Jay.

– Non, merci. Tu n'aurais pas quelque chose à manger ? Je meurs de faim.

– Je dois avoir tout ce qu'il faut dans le frigo. Tu sais que j'aime bien cuisiner.

Les deux hommes passèrent à la cuisine où Jay entreprit de préparer un sauté de veau accompagné de pommes de terre rissolées.

– Tu sais, dit-il au bout de quelques minutes. Quand j'ai vu ta mère pour la première fois, à l'abbaye de Saint-Arnould, je ne savais pas qui elle était. Ce n'est que lorsque j'ai vu sa photo dans les journaux, deux jours après, que je l'ai identifiée. Mais c'était trop tard, j'étais déjà amoureux.

– Et tu lui as monté tout ce cinéma de journaliste correspondant de *Newsweek*...

– Que voulais-tu que je fasse ? Tu crois qu'elle m'aurait sauté au cou si je lui avais dit qui j'étais ? D'ailleurs, j'ai réellement travaillé pour *Newsweek* pendant des années, après l'université.

– Ce n'est donc pas ta mère qui t'avait chargé de faire du... du repérage ?

– Bien sûr que non. Je ne l'aurais pas accepté, d'ailleurs. J'étais très embêté, François. J'étais sur le point d'avouer la vérité à Marianne quand il y a eu cette mise sous tutelle de la brasserie de ton père. Et là, tout s'est déclenché très vite, je n'ai pas eu le choix.

– On a toujours le choix.

– Ne crois pas ça, mon vieux. Qu'est-ce que ça aurait changé si j'avais dit à ma mère d'aller se faire voir ? Vierkant aurait pris le relais, j'aurais été exclu du groupe Texel et Marianne m'aurait claqué la porte au nez de toute façon.

Pendant que les pommes de terre rissolaient, Jay réalisa en quelques gestes précis une sauce légèrement moutardée avec le jus de la viande. François, dont les talents culinaires ne dépassaient pas l'œuf à la coque et la soupe en sachet, le regardait faire avec admiration.

— Comment va-t-elle ? finit par demander l'Américain.

— Mal. Elle fait semblant de tenir le coup, tu la connais, mais elle va mal, Jay. Elle était sincèrement amoureuse de toi.

L'Américain se mordit la lèvre, accusant le coup.

— Je suppose qu'elle va se battre pour cette satanée adjudication ?

— Évidemment.

— Et elle a des chances de l'emporter ?

— Aucune.

— Alors, c'est vraiment foutu, François. Elle ne me pardonnera jamais. Viens, on passe à table...

— Attends, fit François en levant la main. Il y a peut-être un moyen.

— Lequel ?

— Quelle heure est-il à Vancouver ?

Jay consulta sa montre-bracelet.

— Bientôt midi. Pourquoi ?

— Parce que j'ai une proposition à te faire.

Tout le corps de Marianne se crispa quand la main aux doigts velus de Michel lui caressa les seins. Complètement dessoulée, elle se demanda pour la dixième fois ce qu'elle faisait là, nue dans son lit à côté de cet inconnu qui s'évertuait à éveiller son désir par de savants attouchements.

La soirée avait pourtant commencé dans les règles. Le professeur de tennis, après que Claudine l'eut présenté à Marianne, avait invité celle-ci au restaurant puis l'avait entraînée en boîte où ils avaient dansé jusqu'à une heure du matin. Marianne avait continué à boire pour se persuader qu'elle passait une soirée agréable. Ensuite, elle avait amené sa « conquête » chez elle, comme si c'était la chose la plus naturelle du monde. Son fils l'avait prévenue qu'il rentrerait sans doute très tard; le champ était donc libre. Et ils s'étaient mis au lit sans autre préambule.

— Tu devrais te détendre, ma biche, ça ira beaucoup mieux, tu verras. Attends, laisse-moi faire...

La tête du bellâtre disparut sous les draps et Marianne sentit sa bouche descendre lentement le long de son ventre jusqu'à son pubis. Ce fut plus fort qu'elle. Repoussant brutalement le bonhomme, elle jaillit du lit et plongea sur son peignoir qu'elle enfila d'un même mouvement.

La tête ahurie de Michel émergea du drap.

— Que se passe-t-il, ma biche? Tu as un problème?

— Excusez-moi, fit Marianne d'une voix tremblante d'énervement. Je... je voudrais que vous partiez.

— Là, tout de suite, comme ça?

— Oui. S'il vous plaît.

— Pourquoi? Je ne te conviens pas?

— S'il vous plaît. Je voudrais rester seule.

Et, sans attendre sa réaction, elle quitta la chambre. Au salon, elle prit ses cigarettes sur la table basse et en alluma une. Elle avait mal à la tête et un mauvais goût dans la bouche. Cinq minutes plus tard, le professeur de tennis la rejoignit, rhabillé, l'air perturbé.

— Je ne comprends pas, se plaignit-il. Tu ne sors pas du couvent, pourtant. Et c'est toi qui m'as abordé.

Marianne le regarda sans complaisance. Avec sa lourde gourmette et sa chaîne autour du cou, elle le trouvait parfaitement ridicule.

— Je sais, dit-elle sèchement. C'était une erreur. Je suis désolée.

— Une autre fois, peut-être? Il y a des jours, comme ça, où on ne se sent pas en forme.

— Il n'y aura pas d'autre fois, répondit Marianne en décrochant le téléphone. Je vais vous appeler un taxi. Vous seriez gentil d'aller l'attendre sur le trottoir. Bonsoir, Michel.

Haussant les épaules, le bellâtre se dirigea vers la porte d'entrée. Au même instant, on entendit le bruit d'une 2CV qui s'arrêtait sur le gravier de l'allée.

François et le professeur de tennis se croisèrent devant la maison. Sans un mot.

François trouva sa mère en peignoir dans le salon, fumant devant une des portes-fenêtres ouverte sur le jardin. Elle avait son visage fermé des mauvais jours. Il vint l'embrasser.

— Que se passe-t-il, petite mère ? C'est ce gros balourd qui t'a fait des misères ?

— Lui ? Non. Simple erreur de parcours.

— Ah ! Et... ça va ?

— Non.

— Ah !

— Plus que six jours, François. Autant regarder les choses en face : c'est le bide avec un grand B. J'ai fait le tour des principales banques du pays et elles m'ont toutes envoyée balader.

— Et c'est pour ça que tu soignes tes angoisses avec des Casanovas de Prisunic ?

Marianne voulut répondre, y renonça et se laissa tomber dans le canapé. Son visage se chiffonna comme celui d'une petite fille qui se retient pour ne pas pleurer.

— Je ne parviens pas à m'ôter ce salaud de la peau, François, finit-elle par avouer. J'essaie, mais je n'y arrive pas. Je n'y arrive pas...

Debout derrière elle, son fils lui mit une main sur l'épaule.

— Tu sais quoi ? Je vais te faire ton *karma*.

— Pardon ?

— Ton *karma*. C'est un principe de religion hindoue qui dit que la destinée de tout être vivant est déterminée par ses actions passées et ses vies antérieures.

Marianne se força à esquisser un pauvre sourire. Elle se rendait parfaitement compte que François voulait la distraire et elle lui en était reconnaissante.

— Parce que j'ai eu des vies antérieures ?

— Bien sûr, comme tout le monde. Dans les siècles passés, tu as peut-être été une mouche, une gazelle, une courtisane byzantine ou une porteuse d'eau chinoise de l'époque Ming.

— Je n'en ai vraiment aucun souvenir.

— Normal. Mais les dieux, eux, le savent. Nous allons donc essayer de déchiffrer les lignes essentielles qui tracent ton destin parmi celui des milliards de milliards de créatures de l'Univers. Ne bouge pas, petite mère, le temps de me préparer et je reviens.

Un quart d'heure plus tard, François était de retour. Il avait manifestement décidé de jouer le grand jeu. N'ayant laissé qu'une seule lumière tamisée pour éclairer la pièce, il alluma quelques baguettes d'encens disposées dans un verre sur la table basse. Puis, torse nu, une serviette de bain lui enserrant la taille en guise de pagne, un foulard noué autour de la tête, il s'assit en tailleur aux pieds de sa mère et, bras levés, commença ses incantations.

Amusée malgré elle, Marianne se sentit sourire plus franchement.

— Ô Brahma..., ô Vichnou..., ô Shiva..., maîtres des âmes et du temps, gardiens de l'Univers, guides du ciel et des étoiles, laissez-nous entrevoir le sort triste ou glorieux que vous réservez au cœur meurtri de votre humble servante... *Haré Krishna ! Haré Krishna ! Haré Krishna !*

Puis, sortant de sous sa serviette un joint de marijuana préalablement roulé, le garçon l'alluma à l'aide d'une des baguettes d'encens et le tendit à Marianne.

— Tiens, femme ! Laisse ton esprit s'envoler librement.

Marianne fronça les sourcils.

— Tu voudrais que je fume cette saloperie ?

— Il le faut, femme. Le chanvre de Vichnou transportera tes pensées par la fumée que tu exhaleras en offrande aux dieux. Aspire, médite et ferme les yeux pour mieux voir se dessiner ton destin. *Haré Krishna ! Haré Krishna ! Haré Krishna !*

Marianne haussa les épaules et prit le joint que lui offrait son fils. Au point où elle en était... Elle aspira et faillit tousser en avalant de travers la fumée un peu sucrée des feuilles de cannabis. Elle aspira une seconde bouffée, puis une troisième, et sentit son esprit s'apaiser tandis qu'une agréable sensation de légèreté s'emparait de son corps. François, pendant ce temps, poursuivait son numéro.

– Je vois... oui, je vois..., je vois une femme blessée par les tourments de la vie et les flèches acérées de l'amour. Je vois..., je vois un bel homme blond au sourire généreux, mais une montagne se dresse entre eux...

– Tu es vraiment d'un grand réconfort, railla Marianne.

– Silence, femme, et aspire. Aspire la fumée de tes rêves. Je vois... oui, je vois un fleuve d'argent qui s'écarte de la femme. Les dieux veulent l'éprouver en l'éloignant de la fortune...

– Merci de me l'apprendre.

Tirant consciencieusement sur son joint, Marianne commençait à trouver la situation baroque. Elle était là, à trois heures du matin, assise en peignoir dans le canapé de son salon, fumant de la marijuana en écoutant son fils déguisé en yogi de carnaval lui débiter des fadaises pour la faire rire. Et elle avait envie de rire. Ou de pleurer, elle ne savait plus. D'ailleurs, cela n'avait plus d'importance. Plus rien n'avait d'importance. Elle était là, avec son fils qu'elle aimait et qui l'aimait, et c'était bien.

– Mais je vois aussi... un autre homme..., un autre homme qui vient vers elle dans un grand char couleur d'ébène...

– Chic ! Il est beau, au moins ?

– Je l'ignore, je ne le vois que de dos, mais il est riche, très riche...

Les paroles de François ne parvenaient plus à Marianne qu'à travers un écran ouaté, comme si elle s'envolait au milieu des nuages.

– C'est un homme que la femme connaît. Elle l'a rencontré il y a peu de temps et ne l'aime pas beaucoup. Pourtant, cet homme lui veut du bien...

François s'interrompit. Marianne s'était endormie, le joint de marijuana aux trois quarts consumé entre les doigts. Se relevant, le garçon prit délicatement ce qui restait de la grosse cigarette artisanale et l'éteignit dans le cendrier. Puis, allant chercher un édredon dans sa chambre, il en recouvrit sa mère après l'avoir doucement allongée dans le canapé.

Marianne souriait dans son sommeil.

François l'embrassa sur le front avant de quitter la pièce sans faire de bruit.

La prédiction de François se réalisa le mardi suivant, trois jours avant la date fatidique de l'adjudication. Marianne se trouvait au département publicité en train de mettre au point les derniers détails de la campagne publicitaire de la rentrée avec Farzette, François et Norman, le directeur commercial. Cette campagne était bien préparée. L'affiche réalisée par François était une réussite; Farzette avait fait imprimer d'alléchants prospectus à déposer dans tous les cafés de France et Norman avait monté une opération promotionnelle efficace à l'usage des grossistes et des concessionnaires. Mais le cœur n'y était pas. Comme tous les membres du personnel de la brasserie, Farzette et Norman savaient que leur patronne vivait sans doute ses derniers jours à la tête de l'entreprise. Et ils se demandaient à juste titre ce que celle-ci allait devenir lorsque la brasserie serait passée sous le contrôle des Canadiens. Sans parler de leur propre sort.

Philippe interrompit leur réunion pour prévenir Marianne qu'un visiteur l'attendait dans son bureau. Il était arrivé sans rendez-vous et insistait pour la voir immédiatement.

— Qui ça? demanda-t-elle.

— Un certain de Werner. Vous le connaissez?

Marianne fronça les sourcils. C'était le premier banquier qu'elle était allée voir à Paris et qui, comme les autres ensuite, lui avait notifié son refus de lui accorder le prêt qu'elle sollicitait. Que diable venait-il faire ici? Et qu'est-ce qui justifiait un tel déplacement en personne?

Intriguée, elle s'excusa auprès de ses collaborateurs et suivit son adjoint jusqu'à son bureau.

Ambroise de Werner était assis, bien droit, dans un des fauteuils réservés aux visiteurs, égal à lui-même et vêtu d'un de ses costumes stricts de banquier, une élégante serviette de cuir posée à côté de lui.

— Madame Steenfort, annonça-t-il après les politesses d'usage, je suis venu vous avancer la somme dont vous avez besoin.

Marianne et Philippe se regardèrent, interloqués.

— Voilà un revirement inattendu, monsieur de Werner, dit la jeune femme. J'avoue que je ne l'espérais plus.

— En réalité, précisa le banquier, ce n'est pas ma banque qui vous accorde ce prêt, madame. Mais la personne qui m'a choisi comme intermédiaire préfère conserver l'anonymat pour l'instant.

— Vous voulez dire qu'il s'agit d'un particulier ? interrogea Philippe.

— Je n'ai pas dit ça, jeune homme. Cela a-t-il beaucoup d'importance ?

— Tout de même, fit songeusement Marianne. J'aimerais savoir qui accepte de me prêter deux cents millions.

— Cent millions.

— Pardon ?

— Le prêt serait de cent millions, pas un centime de plus.

Son début d'exaltation douché net, Marianne se laissa retomber contre le dossier de son fauteuil.

— Dans ce cas, c'est inutile, monsieur de Werner, soupira-t-elle. Vous savez comme moi que cela représente à peine la valeur de bilan des titres vendus par Fenton. Texel ira beaucoup plus haut.

Le visage de l'élégant sexagénaire ne manifesta aucune émotion.

— Vous m'en voyez navré, madame, mais les instructions de mon client sont formelles : cent millions ou rien.

— Si vous me permettez, madame..., intervint Philippe.

— Allez-y, Philippe. Je sais ce que vous allez me dire.

— L'adjudication a lieu dans trois jours. Faire une offre de cent millions vous permettrait à tout le moins de sauver la face.

Marianne prit une cigarette dans un coffret posé sur son bureau et l'alluma, sans prendre la peine de demander à son visiteur si la fumée le dérangeait. Les neurones de son cerveau s'entrechoquaient à toute allure.

— Parce que vous trouvez que la face a encore de l'importance dans ce genre de partie ?

— Je le pense, madame, répondit son adjoint d'un ton ferme. Et je crois vous connaître assez pour être certain que vous le pensez aussi.

— Touchée, admit Marianne en se redressant. Très bien, monsieur de Werner. De toute façon, votre prêteur ne risque pas grand-chose puisque je n'utiliserai pas son argent. Quelles sont les conditions ?

— Rien d'autre que le contrat de prêt comme garantie. Pas d'intérêts. Mais si vous l'emportez, dix pour cent des actions Steenfort en lieu et place du remboursement du capital.

Marianne eut un sursaut.

— Attendez, je ne comprends plus... Si je vous suis bien, et si par miracle je parvenais à racheter les parts Fenton, ma participation dans ma société serait ramenée à tout juste cinquante pour cent. Quel est ce petit jeu, monsieur de Werner ?

— Je l'ignore, répliqua le banquier d'un ton sec. Je me borne à transmettre les conditions posées par mon client. Lequel a d'ailleurs insisté pour que je vienne vous les proposer en personne. Et j'avoue que je m'attendais à un peu plus d'enthousiasme de votre part.

— Au mieux du pire, vous seriez à égalité avec la partie adverse, crut bon de préciser Philippe.

— Et au pire du mieux, je me retrouve avec mes quarante pour cent actuels, je sais. Excusez-moi, monsieur de Werner, mais je ne peux pas m'empêcher de me sentir troublée. Un mystérieux prêteur qui tombe du ciel à la dernière minute, comme dans les feuilletons hollywoodiens... Pas de garantie et des conditions somme toute fort généreuses... Et juste le montant nécessaire pour me permettre de sauver la face, comme dit mon adjoint... Votre client ne s'appellerait pas Christopher Texel, par hasard ?

— Je vous demande pardon ?

— Votre client est-il Christopher J. Texel, héritier de la Texel Limited et président de Texel Europe, connu parfois sous le nom d'emprunt de Jay Morgan ? Parce que si c'était le cas, je serais au regret de devoir décliner votre offre.

Le banquier la fixa sans broncher à travers les verres épais de ses lunettes.

– Mon client n'est pas ce monsieur, articula-t-il distinctement.

– Vous me le jurez ?

– Madame, un banquier qui se respecte n'a pas besoin de jurer. Sa parole suffit. Mon client ne se nomme ni Christopher Texel ni Jay Morgan et n'est évidemment pas Texel Europe, votre concurrent direct dans cette affaire d'adjudication qui vous tracasse. J'avoue que je comprends mal comment vous avez pu faire une telle supposition.

De plus en plus perplexe, Marianne écrasa sa cigarette dans son cendrier.

– Vous avez raison, finit-elle par dire. Excusez-moi. Je suppose que vous avez apporté la convention de prêt ?

– Bien entendu, répondit de Werner en se penchant pour prendre sa serviette.

– Quand aurai-je l'argent ?

– Il sera crédité au compte que vous m'indiquerez jeudi à seize heures.

– Une dernière question, monsieur de Werner...

– Oui ?

– Quelle est la couleur de votre voiture ?

– Plaît-il ?

– Je suppose que vous êtes venu de Paris en voiture. Quelle est sa couleur ?

– J'ai une Mercedes noire. Pourquoi ?

– Pour rien, fit Marianne en souriant.

François avait installé un écran sur trépied dans le salon pour projeter, après le dîner, le film en Super 8 qu'il avait pris des préparatifs de la fameuse photo au bord de la Clère. Marianne ne put s'empêcher de sourire en revoyant le petit photographe se démener pour mettre ses jeunes comédiens en place. Puis la caméra fit un panoramique et la jeune femme se vit, main dans la main avec Jay, observant la scène de loin. Elle eut une sorte de sanglot et se leva pour aller dans le jardin. François l'y rejoignit après avoir coupé le projecteur. Marianne fumait une cigarette sur la terrasse, regardant les premières étoiles du soir.

— De la terre et des briques, murmura-t-elle quand elle l'entendit s'approcher.

— Pardon?

— Une brasserie, ce n'est que de la terre et des briques. C'est ce que mon père a dit à Margrit, ma grand-mère, quand Peter Texel est venu leur reprendre la brasserie de Bourg-d'Artois en 1919. J'ai tout perdu, François. Notre terre, nos briques et le seul homme que j'aie jamais vraiment aimé.

— On n'a jamais perdu tant que la balle de match n'est pas jouée, petite mère. Tu m'as dit qu'un banquier t'avait fait un prêt.

— De cent millions, oui. De quoi sauver la face, comme dit Philippe. Pas de quoi battre Texel. À propos, mon chéri, ton histoire d'homme arrivant dans son char d'ébène, où avais-tu trouvé ça?

— Mais... nulle part. Je racontais n'importe quoi, juste pour te changer les idées.

Elle fourragea d'une main dans les cheveux de son fils en souriant.

— Je me disais aussi que si tu savais prédire l'avenir, nous n'en serions pas là.

— Maman...

— Oui?

— Promets-moi une chose...

— Quoi donc?

— Si jamais tu gagnes la partie, on ne sait jamais, tu arrêtes de fumer. Sauf, bien sûr, un joint de temps en temps si le cœur t'en dit.

Marianne sourit à nouveau.

— D'accord, c'est promis. Mais sans vouloir décourager ton optimisme, j'ai bien peur de devoir encore longtemps vider mes cendriers.

Et, d'une pichenette, elle envoya son mégot grésiller dans l'herbe humide.

6

— J'ai contacté l'avocat des Lebrun, dit maître Lemarchand. Ta sœur refuse tout marchandage et maintient sa procédure d'appel. Apparemment, elle se moque pas mal de savoir son fils en prison.

— Pauvre Christian, soupira Marianne. Sans amour ni amis, il aura manqué sa vie. Il risque combien, à ton avis ?

— Au pénal, entre cinq et dix ans. Avec une possibilité de libération anticipée à la moitié de la peine. Je suppose, vu l'attitude de ta sœur, que tu vas te porter partie civile ?

— Non. Inutile d'handicaper davantage ce malheureux en le chargeant d'une dette qu'il n'aurait pas assez de toute son existence pour payer.

— Très élégant de ta part, apprécia l'avocat. Et les victimes ?

— La brasserie les indemnisera contre l'abandon de toute poursuite. Ce sera probablement mon dernier acte de P.-D. G. et je mettrai Texel devant le fait accompli.

En sortant du petit hôtel de maître où Henri Lemarchand avait son cabinet, Marianne sourit en voyant la grande affiche placardée sur un panneau publicitaire, de l'autre côté de la rue. La jolie Nathalie arrosant son partenaire d'un long jet de mousse, avec les deux autres jeunes comédiens rigolant au second plan, assis sur leur couverture de pique-nique au bord de la rivière. Et le slogan, en belles cursives : *Steenfort pour faire mousser la vie.*

À vrai dire, cette affiche était chouette. François n'avait pas encore réussi grand-chose dans sa jeune existence, mais il aurait au moins fait ça. Avant de se faire virer comme sa mère de la brasserie par l'équipe Texel.

Avec le temps, elle s'était faite à l'idée de perdre la partie qui l'opposait au géant canadien. Son désir de se venger de la trahison de Jay s'était estompé, ne lui laissant que le regret de cet amour manqué. Mais, hormis cette douleur qui lui étreignait encore le cœur, elle se sentait presque sereine. Dès vendredi, ce serait fini, elle serait une femme libre. Libre de son temps et de sa solitude.

Sa Porsche était garée devant une agence de voyages. Elle y vit un signe. C'était ça qu'elle devait faire. Partir quelques semaines avec François, loin de Lille, de la bière et des problèmes. La Jordanie, par exemple, et l'extraordinaire ensemble de tombes nabatéennes de Petra. La Syrie, la grande mosquée de Damas, et Palmyre, la ville de la reine Zénobie, sans oublier les sites archéologiques de Deir ez-Zor... Autant d'endroits merveilleux encore ignorés du tourisme de masse.

D'un pas décidé, elle entra dans l'agence.

Marianne gara sa voiture dans la cour de la brasserie, à l'emplacement qui lui était réservé. Un homme, qui manifestement l'attendait, s'approcha d'elle, un journal plié à la main. Elle reconnut sans plaisir le capitaine Clermont, l'homme de la DST. Il avait les mâchoires crispées.

— Bonjour, madame Steenfort.

— Bonjour, capitaine. Comment va votre adjoint ?

— Lopez est sorti de l'hôpital il y a une semaine, je vous remercie. Où est votre fils, madame Steenfort ? Il n'est ni chez vous ni à la brasserie.

— Il a pris quelques jours de congé. Que lui voulez-vous encore ?

— Lui demander pourquoi il a fait ça.

Il déplia le journal et le tendit à Marianne. C'était *La Voix du Nord* avec, en première page, un titre sur deux colonnes : *« L'affaire Hannah Schneider : la vérité »*. L'article était signé par un certain Jérôme Gaillard.

— Je vous avais demandé de ne pas avoir de contact avec la presse, enchaîna Clermont. Et à François aussi.

Marianne accusa le coup mais se reprit très vite.

— Et alors ? fit-elle agressivement en rendant le journal à l'homme de la DST. Vous allez l'inculper pour haute trahison ?

— Non, mais...

— Mais quoi !? Cette lamentable histoire a eu lieu chez nous, capitaine Clermont. Sous mes yeux. Et sous les yeux de mon fils qui était amoureux de cette fille sans savoir qui elle était. Vous ne croyez pas qu'il a subi un traumatisme dont il a sans doute voulu se libérer en donnant cette interview ?

— Peut-être. Cependant...

— Cependant quoi ? Figurez-vous que pour le moment, j'ai d'autres préoccupations que les petits secrets d'État de la DST et autres services spéciaux de notre chère République. Aussi, je vous le dis du fond du cœur, capitaine : allez vous faire foutre !

Et le plantant là, elle se dirigea d'un pas ferme vers l'entrée des bureaux des Nouvelles Brasseries Steenfort SA.

En entrant après avoir frappé dans le bureau de Marianne le jeudi matin, Philippe eut un choc. Les murs étaient nus, la surface du bureau vide. Sa patronne, en jean, et tee-shirt, était en train de remplir deux caisses en carton des livres que contenaient la bibliothèque et des portraits qui ornaient les murs.

— Madame Steenfort..., que faites-vous ?

— Ça se voit, non ? répondit Marianne sans s'interrompre. Je vide mon bureau.

— Mais... pourquoi ?

Elle se redressa et prit une cigarette dans un paquet qui traînait encore sur le bureau.

— La conjoncture vous rend idiot ou quoi? Demain, Texel aura acheté sa majorité. Et dès lundi, Vierkant ou un autre s'assoira ici, dans ce fauteuil. Vous voudriez que j'attende d'être flanquée à la porte?

L'air de chien battu de son grand échalas d'adjoint la fit presque éclater de rire.

— Vous feriez bien d'en faire autant, d'ailleurs, enchaînat-elle en rejetant une bouffée de fumée. Ça m'étonnerait que la nouvelle équipe vous garde. Nos autres cadres, oui, probablement. Mais vous, certainement pas.

L'autre, les bras ballants, ne trouvait manifestement pas ses mots.

— Ho! Philippe, vous n'allez pas vous mettre à pleurer, tout de même. Avec votre diplôme d'HEC et votre QI, vous trouverez un autre job sans problème. Et sans doute mieux payé qu'ici.

— Ce... ce n'est pas ça, madame, bredouilla Philippe. C'est..., je...

Il avait les larmes aux yeux. Se rapprochant de lui, Marianne lui caressa gentiment la joue.

— Je sais, Philippe, murmura-t-elle d'une voix plus grave. Mais ne le dites pas, cela vaudra mieux.

D'un geste spontané, il saisit la main qui le caressait avant d'en porter la paume à ses lèvres en fermant les yeux. Marianne le laissa faire quelques secondes, puis se dégagea doucement en s'écartant. Philippe rouvrit les yeux.

— Vous avez porté mon offre chez maître Jolivet?

Marianne avait retrouvé sa voix normale. L'instant magique était passé.

— Je... Oui, hier après-midi.

— Bien. Où a lieu l'adjudication?

— Dans un des salons du *Palace Hôtel*, à onze heures.

Marianne eut pour elle-même un sourire désabusé. Le *Palace Hôtel*. Là où elle avait affronté Régine Texel vingt-trois ans plus tôt. Là où Margrit avait fait de même en 1934. Ce serait donc au même endroit que se déroulerait l'estocade finale. La petite histoire a de ces ironies...

— Alors, nous nous reverrons là-bas pour le baroud d'honneur. Et maintenant, aidez-moi à porter ces caisses dans ma voiture. Aujourd'hui, je prends congé pour le reste de la journée.

En arrivant dans la cour où était garée son véhicule, Marianne eut une surprise inattendue. Tout le personnel était là. Les ouvriers, les employés, les cadres. Alignés contre la façade du bâtiment, ils les regardaient, Philippe et elle, charger les caisses à l'arrière de la Porsche. Sans un mot.

Elle aurait voulu aller vers eux, leur dire adieu, leur serrer les mains, les embrasser. Mais elle ne le pouvait pas. Elle n'était pas encore officiellement chassée de son poste. C'était une situation absurde. Et terriblement émouvante. Tout ce qu'elle réussit à faire fut de lever la main et d'esquisser le V de la victoire avant de s'engouffrer dans sa voiture et de mettre le moteur en marche.

Comme elle franchissait le portail de la cour, quelqu'un actionna la sirène d'alerte incendie. Le long hululement triste la suivit pendant plusieurs minutes, comme les sirènes d'un port saluant un navire partant pour son dernier voyage.

Assise sur le banc de pierre dans la cour de la maison de Bourg-d'Artois, Marianne regardait les dernières lueurs du soleil couchant nimber de rose orangé les murs de l'ancienne ferme. Le journal de Margrit, qu'elle avait tant relu, était posé à côté d'elle.

Ainsi, elle serait la dernière des Steenfort. La dernière d'une lignée de brasseurs, somme toute assez courte, mais qui avait vécu tant de drames et de passions en seulement cent vingt ans. Charles, son arrière-grand-père, le pionnier, qui avait vendu son âme et sacrifié son amour pour sortir de sa condition misérable, puis qui avait connu la rédemption trente ans plus tard. Margrit, l'ancienne prostituée munichoise, devenue la *pasionaria* du socialisme et le fer de lance de sa famille d'adoption. Noël, le brave Noël mort à quatre-vingt-dix-neuf ans, qui n'avait jamais eu d'autre ambition que d'aimer la femme qu'il avait épousée. Adrien, tant meurtri par le sort, qui s'était vengé si horriblement de celui qui avait tué son fils. Juliette, trahie, aigrie, qui avait cru réparer les meurtrissures de sa vie manquée en trahissant à son tour. Et elle, Marianne, obligée à vingt ans d'assumer un héritage dont elle ne voulait pas et qui avait échoué à le conserver.

La dernière des Steenfort...

Que deviendrait son fils, ce gentil dilettante, quand il n'aurait plus l'excuse de la brasserie familiale pour faire semblant de travailler ? Dans un premier temps, il ferait son service militaire. Mais après ? François était parti depuis deux jours, elle ne savait même pas où.

Quel était le mystérieux prêteur qui avait accepté de lui avancer cent millions en échange de l'obtention très aléatoire de dix pour cent des parts de sa société ? Marianne ne le saurait vraisemblablement jamais.

Elle éprouvait le sentiment décourageant d'avoir tout raté. Son premier amour de jeunesse, par la faute de son père. Son mariage forcé avec Michaël Fenton. L'éducation de son fils. La gestion des brasseries Steenfort. Et, plus douloureux que tout, cette grande passion tardive et vibrante qu'elle n'avait vécue que quelques jours avec un homme qui s'était joué d'elle.

Marianne se leva de son banc. C'était bien d'être venue ici. Elle n'aurait pas voulu être ailleurs pour passer ses dernières heures de brasseur. Ici où tout avait commencé et où s'achevait le destin des Steenfort.

La nuit allait être longue.

Elle s'était arrangée pour arriver au *Palace Hôtel* avec cinq minutes de retard. Rentrée dès l'aube de Bourg-d'Artois, elle s'était soigneusement maquillée et avait mis son plus élégant tailleur, voulant paraître à son avantage jusque dans la défaite. Philippe avait raison : elle désirait au moins sauver la face.

Comme elle roulait vers le centre-ville, il se mit à pleuvoir. Elle s'arrêta devant l'entrée de l'hôtel et le portier se précipita avec un grand parapluie. Marianne lui donna les clés de la Porsche et rejoignit Philippe qui l'attendait dans le hall.

– Ils sont déjà là? lui demanda-t-elle, connaissant d'avance la réponse.

– Au grand complet, grimaça son adjoint. Mais avant cela, j'ai bien peur que vous n'ayez à affronter une meute de journalistes.

Une douzaine de reporters et de photographes, dès qu'ils l'eurent aperçue dans le hall, se précipitèrent effectivement dans sa direction.

– Zut! dit simplement Marianne.

Mais elle se força à sourire tandis que crépitaient les premiers flashes.

– Madame Steenfort, avez vous fait une offre pour les actions Steenfort détenues par la société de votre ex-mari?

– Bien entendu. Sinon, je ne serais pas ici.

– Croyez-vous pouvoir l'emporter sur Texel?

– Nous le saurons dans quelques minutes.

– Que ferez-vous si vous perdez la partie?

– Un bon déjeuner au restaurant du *Palace* et j'enverrai la note à Texel.

– Je voulais dire : quels sont vos projets?

– Prendre des vacances. Loin.

– Madame Steenfort, lança une femme. Vous avez souvent occupé l'actualité, cet été. Quel effet cela vous fait-il d'être une femme en vue?

– Les circonstances de cette actualité étaient chaque fois pénibles, madame. Personne ne peut se sentir heureux d'être en vue de cette manière.

– Parlez-nous d'Hannah Schneider, madame Steenfort. Est-il vrai, comme votre fils l'a déclaré à *La Voix du Nord*, qu'elle logeait chez vous et que vous étiez présente quand elle a été abattue?

– La Défense et sécurité du territoire m'a demandé de ne faire aucune déclaration à ce sujet.

– On a parlé d'une liaison entre vous et M. Christopher Texel. Qu'en est-il exactement?

– Je n'ai jamais rencontré personne qui se soit présenté sous ce nom. Et à présent, si vous voulez bien m'excuser, je crois que quelques messieurs m'attendent dans un des salons de cet hôtel.

Ils attendaient, en effet, au nombre de cinq.

À l'entrée de Marianne, escortée par Philippe, un petit homme râblé au visage lunaire se précipita pour lui baiser la main.

— Maître Jolivet. Ravi de vous connaître, madame Steenfort. Nous n'attendions plus que vous.

— Enchantée, maître. Nous commençons quand vous voudrez.

Deux Britanniques, plus britanniques que nature, succédèrent au notaire. Sans baise-main ni *shake hand*, mais avec une légère inclinaison du buste.

— Dawson, adjoint du procureur des Fenton Breweries. Et voici Mr Jeffries, qui représente sir Michaël Fenton.

— Sir Michaël est si terriblement désolé de ne pas pouvoir venir, enchaîna son comparse avec un accent épouvantable. Il a prié moi de l'excuser.

— C'est sans importance, mister Jeffries, sourit Marianne. De toute manière, je n'ai plus eu de ses nouvelles depuis six semaines.

Les deux dernières personnes étaient évidemment Vierkant et son petit adjoint qui trimbalait comme de coutume son énorme mallette. Avec eux non plus, il ne fut pas question de poignée de main.

— Vous avez donc réussi à faire une offre, laissa ironiquement tomber le grand Flamand. Mes compliments, madame.

— N'en faites pas trop, monsieur Vierkant, rétorqua sèchement Marianne. Votre grand patron n'a pas daigné venir?

— M. Texel est empêché. Mais pour bien marquer tout l'intérêt qu'il porte à cette affaire, il a tenu à rédiger lui-même notre offre d'achat.

— Quel honneur! Je suis comblée.

Maître Jolivet s'interposa.

— Madame, messieurs, si vous voulez bien prendre place...

Une dizaine de chaises étaient disposées sur deux rangs dans le petit salon particulier, face à une table derrière laquelle prit place le notaire après avoir sorti d'un attaché-case un document dactylographié et deux enveloppes scellées. Marianne, Philippe, Vierkant et son adjoint s'assirent au premier rang. Les deux Britanniques s'installèrent au deuxième. Après avoir chaussé une paire de lunettes, l'homme de loi entreprit de lire d'une voix rapide le texte qu'il avait préparé.

– Madame, messieurs, nous allons procéder à la vente par adjudication de quarante-neuf mille cinq cents titres de la société anonyme les Nouvelles Brasseries Steenfort, détenus par la Fenton Breweries Limited, société de droit britannique ici représentée par MM. Dawson et Jeffries.

Les deux Britanniques opinèrent gravement.

– L'adjudication a été annoncée par voie de presse selon les normes et dans les délais légaux. Deux offres d'achat ont été déposées en mon étude sous plis scellés ainsi que le veut la loi. Ces offres émanent de Mme Marianne Steenfort, ici présente, agissant en son nom personnel. Et de la société anonyme Texel Europe, société de droit belge ici représentée par son directeur général, M. Aloïs Vierkant. Je précise qu'il a été convenu avec le procurateur des Fenton Breweries que les quarante-neuf mille cinq cents titres mis en vente seront adjugés de manière ferme et définitive à l'offre la plus élevée, sans possibilité de surenchère.

Dawson et Jeffries réopinèrent, tandis que maître Jolivet reprenait son souffle avant de poursuivre.

– Je vais à présent donner lecture de ces offres d'achat en commençant, galanterie oblige, par celle de Mme Steenfort.

D'un geste exagérément solennel, il décacheta l'enveloppe portant le nom de Marianne.

– *« Je soussignée Marianne Steenfort...* gnn gnn gnn..., *déclare par la présente faire offre pour les quarante-neuf mille cinq cents actions de...* gnn gnn gnn..., *pour un montant total, frais et charges inclus, de cent millions de francs. »* Je précise, pour nos amis étrangers, qu'il s'agit évidemment de francs lourds.

La remarque du brave notaire tomba à plat, tandis que Vierkant lançait à Marianne un regard de commisération amusée. Marianne, regardant droit devant elle, fit mine de ne pas s'en être aperçue.

– Voyons à présent l'offre de la société Texel Europe...

Il ouvrit la seconde enveloppe. On aurait entendu une mouche voler. Maître Jolivet lut la première ligne de la feuille extraite de l'enveloppe, fronça les sourcils, relut et redressa la tête, fixant Vierkant d'un regard courroucé.

– Je suppose, monsieur Vierkant, qu'il s'agit d'une mauvaise plaisanterie ?

Ce fut au tour du grand Flamand, interloqué, de froncer les sourcils.

– Que voulez-vous dire, maître ?

Sans répondre ni se lever, le notaire tendit le feuillet qu'il tenait à la main. Vierkant dut quitter sa place pour venir le prendre. Restant debout, il lut le texte qu'il avait sous les yeux, rougit, pâlit et vint donner la feuille à Marianne.

– Je crois, madame, que ceci vous concerne, lâcha-t-il d'une voix glaciale.

Puis, d'un claquement de doigts, il fit se lever son adjoint et quitta la pièce sans saluer personne.

Déconcertée, Marianne regarda la feuille qu'elle tenait à la main. C'était une lettre manuscrite de quelques lignes.

« Mon amour, ne crois-tu pas qu'il serait temps d'oublier ces vieilles querelles du passé et de penser à être heureux ? Je t'ai aimée dès le premier regard et j'ai mille fois plus besoin de toi que de toutes les brasseries du monde. Jay.

« P.S. Je t'ai menti, c'est vrai, mais j'étais pris à mon propre piège. Je te promets que ce sera le seul mensonge de notre vie. Viens, je t'en prie, tu me manques si cruellement. »

Les yeux soudain embués de larmes, Marianne se leva d'un bond et, serrant la lettre dans son poing, se précipita en courant hors de la pièce sous le regard ahuri du notaire et des deux Britanniques qui se demandaient visiblement dans quelle pièce on les faisait jouer.

Philippe, lui, croyait avoir compris.

Elle traversa le hall comme une fusée, bousculant les journalistes qui guettaient sa sortie et jaillit sur le trottoir sans se soucier de la pluie qui tombait toujours.

Il était là, de l'autre côté de la rue, les mains dans les poches, avec son blouson américain et son merveilleux sourire.

Riant et pleurant tout à la fois, elle traversa la chaussée sans entendre les coups de klaxon des voitures qui l'évitaient et se jeta dans ses bras.

Lancés à la poursuite de la jeune femme jusqu'au porche d'entrée de l'hôtel, les journalistes se mirent à applaudir tandis que Marianne et Jay s'embrassaient longuement.

Deux autres témoins avaient suivi la scène de la fenêtre d'une suite située au troisième étage du *Palace Hôtel*. L'un d'eux était une dame élégante, restée fort belle pour ses soixante-huit ans. L'autre était un garçon de vingt ans, tiré à quatre épingles dans son costume trois pièces et cravate assortie.

Lorsque le couple qu'ils observaient s'éloigna sous la pluie, enlacé comme si leur vie en dépendait, ils s'écartèrent de la fenêtre et revinrent au centre de la pièce.

— Vous nous servez un peu de champagne ? demanda Régine Texel. Je pense que nous l'avons bien mérité.

François prit la bouteille débouchée qui attendait sur une table, dans un seau à champagne, et remplit deux coupes avant d'en tendre une à la Canadienne. Ils trinquèrent et burent quelques gorgées.

— Votre idée était excellente, mon garçon, poursuivit Régine en reposant sa coupe. Pour cent millions de vos petits francs, les Écossais sont « *out* » et nous voici partenaires *fifty-fifty*. Vous m'avez fait économiser cent millions.

— Vous êtes trop bonne, madame Texel. C'est moi qui dois vous remercier d'avoir accepté ma proposition.

— Gardez votre numéro de charmant ahuri pour la galerie, François. Vous avez une tête et vous savez vous en servir.

Elle s'assit dans un des fauteuils de la suite et fit signe à François de l'imiter.

— Bien, enchaîna la présidente du groupe Texel. Maintenant que nous avons marié votre mère à mon fils, si nous passions aux choses sérieuses, qu'en dites-vous ?

– Je suis à vos ordres, milady.

– Parfait. Dans un premier stade, avec mon aval, vous faites valoir vos droits sur les Fenton Breweries auprès du gouvernement britannique. Ensuite, comme convenu, nous opérons une *« joint venture »* Fenton-Steenfort-Texel Europe et...

Les cheveux dégoulinants de pluie, Marianne et Jay marchaient au hasard dans la ville, les yeux dans les yeux, doigts entrelacés, corps contre corps. Les rares passants qui les croisaient, abrités sous leurs parapluies, souriaient en les voyant.

Cet ouvrage a été réalisé par la
SOCIÉTÉ NOUVELLE FIRMIN-DIDOT
Mesnil-sur-l'Estrée
en août 1999

NiL éditions
24, avenue Marceau
75381 Paris cedex 08

Imprimé en France
Dépôt légal : septembre 1999
Nº d'édition : 99 PE 75 – Nº d'impression : 47386
ISBN : 2-84111-132-6